UNIVERSALE
ECONOMICA
FELTRINELLI

# PAOLO SORRENTINO
## Hanno tutti ragione

HANNO TUTTI RAGIONE
© Paolo Sorrentino
Tutti i diritti riservati

© Giangiacomo Feltrinelli Editore Milano
Prima edizione ne "I Narratori" marzo 2010
Prima edizione nell'"Universale Economica" gennaio 2012
Nona edizione luglio 2020

Stampa Elcograf S.p.a. – Stabilimento di Cles (TN)

ISBN 978-88-07-88041-4

**www.feltrinellieditore.it**
Libri in uscita, interviste, reading,
commenti e percorsi di lettura.
Aggiornamenti quotidiani

razzismobruttastoria.net

*A mia madre,*
*che la pensava così.*

Una volta mollata l'anima,
tutto segue con assoluta certezza,
anche nel pieno del caos.
HENRY MILLER

Tutto quello che non sopporto ha un nome.

Non sopporto i vecchi. La loro bava. Le loro lamentele. La loro inutilità.

Peggio ancora quando cercano di rendersi utili. La loro dipendenza.

I loro rumori. Numerosi e ripetitivi. La loro aneddotica esasperata.

La centralità dei loro racconti. Il loro disprezzo verso le generazioni successive.

Ma non sopporto neanche le generazioni successive.

Non sopporto i vecchi quando sbraitano e pretendono il posto a sedere in autobus.

Non sopporto i giovani. La loro arroganza. La loro ostentazione di forza e gioventù.

La prosopopea dell'invincibilità eroica dei giovani è patetica.

Non sopporto i giovani impertinenti che non cedono il posto ai vecchi in autobus.

Non sopporto i teppisti. Le loro risate improvvise, sosciate ed inutili.

Il loro disprezzo verso il prossimo diverso. Ancor più insopportabili i giovani buoni, responsabili e generosi. Tutto volontariato e preghiera. Tanta educazione e tanta morte. Nei loro cuori e nelle loro teste.

Non sopporto i bambini capricciosi e autoreferenziali e i

loro genitori ossessivi e referenziali solo verso i bambini. Non sopporto i bambini che urlano e che piangono. E quelli silenziosi mi inquietano, dunque non li sopporto. Non sopporto i lavoratori e i disoccupati e l'ostentazione melliflua e spregiudicata della loro sfortuna divina.

Che divina non è. Solo mancanza di impegno.

Ma come sopportare quelli tutti dediti alla lotta, alla rivendicazione, al comizio facile e al sudore diffuso sotto l'ascella? Impossibile sopportarli.

Non sopporto i manager. E non c'è bisogno nemmeno di spiegare il perché. Non sopporto i piccolo borghesi, chiusi a guscio nel loro mondo stronzo. Alla guida della loro vita, la paura. La paura di tutto ciò che non rientra in quel piccolo guscio. E quindi snob, senza conoscere neanche il significato della parola.

Non sopporto i fidanzati, poiché ingombrano.

Non sopporto le fidanzate, poiché intervengono.

Non sopporto quelli di ampie vedute, tolleranti e spregiudicati.

Sempre corretti. Sempre perfetti. Sempre ineccepibili.

Tutto consentito, tranne l'omicidio.

Li critichi e loro ti ringraziano della critica. Li disprezzi e loro ti ringraziano bonariamente. Insomma, mettono in difficoltà.

Perché boicottano la cattiveria.

Quindi, sono insopportabili.

Ti chiedono: "Come stai?" e vogliono saperlo veramente. Uno choc. Ma sotto l'interesse disinteressato, da qualche parte, covano coltellate.

Ma non sopporto neanche quelli che non ti mettono mai in difficoltà. Sempre ubbidienti e rassicuranti. Fedeli e ruffiani.

Non sopporto i giocatori di biliardo, i soprannomi, gli indecisi, i non fumatori, lo smog e l'aria buona, i rappresentanti di commercio, la pizza al taglio, i convenevoli, i cornetti con la cioccolata, i falò, gli agenti di cambio, i parati a fiori, il commercio equo e solidale, il disordine, gli ambientalisti, il senso civico, i gatti, i topi, le bevande analcoliche, le citofonate inaspettate, le telefonate lunghe, coloro che dicono che un bicchiere di vino al giorno fa bene, coloro che fingono di dimenticare il tuo nome, coloro che per difendersi dicono di essere dei professionisti, i compagni di scuola che dopo trent'anni ti incontrano e ti chiamano per cognome, gli anziani che non perdono mai occasione per ricordarti che loro hanno fatto la Resistenza, i figli sprovvisti che non hanno nulla da fare e decidono di aprire una galleria d'arte, gli ex comunisti che perdono la testa per la musica brasiliana, gli svampiti che dicono "intrigante", i modaioli che dicono "figata" e derivati, gli sdolcinati che dicono bellino carino stupendo, gli ecumenici che chiamano tutti "amore", certe bellezze che dicono "ti adoro", i fortunati che suonano ad orecchio, i finti disattenti che quando parli non ascoltano, i superiori che giudicano, le femministe, i pendolari, i dolcificanti, gli stilisti, i registi, le autoradio, i ballerini, i politici, gli scarponi da sci, gli adolescenti, i sottosegretari, le rime, i cantanti rock attempati coi jeans attillati, gli scrittori boriosi e seriosi, i parenti, i fiori, i biondi, gli inchini, le mensole, gli intellettuali, gli artisti di strada, le meduse, i maghi, i vip, gli stupratori, i pedofili, tutti i circensi, gli operatori culturali, gli assistenti sociali, i divertimenti, gli amanti degli animali, le cravatte, le risate finte, i provinciali, gli aliscafi, i collezionisti tutti, un gradino più in su quelli di orologi, tutti gli hobby, i medici, i pazienti, il jazz, la pubblicità, i costruttori, le mamme, gli spettatori di basket, tutti gli attori e tutte le attrici, la video arte, i luna park, gli sperimentalisti di tutti i tipi, le zuppe, la pittura contemporanea, gli artigiani anziani nella loro bottega, i chitarristi dilettanti, le statue nelle piazze, il baciamano, le beauty farm, i filosofi di bell'aspetto, le piscine con troppo cloro, le alghe, i ladri, le anoressiche, le vacanze, le lettere d'amore, i preti e i chierichetti, le suppose, la musica etnica, i finti rivoluzionari, le telline, i panda, l'acne, i percussionisti, le docce con le tende, le voglie, i calli, i soprammobili, i nei, i vegetariani, i vedutisti, i cosmetici, i cantanti lirici, i parigini, i pullover a collo alto, la musica al ristorante, le feste, i meeting, le case col panorama, gli inglesismi, i neologismi, i figli di papà, i figli d'arte, i figli dei ricchi, i figli degli altri, i musei, i sindaci dei comuni, tutti gli assessori, i manifestanti, la poesia, i salumieri, i gioiellieri, gli antifurti, le catenine d'oro giallo, i leader, i gregari, le prostitute, le persone troppo basse o troppo alte, i funerali, i peli, i telefonini, la burocrazia, le installazioni, le automobili di tutte le cilindrate, i portachiavi, i cantautori, i giapponesi, i dirigenti, i razzisti e i tolleranti, i ciechi, la fòrmica, il rame, l'ottone, il bambù, i cuochi in televisione, la folla, le creme abbronzanti, le lobby, gli slang, le macchie, le mantenute, le cornucopie, i balbuzienti, i giovani vecchi e i vecchi giovani, gli snob, i radical chic, la chirurgia estetica, le tangenziali, le piante, i mocassini, i settari, i presentatori televisivi, i nobili, i fili che si attorcigliano, le vallette, i comici, i giocatori di golf, la fantascienza, i veterinari, le modelle, i rifugiati politici, gli ottusi, le spiagge bianchissime, le religioni improvvisate e i loro seguaci, le mattonelle di seconda scelta, i testardi, i critici di professione, le coppie lui giovane lei matura e viceversa, i maturi, tutte le persone col cappello, tutte le persone con gli occhiali da sole, le lampade abbronzanti, gli incendi, i braccialetti, i raccomandati, i militari, i tennisti scapestrati, i faziosi e i tifosi, i profumi da tabaccaio, i matrimoni, le barzellette, la prima comunione, i massoni, la messa, coloro che fischiano, coloro che cantano all'improvviso, i rutti, gli eroinomani, i Lions club, i cocainomani, i Rotary club, il turismo sessuale, il turismo, coloro che detestano il turismo e dicono che loro sono "viaggiatori", coloro che parlano "per esperienza", coloro che non hanno esperienza e vogliono parlare lo stesso, chi sa stare al mondo, le maestre elementari, i malati di riunioni, i malati in generale, gli infermieri con gli zoccoli, ma perché devono portare gli zoccoli?

Non sopporto i timidi, i logorroici, i finti misteriosi, i goffi, gli svampiti, gli estrosi, i vezzosi, i pazzi, i geni, gli eroi, i sicuri di sé, i silenziosi, i valorosi, i meditabondi, i presuntuosi, i maleducati, i coscienziosi, gli imprevedibili, i comprensivi, gli attenti, gli umili, gli esperti, gli appassionati, gli ampollosi, gli eterni sorpresi, gli equi, gli inconcludenti, gli ermetici, i battutisti, i cinici, i paurosi, i tracagnotti, i litigiosi, i superbi, i flemmatici, i millantatori, i preziosi, i vigorosi, i tragici, gli svogliati, gli insicuri, i dubbiosi, i disincantati, i meravigliati, i vincenti, gli avari, i dimessi, i trascurati, gli sdolcinati, i lamentosi, i lagnosi, i capricciosi, i viziati, i rumorosi, gli untuosi, i bruschi, e tutti quelli che socializzano con relativa facilità.

Non sopporto la nostalgia, la normalità, la cattiveria, l'iperattività, la bulimia, la gentilezza, la malinconia, la mestizia, l'intelligenza e la stupidità, la tracotanza, la rassegnazione, la vergogna, l'arroganza, la simpatia, il doppiogiochismo, il menefreghismo, l'abuso di potere, l'inettitudine, la sportività, la bontà d'animo, la religiosità, l'ostentazione, la curiosità e l'indifferenza, la messa in scena, la realtà, la colpa, il minimalismo, la sobrietà e l'eccesso, la genericità, la falsità, la responsabilità, la spensieratezza, l'eccitazione, la saggezza, la determinazione, l'autocompiacimento, l'irresponsabilità, la correttezza, l'aridità, la serietà e la frivolezza, la pomposità, la necessarietà, la miseria umana, la compassione, la tetraggine, la prevedibilità, l'incoscienza, la capziosità, la rapidità, l'oscurità, la negligenza, la lentezza, la medietà, la velocità, l'ineluttabilità, l'esibizionismo, l'entusiasmo, la sciatteria, la virtuosità, il dilettantismo, il professionismo, il decisionismo, l'automobilismo, l'autonomia, la dipendenza, l'eleganza e la felicità.

Non sopporto niente e nessuno.

Neanche me stesso. Soprattutto me stesso.

Solo una cosa sopporto.

La sfumatura.

# 1.

*Gondoliere portami a Napoli.*
FRANCO CALIFANO

Che poi non ce ne eravamo neanche accorti, ma è cominciato tutto perché qualcuno aveva talento, purtroppo. Io!

Che altro dire? Uno passa un sacco di tempo a dirsi: va bene. Ma quello mica va bene. Quasi mai. E chiuderei qui prima ancora di cominciare se non fosse che questa vanità malsana galoppa dentro di me, più veloce di me.

Mi piacerebbe essere limpido, ma non servirebbe a nulla.

Tre conati di vomito e queste pallette piccoline di sudore freddo e giallognolo che mi accarezzano la fronte bassa, la mia fronte bassa, la fronte bassa di me, di Tony Pagoda, alias Tony P, con questi quarantaquattro anni carichi e feroci, che me li porto dietro e che non li conto, che se li conto, soffro assai. Perché uno per tutta la vita vorrebbe essere ragazzo, mica uno scherzo invecchiare. Non credo proprio. Comunque, bisogna pur sbrigarla la pratica dell'esistenza. A forza di derapate lente.

Niente, io sono uno di quelli che, per ingordi di etichette deficienti, viene definito "un cantante da night". Però io non sono un'etichetta. Io sono un uomo.

Ma che dire, col senno di poi, non era meglio essere un'etichetta?

Mi sconfinfero in questo lussuoso camerino grande quanto il salone della mia casa napoletana, con questi velluti

15

rossi che mi stonano l'esistenza, mentre aspetto di tenere il concerto più importante di questa mia sontuosa carriera che, tutti lo sanno, ho costruito pezzetto pezzetto. Mi inginocchio e cerco di arginare l'acqua minerale che scalpita per risalire dallo stomaco al catino, segno della croce, mani congiunte, grassocce e farcite di anelli d'oro. I palmi si attaccano come calamite sudaticce. Sono fradicio di me stesso, adesso.

Prego, spodestando i lontani ricordi della prima comunione, ma niente, neanche un modesto *Pater Noster*. D'altro canto, la cocaina, se te la fai per lungo tempo tutti i santi giorni, te la massacra la memoria, altro che, e non solo quella. E io la coca me la prendo allegramente, senza tregua, da vent'anni. Poi ti racconti che non è così, nel quartiere della mente consideri la memoria un reduce resistente, aggredisci l'evidenza, è calata la suggestione, un sipario di polvere. Lo stupore, anche, ma sono bagliori rallentati. Il fetore della novità, ad un tratto.

È così che ti cominciano dei dolori atroci, succhi ai limiti e ti ritrovi distrattamente davanti, moscia e genuflessa, la tua anima. Questo monumento invisibile.

Ma mica la cavi fuori così una preghierina, macché, però mi ricordo una frase che dissi una volta ad una giornalista con le tette non c'è male:

"Se a Sinatra la voce l'ha mandata il Signore, allora a me, più modestamente, l'ha mandata san Gennaro", questo dissi.

A quei tempi ero in vena di presunzioni a macchia di leopardo. E se mi va bene questo concerto lo posso essere anche adesso un bel presuntuoso.

Mi rialzo e un altro conato mi acchiappa come in un rodeo. Sento che mi sale su il gin tonic numero tre. No, niente coca quando canto. È roba che se la può permettere Mick Jagger che urla, corre e sculetta, io invece canto, io devo sentire la papilla che mi sbatte come un rullante e la corda vocale che oscilla, che poi è la mia chitarra. E questo conato ci ha origini precise, poiché lì fuori, in prima fila, nella maestosità del Radio City Music Hall, strozzato dall'alcol e dall'esperienza, c'è proprio lui, *The Voice*, pronto ad ascoltare me, questo napoletano sconosciuto negli States, ma che in Italia, Germania, Russia, Spagna, Belgio, Olanda, Brasile, Argentina e Venezuela pare che faccia faville a colpi di mitragliate di lp venduti. A colpi di mitragliate, altro che.

Mi aspettano. Se c'è una cosa che so fare bene in questa vita è farmi aspettare. Fatti i conti, lo so fare talmente bene che poi non arriverò. Ma questa è un'altra storia.

È un applauso che puzza di nostalgie tipo *'O sole mio* e *Munasterio 'e Santa Chiara* quello che il pubblico di sessantenni italo americani butta addosso al palcoscenico ancora vuoto, in attesa del solito ingresso trionfale. Il mio!

È un pubblico, questo degli italo americani, che conosco come le mie pacche. Un pubblico nutrito a colpi di antenne direzionate sulla tv italiana, allevato a sciabolate di rigurgiti di malinconia. C'è da fidarsi di questa gente.

Il mio pianista storico, Rino Pappalardo, mi squilla e mi bussa alla porta del camerino con mano allenata e densa di un corno rosso scaccia iella. È ora.

"Arrivo subito" sibilo, con una sola corda vocale, mentre mi analizzo la pancia nuda e deformata, gonfia e pelosa. Mi sbircio allo specchio con l'occhietto orgoglioso che tante girls ha demolito e noto con una puntina di preoccupazione che ora proprio non ci voleva, cazzo, che quell'occhietto marrone si è fatto rugoso e inopportuno. Ma sempre furbo e opportunista, cinico e romantico allo stesso tempo. A fiato trattenuto, mi esercito a tirarlo dentro questo gonfiore. Con risultati desolanti. Rincalzo la camicia di seta dello smoking, poi mi guardo deciso allo specchio delimitato da troppe lampadine bianche, ieratico e speranzoso come sono di carattere, ed è un'orgia di emozione, paura, angoscia ed eccitazione.

Rino insiste, bussa nuovamente.

"Eccomi, sorelle, sto arrivando" dico io.

Mentre prendo di petto frettoloso il gin tonic numero quattro.

Avanziamo lungo il corridoio di neon che conduce al palco, come un sindaco e la sua giunta, io in testa, Rino Pappalardo, Lello Cosa alla batteria, Gino Martire al basso, Titta Palumbo alla guitar. Tutti in smoking, tutti defenestrati dalle nostre abitudini, tutti emozionati marci, con la sozza consapevolezza che questo concerto è più grande di noi.

Nell'intimo, Titta di sicuro sta pensando che non sappiamo leggere neanche una nota. Ma nell'intimo. È un successo, questo, costruito sull'orecchio.

"Avrei bisogno di un goccio di Ballantine's" sussurra Cosa al Martire.

"Magari sta nel pubblico" ironizza terrorizzato Martire.

"Chi?" sbava sordo Lello Cosa.

"Ballantine, il proprietario dell'omonima fabbrica" dice Gino Martire.

"Chiudete il cesso" impongo io. E nessuno parla più.

"Quattro" sgola rauco Lello Cosa e parte più lenta del solito la cassa della batteria in 4/4. Che recupera sul secondo giro la sua velocità normale. Dalla quinta guardo torvo Cosa. Durante l'interminabile intro di ventiquattro secondi, penso impietoso che è più grande di come me la ricordavo questa sala, ma io ci ho la saliva difettosa, troppa saliva, e tra quindici secondi attacco, entro in scena, pure meno, vaffanculo saliva, vaffanculo saliva, vade retro saliva.

Ci ho la pressione che si è stabilizzata sui valori del geco: undici-quaranta. Un pallore medioevale mi attraversa il volto, ma comunque. Giaguara è la mia entrata, finto distratta direi. Ma sulle entrate in scena sono un maestro, un arcangelo, potrei scrivere trattatelli, pamphlet... l'applauso mi fa tremare la mandibola, è un battimani da day after, per grazia del bambinello mi scende un poco la saliva, e mentre azzanno il microfono sorrido al pubblico giulivo che ulula e riconosce *Un treno per il mare*.

Alla fine dell'intro attacco a cantare. E dopo due lemmi d'amore risale l'applauso selvaggio degli italo americani. Ancora troppa saliva, rimugino rincoglionito dall'emozione, ma li fotto lo stesso, sempre così, l'amore li rincoglionisce sempre a questi qui e nessuno saprà mai che... troppa saliva, troppa saliva.

Ora, le pareti del cervello mi sbattono come ante lasciate aperte durante una tempesta di vento. Cerco con lo sguardo Sinatra in prima fila, non lo trovo, dove cazzo sta? Vuoi vedere che non è venuto, 'sto frocio!

Attacco il secondo verso con mezzo secondo di ritardo, recupero dopo poco e si consuma, in un'esecuzione mediocre, *Un treno per il mare*. Dico grazie più thank you e mentre lo dico lo localizzo al Sinatra paonazzo. Dacci dentro Tony, sussurro a me stesso, e Tony ci dà dentro quando sale *Una cometa nel cuore*, uno di quei brani che taglierebbe a pezzettini anche il cuore di un serial killer svedese. Dopo due accordi ho bello che sfondato le pareti dell'emozione.

E mi perdo in un laico pensiero: quando sfondi le pareti dell'emozione la vita diventa una palla di natale.

Ora, gagliardo e pretenzioso come il pappagallo Portobello, me ne sto appollaiato quattro toni sopra, sull'acuto pazzesco del ritornello, che neanche Diamanda Galás, roba che le pareti del Radio City vibrano come un'arpa suonata da una testa di cazzo, e il pubblico italo americano si spacca carpi e metacarpi di lavoratori per applaudire, e le signore garrule che tengono i lacrimoni a portata di pupilla. Gli ombretti sciolti, smembrati come la margarina scadente. Roba che ti sfonda il battito cardiaco se ti sei innamorato una volta nella vita. E chi non si è innamorato almeno una volta nella vita?

Succede che anche Frank Sinatra, in prima fila, si aggiusta il pantalone di gabardine e ride e si diverte a tutta questa potenza vocale. Si diverte con più moderazione Frank, abituato com'è al contegno, ma lui è un'altra storia, ci vuole altro per sorprendere Frank, che questa giostrina della vita la conosce dentro e fuori, al diritto e al rovescio. E ora lo becco in primo piano il nostro Frank, incrociamo gli sguardi, in un delirio orgiastico di smisurata ammirazione tra colleghi.

Sono nell'olimpo, porca troia, o quanto meno nel clan di Frank, medito.

Il paradiso a un passo da me ora che canto da dio, ora,

che mi sento dio, per dio, sono proprio dio con gli occhi chiusi e la testa reclinata verso l'alto. Che se dio lo si potesse vedere, probabilmente, mi starebbe mantenendo il microfono, adesso, a me, a Tony Pagoda. Alias Tony P.

Così, come uno Charlot della musica leggera, me ne vado a braccetto con nostro signore dalle ventidue alle ventiquattro. Ora di New York. Sul palco del Radio City.

Sinatra, ubriachissimo, mica dorme. Non solo non dorme, ma neanche scapuzzèa, questi al paese mio si chiamano risultati. Chiari e lampanti.

Ad ogni modo, un vortice di note, brani e pensieri sincopati si susseguono nel mio cranio pensieroso e penso che se non ci do dentro ora quando ci do dentro...

Spiattello *Quel che resta di me* e penso che ho testicoli quadrati.

Sparpaglio nell'aere *Un giorno lei mi penserà* e penso che ho testicoli esagonali.

Affogo il pubblico nelle sue stesse lacrime con una lancinante *Non c'ero, amavo* e penso che questo successo, per dio, tutta la vita durerà, tutta la vita... e allora stasera, puttane, stasera puttane americane, New York ne è piena.

E poi gigioneggio come solo io so fare con *Lunghe notti da bar*, e la canto infilandomi una mano nella tasca della giacca e con le dita giochicchio col sacchetto di cocaina da tre grammi. Duemila persone che non perdono un mio battito di palpebra, eppure non sanno che io, con quelle ditine cattive, gioco con la droga, stasera puttane americane, tutto questo mi gravita in teschio, come frappè nel frullatore.

Me la spasso, li prendo un po' in giro questi amanti miei sessantenni italo americani, se pensate che adesso sia nudo, nudo di emozioni, di sincerità, in balia dei vostri tagliandi di biglietti pagati, allora siete fuori carreggiata, non è così, anche con tutti i vostri occhi addosso non potrete conoscere mai il mio segreto, il segreto delle dita che giocano col proibito, con l'illegale. Del resto, non si conosce nulla, né le persone, né gli oggetti, semplicemente perché non si può vedere mai una cosa o una persona nella sua totalità, se vedi una persona di faccia, non puoi vedere le sue spalle, hai una visione sempre parziale, approssimativa di tutto.

Le esistenze, sono solo tentativi, perlopiù fatti a cazzo.

E sbircio, a mia volta, i movimenti sulle sedie dei miei spettatori e vedo occhi lucidi, mani di coppie anziane che si intrecciano a ribadire la giustezza di trent'anni di matrimonio, no, non è stato uno sbaglio questa vita trascorsa insieme, è stata una vita, una vitaccia, ricolma di agguati nella notte, offesa e paludata da dispiaceri e delusioni, ma ne valeva la pena e vedo grossi culi di madri che si dibattono emozionati sulle sedie, ne hanno fatte di tutti i colori, ma questo non sta bene dirlo, d'altro canto il prete ci ha assolte a noi madri. Deliro. Vedo tradizione, folclore, speranze, forti volontà, questi cazzi di italo americani, è tutto un mondo a sé, vola supertony sull'acuto di *Lunghe notti da bar*. I sondaggi dicono che oggi si trasgredisce di più, non è vero, è che oggi si dice e ieri non si diceva. Mi affollo la testa di sondaggi.

E i bis li elargisco come volantini alla fermata della metropolitana.


In camerino, Titta si sente più leggero, pesa due chili di tensione in meno, adesso, mentre si bacia con Lello, Rino, Gino e il sottoscritto. Urlano e cantano un coro da stadio come se avessero vinto lo scudetto. Sudati e felici. Io li guardo compiaciuto, ma non canto, sono il leader e devo fare la parte di quello che lo sapeva che andava a finire così bene questa faccenda di nuova York. Entra trafelato Jenny Afrodite, il mio manager, col suo visetto squadrato ed insignificante, e il ciuffetto ostinato di capelli che gli ricade ossessivamente sulla fronte, e il brillantino che gli incula l'orecchio sinistro, ringiovanendolo di sei mesi, e placa il coro con una frase che cade come un tuono nel primo sonno.

"Ragazzi, c'è Sinatra che vuole salutarvi."

Cala un silenzio fragile. Esistenziale.

Io, con la rapidità del ghepardo che ode lo sparo, mi volto e impallino lo specchio luminoso. Mi aggiusto i capelli.

Rossi. Tinti. Ossigenati. Color mogano. Capelli un po' alla Silvan, da maniaco. Me li butto indietro, con un colpo di spazzola, e mi chiudo la vestaglia. Fo' un cenno a Jenny col braccio. Un cenno dal sapore dittatoriale. Indimenticabile. E la porta si apre. Titta trema e chiede scusa a se stesso per essersi criticato qualche volta, per non essersi voluto bene, talora. Si sentono passi felpati e ritmici nel corridoio. Passi di più persone. Uno stupro della moquette. Le guardie del corpo introducono e appare Frank, barcollante, ondeggiante, rosso in viso, come certi contadini abruzzesi. Frank mi si avvicina, tende la mano, sulla quale dilaga un anello comprato a listino per centoventiduemila dollari. Un orgasmo di diamanti. Io rispondo con un tredici milioni preso dagli orefici di via Marina. Le mani si stringono. I due anelli si toccano in un tintinnio che non sfugge a nessuno. La fifth avenue contro via Marina, un duello impari. Titta si guarda umiliato la fede nuziale e, nel momento più importante della sua vita, avalla nuovi ed inesplorati complessi di inferiorità. Teorie ed ideologie di nuove forme di generosità, invece, si fanno strada intra me. Vorrei regalargli della coca al vecchio Frank, ma mi trattengo. A stento.

Frank, più basso di qualsiasi pessimistica previsione, con un paio di posture da imperatore, si accomoda sulla mia sedia, unico trespolo del camerino. Io e il mio gruppo, in piedi, attendiamo il vaticinio che vale tutta la carriera. In maniera del tutto inopportuna, Lello Cosa si rammenta di essere fine umorista, oltre che valente batterista.

"Pare Napoleone" dice Lello Cosa, cercando l'improbabile complicità dei compagni. Io lo trafiggo con un'occhiata da licenziamento. Per grazia di dio, Sinatra non ha capito. Frank se ne sta seduto, ma ancora non parla, la tensione aumenta, c'è una tensione così indescrivibile al punto che veramente confina con l'umidità. Sinatra, con una lentezza da eroinomane, tira fuori un pacchetto di sigarette. Con fare giraffesco allunghiamo tutti il collo per sbirciare la marca del pacchetto. Ma non l'abbiamo mai sentita nominare, questa marca. "Sinatra" si chiama la marca.

Frank si poggia la sigaretta tra le labbra, come in un musical al rallentatore, poi tira fuori un accendino Dupont di platino del 1958 e organizza una frase in un italiano stentato.

"Questo me lo ha regalato Marilyn Monroe."

Adesso, c'è ansia. Tanta ansia.

"Il concerto is good, ma ricordati una cosa Tony, il successo... il successo sta sul cesso" sottolinea Frank Sinatra con una risata alcolica.


Il successo sta sul cesso.

Ripensa a queste parole il vostro Tony mentre, spappolato com'è sulla limousine nera pagata chissà da chi, ma non da lui, questo è certo, se ne sta solo soletto e gli sfilano sotto gli occhi trafitti da sei gin tonic i grattacieli di Midtown. L'autista non mi caca neanche se lo implorassi e allora spiego a me stesso che è ora di tirare cocaina. Mi accartoccio sulla polvere e faccio un tiro che sembra che se ne debba venire giù l'Empire State Building e invece non mi ha sentito neanche l'autista nero insonorizzato da uno di quei vetri che da noi si usano solo per le banche. Mi ritrovo da solo, confidavo in una cena con Sinatra, ma è sgattaiolato via col fare di chi già ti ha fatto un favore enorme a venire al concerto. Ero stato ottimista, le star, le celebrità, si sa, sono sempre altrove. E comunque non dove sto io. Mi immaginavo simpatici dopo cena con Frank in case arredate dallo scenografo di Billy Wilder e invece sto puntando dritto Times Square e la sua monopolizzante concentrazione di puttane. Il mio regno. Qui non mi sento fuori luogo. Procedo per etnie. E carico sulla limousine una nera, una portoricana e uno sguardo cattivo biondo che mi sembra tedesca, ungherese o non so che, con l'est e col nord ho sempre fatto un casino non indifferente. Io sono uomo adatto o al lusso americano o ai Tropici caldi, lì poi mi sento un faraone in vacanza. I tre compagni del gruppo li ho lasciati a crogiolarsi in un bar del Village, quei tre dalla vita al massimo possono chiedere una birretta al bancone di un bar buio. Neanche col barista possono parlare, la dittatura della lingua inglese li ha tagliati fuori a loro dai circuiti buoni della vita. Jenny Afrodite non si sa dove sta, ci ha i suoi giri lui e non dice niente a nessuno, dice sempre che ci ha da lavorare, potrebbe essere vero, come potrebbe essere vero che va a farsi d'eroina, che ne so io?

Io, invece, mentre offro cocaina alle tre, starnazzo paroline americane che farebbero pendant con gli emigranti di inizio secolo. Loro neanche mi rispondono, tuffate come sono nella droga bianca. Ma a me comunicare mi piace. Mi è sempre piaciuto. E sui metodi di comunicazione non ho mai fatto troppo lo schizzinoso. Che siano parole, botte, lacrime e risate, lettere d'amore, sesso, alcol o cocaina, per me va bene lo stesso, sempre comunicazione è.


Entriamo nella stanza e pippiamo di nuovo, delle strisce così lunghe che vedi l'inizio ma la fine no. Mi butto sul letto della stanza d'albergo con un fare come a dire: sto qui, eccomi qua, mo' fatemi tutto quello che volete.

La nera ha seni altisonanti, che sbavano ai lati con crepe torrenziali, il risultato di troppi figli o di troppe mani che l'hanno palpata. Quest'ultimo pensiero non poteva calzare meglio a pennello, mi eccita! La portoricana è una tipa ordinata, si spoglia in un angolino, come se dovesse andare a dormire lei sola. Si sceglie una sedia libera e ripone le sue pezze lì, come una commessa in prova per l'assunzione. È diligente. Ad occhio e croce, secondo me, era una tipa che a scuola andava bene e a casa aveva poca voglia di cazzeggiare con fratelli e parenti. Questa è l'idea che mi sto facendo. Ma chi mi allarma è l'algida bionda. Se ne sta immobile e vestita, appoggiata al trumeau con l'aria della ragioniera cattiva. Come a dire: sto qua, ma se stessi a un convegno di dentisti mi comporterei esattamente allo stesso modo. Mi dà sui nervi e va a controbilanciare l'eccitazione procuratami dalle tette troppo palpate della nera. È proprio la nera che si accascia per prima sul letto con me, si struscia. Io la bacio. Lei evita il mio bacio.

Io, chissà perché, me ne esco male:

"I'm a singer" dico senza motivo.

Nessuno parlava, ho parlato io.

Nessuna delle tre se ne poteva fottere di meno.

Incalza la portoricana, finto calda. Me la sono ritrovata alle spalle, come un assassino, e invece mi accarezza da qui e da là mentre la nera è precipitata nella routine, a gambe aperte. Entro dentro di lei e, chissà perché, penso che non sto risolvendo nessun problema. Sono eccitato ma non è così duro ora, come si potrebbe pensare. La coca assottiglia queste speranze da macho. E la bionda mi irrita, se ne sta a guardare indifferente, senza staccarsi dal trumeau, senza spogliarsi, insomma che cazzo la pago a fare? Tra poco faccio il diavolo a quattro. Mi muovo sulla nera, ma senza pathos. La solitudine mi acchiappa per le palle e mi mette a capa sotto.

Dobbiamo essere forti, Tony.

Ci do dentro, tutta la fatica del lavoro, le ansie, le apprensioni della vita mia si giustificano, devono giustificarsi in momenti come questi. Scopare tre donne diverse con storie diverse e con padri e madri diverse. Comunque comunque, velocizzo, ansimo, mi confondo nelle anatomie, lo tiro fuori che sto per venire e solo adesso capisco, la bionda, furtiva e rapida come uno sciacallo silenzioso, mi si è accoccolata sotto, ancora vestita, me lo prende in bocca e io arrivo a destinazione. Mo' muoio. Proprio quella che mi stava antipatica mi ha fatto questo regalo di natale, che spettacolo! Uno spettacolo silenzioso. Quello che ti massacra i sensi nel sesso è il silenzio quando pensavi che invece ci sarebbe stato casino e viceversa. Questa è una delle poche cose che ancora mi stupiscono. Sto ancora cianotico, ancora con gli ultimi sprazzi quando squilla il telefono della stanza. È Maria, mia moglie.

"Ciao amore" dico, mentre mi sfilo dalle gambe della nera, senza fretta però. A me sensi di colpa e piedi in testa non me li mette neanche Gesù Cristo. Le tre le ho pagate in anticipo, quindi assisto alla loro silenziosa vestizione mentre commento con una risata poderosa che il concerto è andato alla grande. Sento mia moglie saltellare dalla gioia dentro casa. Come il canguro. Condivide con me gioie e dolori. La bionda non la vedo, dev'essere già uscita dalla stanza, del resto era già vestita. Che cazzo ci rimaneva a fare qui dentro? Mia moglie mi dice che la bambina mi vuole parlare. Sento quella voce innocente dire:

"Papà".

Mentre la nera e l'altra sgattaiolano via senza neanche farmi ciao con la manina. Mia figlia mi dice che le manco. Io penso che è tutta la vita che manco.

"Amore, ti porto un regalo quando torno, mo' posiamo che qui è tardi, non te l'ha detto mamma? C'è il jet lag, il fuso orario, papà sta stanco assai, ha lavorato stanotte."

Ci ho fretta, ma perché?

Poso la cornetta, ma non mi sento bene. Mi fa male lo stomaco. Ma non è l'ulcera, è il jet lag che a me m'massacra 'a panza. Tengo dello sperma sulle mani, trasalisco, c'è una cosa che non tengo, invece, l'anello da tredici milioni. Un minuto fa lo tenevo. Lancio un urlo da gabbiani digiuni. Quella puttana bionda me lo ha rubato, perché a Sinatra una cosa così non capiterebbe mai? Forse perché non va raccattando puttane a Times Square. Ho la conferma quando approdo al mio portafogli nell'ingresso, si sono fatte pure i dollari quelle mignotte. Tutto per colpa di quella stronza di mia moglie che sono vent'anni che quando telefona mi chiama sistematicamente quando non dovrebbe. Una tempesta di inopportunismo, quella donna.

Mi viene da piangere.

È il 27 dicembre del 1979 e da qualche giorno tutti sono un po' più cattivi.

Ma non piango.

Solo che ora veramente mi sono frantumato i coglioni degli States, voglio tornare in Italia. E mentre dormo pronuncio a voce alta questo grido di dolore che mi fa svegliare sudato:

"Gondoliere, portami a Napoli".

Ma che cazzo significa?

## 2.

*Nel mio vestito blu,*
*sto portando pazienza.*
CHARLES AZNAVOUR

A me se c'è uno che detiene il potere di farmi girare le palle allora quello è di sicuro Titta Palumbo, mio chitarrista e mio ingrato e demente compagno di doppio a tennis.

È il meriggio e mi fanno male le cosce. Ero assai nervoso ieri, dopo il furto di quelle tre maiale e per sopperire ho pippato almeno tre quattro grammi e oggi, inevitabilmente, mi fanno male le cosce.

Ci stiamo stravaccando tutti e sei ad uno dei bar del JFK aeroporto, in attesa del volo. Io bevo tequila brown e me ne fotto di quello che bevono gli altri. So solo che Titta mi fracassa il cazzo quando parla per ore di stronzate di prim'ordine. E trova sempre quel coglione di Gino Martire pronto a dargli man forte. Ora stanno parlando del perché il ripieno è meglio della margherita. Litigano. Sono solo due porci napoletani. Hai voglia a lavorare come un mulo per portare la tua musica fuori dall'ambito regionale, quelli sono stessi i napoletani a rotolarsi come modelle anni settanta dentro ai veli trasparenti dei luoghi comuni. Sono loro i primi a parlare di pizza e spaghetti e tramonti e pini di via Orazio e Vesuvi e Capri e penisole sorrentine del mio cazzo. Come questi due froci che tengo per musicisti.

Titta, pur di difendere il ripieno, scomoda uno scrittore polacco il cui nome non saprei ripetervelo neanche se facessi duecento tentativi, uno di quei cognomi tutto consonanti. È colto Titta, agli altri li tiene in soggezione e li sconvolge a

27

colpi di aggettivi e cognomi complessi ma a me non mi fa paura manco si che. Manco se mi scagliasse addosso tutta l'Enciclopedia britannica mi farebbe paura Titta. Tra parentesi, caro Titta, io a casa la tengo l'Enciclopedia britannica, e non fa proprio niente che alcuni volumi stanno ancora dentro al cellophane. Io a Titta lo faccio sempre una merda e lui sta zitto. Lui fa parlare i libri, io faccio trasudare la madonna dell'esperienza che tengo che lui se la sogna, sconclusionato com'è lui tutte le sere nel suo trilocale ai colli Aminei con moglie topo e tre figli che lui dice che sono sani e che a me invece sembrano dei mongoloidi con la patente B.

Lui, Titta, fa l'ipersensibile, l'uomo di sfaccettatura, in realtà è un somaro. Un somaro che piange. Così non si va da nessuna parte, Titta. Soprattutto se non esci la sera perché te ne stai in casa a leggere. La sera bisogna uscire, girare, mangiarsi la notte, perdersi nella merda della periferia e capire che solo la notte con i suoi accordi e le sue note improbabili ti può far capire qualcosa. La notte che ti costringe a un duello tra la tua vita e tutta l'altra vita. Quella che non si può raccontare. Che poi ve la racconterò lo stesso. Un poco di pazienza. Vi racconterò anche di quella notte d'agosto che andai a mangiare il ragù alle quattro di notte a Torre del Greco a casa di tre tipi che così spaventosi solo io li potevo incontrare.

Ad ogni modo, sono solo testimone in questa triste vicenda da cazzeggio aeroportuale e quindi ecco a voi...

*...il famoso dialogo della pizza...*

Titta, socializzante:
"Mo' che torno, jet lag o non jet lag, scombussolato o non scombussolato, ma nessuno mi impedirà di andarmi a fare il ripieno da Angelo".

Io, passivo:
"A me 'o jet lag m'massacra 'a panza".

Un laido silenzio. Nessuno mi ha cacato a me che sono il leader, questo mi ha fatto irritare. Martire è partito in quarta come Niki Lauda.

Gino Martire, con un certo fervore:

"Il ripieno di Angelo è una samenta, è come farsi gli gnocchi con la mozzarella a Caracas".

Mi sono chiuso in un risentito mutismo che avrebbe dovuto calamitare l'attenzione. Manco si che. Ero ancora più offeso di prima.

Titta, come un cavallo:

"Innanzi tutto Angelino è amico mio e quindi vedi come sposti la bocca e poi il suo ripieno fa paura per quanto è buono".

Gino, difensivo:

"Attacco la pizza, non l'uomo".

Titta, greco:

"Angelino vive per il suo ripieno, quindi offendi l'uomo, è un semplice sillogismo".

Gino, fatalista:

"Involontariamente, Angelino fa meglio la margherita".

Titta, risentitissimo:

"Sei una faccia di cazzo. Angelino non vuole neanche sentire parlare di margherita, la fa contro voglia, quando gliela chiedono fa la faccia da killer e una volta mi ha detto una cosa sulla margherita che mi ha fatto venire le lacrime agli occhi per quanto era profonda la sua osservazione: 'Quella stronza regina patriottica credeva che eravamo un popolo semplice e ci ha propinato una pizza semplice, ma chi si credeva di essere? Noi possediamo tutta l'avvolgente complessità del ripieno, ma quella donna ha avuto la sua dura ricompensa, quando una monarchia si mette a dettare legge su come si deve mangiare allora vuol dire che non ha futuro'. Mo' dimmi tu, dopo una simile speculazione gastronomica, dopo questo feroce attacco politico, dimmi tu se è possibile che Angelino faccia volentieri la margherita?".

Gino, la pelle e l'anima butterata:

"Sto solo dicendo che è una stronzata quando si dice che se uno si impegna a fare una cosa allora quella cosa gli viene bene, non è così e Angelino ne è la dimostrazione. La margherita la fa con la mano sinistra eppure gli viene da dio".

Titta, triste e impotente:

"Ma se si va a prendere la ricotta di persona vicino Mondragone...".

Gino, artistico:

"È una questione di talento, la bontà degli ingredienti non c'entra niente in questa storia, non ho detto che fa il ripieno andato a male".

Titta, affaticato:

"Ti voglio citare uno scrittore polacco (segue nome impossibile che non saprei ripetere) quando venne a Napoli per la prima volta: 'Napoli si nutre di stratificazioni, come il suo sottosuolo, così come sopra il suolo, qui niente ha una sola faccia, non può esservi fisiologicamente, qui il concavo attecchisce nella stessa misura del convesso, i due elementi sono inscindibili, in parole semplici, qui non c'è spazio per la geometria piana, solo le rotondità possono sussistere e avere valenza'. Hai capito stronzo? Non ci può essere la geometria piana, cioè la margherita, ma solo rotondità concave e convesse, cioè il ripieno. Hai capito stronzo?" ulula infervorato Titta, facendo voltare un paio di cameriere americane sgomente.

Gino, senza risentimento, inchioda le pupille di Titta e sentenzia:

"Titta, me ne sbatto le palle dello scrittore polacco, Angelino il ripieno lo fa una merda".

Titta sbatte un pugno sul tavolo. Rino allunga un braccio per calmarlo. Titta guarda altrove, cereo, metodo Actors Studio. Martire ride sotto i baffi, vittorioso come la mangusta thailandese che sconfigge il serpente.

A Bangkok ci sono stato tre volte.

A ogni modo, mo' ditemi voi, come è possibile che insieme a questi due rincoglioniti siamo finiti davanti alla leggenda di The Voice? Un miracolo. Un equivoco. Un colpo di mazzo. Che altro dire?

Rotto il cazzo di questa sterile diatriba sulla pizza, solo quei due disperati escono per farsi la pizza, io per me ho sempre altri progetti, più costosi, più up, mi allontano dai deficienti con un'andatura subdola, attraverso una zona qualsiasi dell'aeroporto e punto il cesso, con una mappata di giornali italiani sotto braccio. Nel cesso c'è una vacca orientale che lava a terra. Insacco i miei mocassini con le suole sporche nella sua acqua e sapone e dico:

"Sorry sorry".

La chiattona mandorlata non mi degna neanche di uno sguardo. Mi pento di aver chiesto scusa mentre, chissà perché, senza motivo, mi torna alla memoria una scena da quattro soldi, la mia professoressa delle medie che mi dice che faccio temi sgrammaticati, ma io non penso proprio e una folata di rabbia vendicativa mi attraversa, se è ancora viva la vado a trovare nella sua casa di vecchia, che puzza di chiuso e le sventolo sotto gli occhi miopi la laurea ad honorem in lettere che mi ha conferito l'anno scorso l'università del Québec dove si dice, tondo tondo, che Tony Pagoda è un poeta. Insomma non penso proprio che un poeta è sgrammaticato. Mi accuccio nel cesso e apro a cazzo Panorama. Mi zompetta sotto gli occhi un'intervista rara rilasciata da Marlene Dietrich, la leggo a brandelli, sudo e trasalisco quando lei dice:

"Non è giusto confondere le canzoni con i cantanti. Sinatra, il Grande, canta sempre al di sopra di tutti i problemi del mondo! Non lo sa?".

Il "non lo sa" è rivolto al giornalista, ma è come se si rivolgesse a me. Insomma questa cosa mi colpisce che non se ne ha un'idea. Mi si serra la mandibola e penso che anch'io canto al di sopra di tutti i problemi del mondo. Fa niente che fatico a capire quali siano questi problemi. Però sono emozionato assai e decido di farmi un paio di tiri, mentre cerco di leggere la pagina degli spettacoli del Corriere della sera. Che però è robaccia, visto che gli articoli sul mio concerto a New York non usciranno prima di domani mattina.

# 3.

*La notte era finita*
*e ti sentivo ancora*
*sapore della vita*
*meraviglioso*
*meraviglioso*
*meraviglioso.*

DOMENICO MODUGNO

Quando la notte ti acchiappa veramente, venirne fuori è come combattere coi leoni, coi ragni giganti. Tu ti dici: adesso torno a casa. E poi qualcosa ti spinge più in là. Una scia, una corrente d'aria, un monsone di paura. E allora si fa l'alba e ti fai più tranquillo, ma nemmeno tanto. Perché le pistole non hanno orari, ma direzioni e ci può essere un momento in cui ti chiedi se sei tu in quella traiettoria. Magari ci sei stato tante volte e non lo sapevi.

Io sono nato a vico Speranzella, e se non sapete dove sta sono proprio cazzi vostri. Insomma lì la merda umana sotto casa era un oggetto d'arredamento, ogni tanto, come dire, andava in ebollizione, esalava e saliva su e te la ritrovavi dentro casa, in mezzo alle scale strette, umide che non vi dico e buie. Buie da farti credere a tutti i monacielli, a tutti i fantasmi, a tutti i morti che ti vengono a trovare. A tutti i suicidi per amore. Ma insomma, era una merda folcloristica e così tornavi a scacciarla, a rigettarla puzzolente di nuovo nella strada. Era un gioco. Ora no. Ora fanno sul serio. Muoiono e non se ne rendono conto. Non possono rendersene conto, perché devono pensare alla morte successiva. Pensano al futuro. Al futuro della morte. Questo mi fa paura. Perché io sono sempre stato attaccato alla vita come una sanguisuga, come il polipo allo scoglio. Sono sempre stato uno di quei pesci furbi che ridono quando vedono l'amo camuffato con la mollichella di pane. Girano alla larga. Diversa è la storia quando ti ritrovi dentro la rete e neanche tu sai come ci sei finito. Io non lo auguro a nessuno. Neanche a Fred Bongusto.


È Maurizio De Santis, la faccia di cazzo che mi ha tirato dentro questa tragedia. Non mi fa neanche scendere a Capodichino dalla scaletta dell'aeroplano che mi dice:

"Stasera andiamo al porto, attraccano i colombiani, ce la prendiamo direttamente alla fonte, tu ti fai pure una scorta che devi affrontare capodanno e tournée".

Io, a dire il vero, gli dico subito di sì, con lo stesso impeto di Tom Sawyer quando doveva andare a cazzeggiare in campagna con amici e capanne.

Nell'Alfetta amaranto di Maurizio De Santis ci siamo io e lo stesso De Santis, trentasei anni portati a caso, che se vi dovessi dire cosa va facendo la mattina questo qui proprio non ve lo saprei dire, ma neanche immaginare. Mi sembra uno di quei tipi che prende forma solo la notte, un po' come quel Salvetti, il patron del Festivalbar, che te lo vedi spuntare fuori solo d'estate e d'inverno che fa? Boh! Forse d'inverno non esiste. Evapora, come un riccio di mare. Tutto questo per mettere subito le mani avanti, per dirvi che io a De Santis non lo conosco tanto bene. Però me lo ricordo da sempre. Una specie di outsider notturno, traffichino inconcludente, che ti fa sempre mille complimenti, sinceri, ma con una generosità del tutto insensata. Cocainomane. E soprattutto è uno che parla assai, parla parla ma non dice mai niente. Perlopiù sviscera nomi di persone che conosce solo lui e titoli di programmi televisivi e conduttori che lo fanno ridere fino al conato di vomito e che io non conosco mai, ma neanche fortuitamente.

Sono le due e mezza di notte e De Santis sta facendo inversione ad U lungo il molo Carlo Pisacane, perché il lurido, dettaglio minore, mica ha capito bene a che molo attraccavano i colombiani. Insomma fa 'sta manovrina veloce e nervosa, col mare a un passo che se ti scappa l'acceleratore ci vai a morire dentro così... come uno chiò chiò... io che poi tengo le vertigini sensibilissime non vi nascondo che chiudo gli occhi per il panico. Sono sicuro che si è pippato anche la madre cosicché dubito della sua perizia automobilistica. Ma Maurizietto, invece, fa il rilassato e mentre sfiora bitte e cime mi racconta di un giovane conduttore che gli sta simpatico non poco: Claudio Lippi.

"Non lo conosco" dico io mentre, istintivamente, appoggio le mani sul cruscotto per non morire a mare.

"È spassoso" dice lui "ci ha tecnica."

"È del Nord?" chiedo, chissà perché, io.

"Mi sa" annuisce Maurizio.

"Allora dev'essere uno che ci ha la chiappa fresca" dico io prosaico, mettendomi di sbieco per non vedere in faccia l'aldilà.

Ma se è vero che la vita a volte è strana allora voi mi dovete dire perché le persone spesso sono semplicemente stronze? Io non lo so. Ho fatto una battuta che non ho capito neanch'io e cosa ti combina Maurizietto? Ecco presto detto: spalanca la bocca come uno squalo col verme solitario e ride così potente nell'abitacolo che non solo attenta al mio udito ma strizza anche forte forte gli occhietti fino ad ignorare che se non sterza per bene andiamo a finire a mare con tutti i panni. Questo cretino se ne sta a occhi chiusi e a bocca aperta, ha dimenticato che dobbiamo continuare a vivere. Io, per grazia della madonna, mi sono accorto che il deficiente sta pisciando l'inversione ad U. Per un istante ausculto un grappolo di morte che mi rovista dentro. Riacchiappo me stesso all'ultimo all'ultimo, allungo le mani sullo sterzo e scongiuro il tuffo a mare.

"Sei un ricchione" dico incazzatissimo io.

"Ma non ti preoccupare, tenevo tutto sotto controllo" ribatte sterile lui, smettendo di colpo di ridere, consapevole di essere solo una tremendissima testa di cazzo.

Ma fosse questo il peggio! Il peggio doveva ancora venire e sarebbe venuto. Puntuale.

"Mi sono ricordato, è molo Martello dove dobbiamo andare" dice ancora tachicardico coglione Maurizio. Si avvia. Questa volta non ride e guarda avanti, concentrato. Però devo dire che a me i concentrati mi hanno impensierito sempre di più dei distratti. Insomma avevo avvisaglie di malaugurio da tutte le parti, ma, distratto, non me ne curavo.

"Il Pesante è fan tuo, ha detto che ci fa convergere venti grammi a te e venti a me, a un prezzo che se te lo dico tu ti metti a fare l'edenlandia, ed è roba purissima, non la cacca bianca di piccione che ci smista Petto Di Pollo" dice, tutto d'un tratto, Maurizio. Ora lo stimo. Mi galvanizzo, mi accendo una Rothmans leggera e non so da che parte cominciare a fargli domande mentre lui, ma questo lo capisco solo dopo, sta accortamente parcheggiando dietro ad un container e questa volta non riderebbe neanche se Macario ci saltasse nudo sul cofano dell'Alfetta.

"Chi è il Pesante?" chiedo con la serotonina che mi fa big bang nel corpo umano.

"Un uomo che cambierà il volto di questa città, lo dovrebbero fare sindaco al Pesante, cioè è un amico, ed è anche l'uomo più vicino a Roccocò."

Udite, udite. Roccocò? Il capo di uno dei due clan più potenti in questa distesa di immondizia con le colline.

"Non mi esporre" balbetto io mistico. "So' uomo pubblico io e dio solo sa se là fuori non vedono l'ora di associarmi a qualche camorrista di punta, tu lo sai Maurizio, me lo hanno pure già fatto in passato questo scherzo del cazzo, come niente si mettono a dire che spaccio."

"E che non lo so?" rassicura Maurizio. "Tu devi stare solo qua ad aspettarmi, io vado, pago, porto a casa il materiale e chi si è visto si è visto."

Dura poco il mio sollievo perché un dubbio atroce si districa in me come un Tarzan poliomielitico senza machete e dentro la foresta:

"Ma se il Pesante è mio fan vorrà conoscermi".

"Non dire banalità, Tony" dice Maurizio sghignazzando come un cittadino di serie B, "'o Pesante deve ritirare dalla nave cinquanta chili per conto del Roccocò, mo' vuoi vedere che si mette a pensare alla mondanità, in questo cesso di porto poi... quello in questo momento tiene le ballerine hawaiane che gli fanno girotondo attorno 'o core."

Pare convincente. Sono offeso e tranquillizzato allo stesso tempo.

"Mo' vai" gli dico io.

"Mo' vai..." dice lui. "E i soldi me li vuoi dare, Tony?" chiosa lui con un senso di diafano che, non so come dire, mi dà fastidio.

"Insomma, a quanto la fa?" vocalizzo io.

"Cinquantamila al grammo, dimmi se questo non è un prezzo?" sorride cariato Maurizio De Santis.

"In effetti è buono. Venti grammi hai detto che ci dà?"

De Santis annuisce vigoroso:

"Un milione per venti grammi".

Alzo il culo dal sedile di pelle, sfilo dalla tasca di dietro una graffetta d'oro come si deve. Conto un milione dando piena fiducia al mio dito insalivato e allungo la mappata di soldi al compariello scemo. Lui li prende e li infila nella tasca interna della sua giacca a quadroni che brutta come questa ne ho viste solo in certe periferie americane e londinesi.

E scende dall'Alfetta, scomparendo in un buio bagnato, rischiarato solo da versi di gabbiani che stasera cantano malissimo.

Ora sono solo. E il silenzio per me non è mai stato una buona compagnia. Di fronte a me, a un metro dal parabrezza, un pezzo insignificante di metallo grigio di container. Al di là di tutto questo, il porto nella sua maestosa decadenza, nella sua industriale incapacità di comprendere il mondo circostante. È la classica situazione in cui ci si aspetterebbe di vedere un cane randagio che scorrazza a raccattare avanzi di cibo e invece non c'è neanche quello. Neanche i topi e gli scarafaggi ci sono. E questo non è buon segno. Non c'è malattia, solo profumo di morte. Ma è facile parlare col senno di poi, a fare questo sono buoni tutti, anche gli agenti di cambio, direbbe Oscar Wilde, che una volta lessi a scuola per sbaglio.

Passo mezz'ora in macchina in cui mi annoio fino alle lacrime. Mi guardo i mocassini nuovi. Fumo tre leggere col riscaldamento acceso che mi fa salire una nausea lenta ed inesorabile, come se nascesse un fiume. Di Maurizietto nessuna traccia, né di lui né della sua giacca a quadroni. Mi viene un pensiero: un giorno, prima o poi, devo scrivere la mia autobiografia. È lì che dimostrerò che io sono un uomo buono, un uomo di cuore. L'occhio girovago mi cade vicino allo sterzo, noto una cosa che ha il potere di squagliarmi il sistema nervoso: le chiavi dell'accensione nella toppa non ci sono. Che significa? Se prima mi annoiavo ora mi faccio irrequieto. Metto in moto l'anima. E se De Santis si fosse liquefatto col milioncino che tra parentesi vale molto più di quest'Alfetta tutta ammaccata? E se fosse tutta una messa in scena? È mezz'ora che aspetto. Un rumore metallico che neanche ve lo racconto mi esplode nelle orecchie.

D'accordo, al porto rumori di questo tipo è facile sentirli, ma se emotivamente uno sta traballante allora ecco che subito lo associ alla sfera negativa dell'esistenza. E poi si tratta veramente di un rumore enorme. Qualcosa, ma che dico, più di qualcosa non quadra proprio.

Intraprendo la peggiore decisione della mia vita: scendo dall'Alfetta.

Il vento mi prende a schiaffi, a pugni, a calci. Fa un freddo anarchico e implacabile. E questo vento va bene per i marinai russi. Avanzo lungo un corridoio di containers, tutti uguali. Un labirinto dal quale non si riesce a vedere neanche l'inizio del molo Martello. Il vento mi taglia la faccia, mi intontisce. In bocca tengo il sapore del dentifricio. Finalmente spunto fuori da quest'onda di lamiere e mi si staglia in controluce lo show del molo Martello.

Dietro di me c'è tutta la città, ma lei non mi può vedere.

La nave colombiana è rossa di colore e se ne sta lì intatta, attraccata e cigolante, a sorvegliare sorniona l'affanno della vita. E l'affanno della vita non è una frase ad effetto, ma la realtà: poche sagome umane che parlottano, qualcuno che finge di scaricare merci, maneggi che pure in controluce lo capisci. In tutto non più di dieci presenze. Fuori dal tunnel di lamiere la tramontana picchia ancora più cattiva, più solida, avvolgendoti come in un sacco a pelo di ghiaccio. Mi avvicino a quegli spettri opachi, in cerca di Maurizietto. Faccio il tostarello e mi rivolgo al più giovane della comitiva, innocuo scaricatore che presumo a occhio e croce non mi farà il terzo grado e chiedo:

"Sta Maurizietto qua?".

Mi guarda con la faccia della spernocchia. Insensata.

Della saliva gli cola a destra della bocca antica e carnosa. Mo' proprio non capisco. Lui non risponde ma io mi sento tranquillo senza motivo. Fino a che non vedo la linea del suo corpo, tiene un coltello da sub conficcato nel fianco destro. Le gambe mi si afflosciano a forma di rombo. Non riesco ad inghiottire che questo ragazzo mi fa sentire in primo piano com'è fatto il rantolo della morte. Mi sta per cadere addosso e io sto pure per prenderlo quando una sagoma nemica, nera e dura, si frappone dandomi una spinta che mi fa andare a finire a terra. Mi cadono dalla tasca le chiavi di casa. Quello che mi fa raggelare è che è una spinta cattiva e premeditata, una spinta che lo senti che è stata fatta da uno che ne ha già date diecimila di spinte così. Come quando ti scippano l'orologio, tu rimani a bocca aperta, coglionesco, e ti chiedi come sia possibile, ma in cuor tuo lo hai già capito che per loro è routine, abitudine fatta con maestria. Anche il crimine ha una sua tecnica, una sua professionalità. Ma tutti questi bei pensierini li avrei fatti dopo, perché adesso... adesso c'è solo l'inferno. Un inferno fatto di urla che non si riescono a decifrare, fari di macchine appena sopraggiunte che puntano verso gli scaricatori di droga, illuminandoli a giorno, e si sentono colpi di pistola, sordi e mortiferi, da una parte e dall'altra, ma quello che ti rimane conficcato nel cervello come un trapano sono le grida di paura.

Non ci vuole Enzo Biagi per afferrare questo semplice concetto, il clan opposto a quello del Pesante si è presentato a questo party di terrore per fare braccio di ferro a chi è più goloso sulla torta degli stupefacenti. Io, con un tempismo che non sospettavo neanche lontanamente di possedere, mi ritrovo al centro della battaglia e ad ogni colpo di pistola ripeto disidratato:

"Gesù" meravigliandomi come in una fiaba che sono ancora vivo.

Goffo e sbilenco, raccolgo le chiavi in mezzo a grandinate di bossoli e mi accovaccio dietro una bitta, mentre ora, chiaro come l'acqua di montagna, oltre la bitta, imperversa un mitra. Chi lo tiene boh non lo so. Io non voglio guardare. E di crepacuore non voglio ancora morire. E le urla, ancora, tante, sovrapposte, incomprensibili, urla macabre di orrore.

Insomma, non dico niente di nuovo, anche in casi come questi la paura è sempre la stessa. È la stessa paura sia quando ti ritrovi dei pazzi che si sparano ad un metro sia quando ti svegli intorpidito e ti fa un poco male la gola.

È la paura di morire.

La paura di mollare questa landa desolata, ma guai a chi ce la tocca questa landa desolata.

Quello che ti squaglia il sangue, invece, è l'arcobaleno di atmosfere che gli uomini possono creare per farti andare a stringere la mano a Gesù Cristo. E io vi giuro su mia figlia che questa qua dove mi trovo adesso è la più infelice delle soluzioni che hanno trovato. Mi distraggo con questo concetto quando allungo l'occhietto un paio di centimetri, là fuori, nell'abisso di questo presepe cambogiano, e assisto in diretta a una faccenda che mi distrugge i sensi, rivedo Maurizietto che scappa alla cieca, nella mia direzione, sicuramente pronto a buttarsi a mare come voleva fare allegramente prima con me, ma non fa in tempo, perché una serie lunga di colpi di mitra lo deve aver acchiappato nella schiena, Maurizietto scivola a terra, come in un brutto fallo da rigore e scivolando scivolando carambola vicino alla mia bitta andando a sbattere con la testa contro quell'ammasso di ferro che, si capisce, è bello duro visto che lo hanno messo su per tenere ancorate le navi da mille tonnellate.

Mi muore davanti agli occhi.

Con la sua brutta giacca a quadroni che adesso è tutta sporca di fango. Non potrei parlare neanche se me lo chiedesse mia madre in punto di morte. Non respiro. Non faccio niente. Le orecchie abbassano un sipario di ovatta spessa e calda e non sento più mentre guardo il corpo di Maurizietto. Su di me si abbatte una voragine di nulla e di niente.

Solo l'anima parla, mi bisbiglia nelle orecchie e mi dice: "Adesso basta!".

Ma io non posso smettere. Magari si potesse. Ancora

spari. Questo dannato capodanno a scoppio anticipato. Ancora urla, questa volta si capisce cosa dicono. Loro, là fuori, si stanno organizzando, hanno meno paura, è finito l'effetto sorpresa, sono passati pochi secondi e già ci hanno fatto l'abitudine a questa sparatoria, così, allegramente, ci convivono. E danno disposizioni di guerra. Con la sicurezza dei più forti, ognuno di questi fetenti sa in cuor suo che ne uscirà vivo, mica è la prima volta per loro. Ne fa le spese Maurizietto che, come me, si è imbarcato in questo pianto senza esserne all'altezza. Lui amava Claudio Lippi, come poteva!

Nonostante tutto, in questo che è lo spettacolo più agghiacciante della mia vita, riesco a reclutare un pensiero, quasi una visione: il funerale di Maurizietto dove in coda al carro funebre vedo sì e no sei persone, due sono pure lì per caso, tipo quelle vecchie sadiche fissate con le notizie di chi muore e di chi vive, che neanche lo conoscono a Maurizietto. La tristezza. E quello che è più triste è che io non sono tra quei sei in coda al carro funebre.

Un braccio che sembra una gru mi scova e mi acchiappa dietro la bitta e mi tira su, io ho il tempo di pensare, ecco qua, è venuta l'ora che anch'io timbri il cartellino, mica sono meglio di Maurizietto, in ultima analisi. Il braccio di questo tipo chiatto e simpatico mi sospinge però con una violenza amica, non faccio in tempo a comprendere che lui mi dice:

"Vieni Tony, ce ne andiamo col motoscafo".

Mi ha chiamato per nome, allora mi conosce, è cristallino. È proprio il Pesante che mi catapulta lungo una scaletta e mi fa salire su un motoscafo blu dei contrabbandieri che stava ancorato vicino alla nave e che io noto per la prima volta. Insieme a me e al Pesante salgono altri due che non vi dico. Partiamo alla grande, ad una velocità pazzesca. Pare di volare. Fa un freddo che preferirei morire così, su due piedi. Io ho la netta sensazione che non stiamo andando a Capri. Scavalchiamo il molo infinito del porto che a malapena si vede e ci immergiamo in un buio infinito e allucinato. Una Madonna di gesso presiede l'entrata nel porto. La intravedo per pochi istanti, pare che dica che non ci vuole aiutare. Le luci della città non sono mai state così lontane. Poco importa che si vedano tutte quante, una ad una. È una notte limpida e contraddittoria questa qua. Io sento due rumori, uno è il motore sotto sforzo del motoscafo, l'altro è il tonfo netto e metallico della testa di Maurizietto che sbatte contro la bitta di ferro.

Per cinque minuti pare che sia ritornata la vita. Il motoscafo procede lungo la costa a velocità demoniaca. E i nemici non si vedono. Io siedo a poppa di fronte al Pesante, mentre gli altri due si occupano della guida. Nessuno parla. Il Pesante riflette assai. Gli altri due sono tesi, ma hanno l'aria di sapere il fatto loro, ogni tanto borbottano frasi accorte che non arrivo a sentire.

Io penso, cosa ci faccio qui? Come ci sono arrivato? Chi li conosce a questi? E soprattutto, dove cazzo stiamo andando? Ma non oso chiederlo. Il Pesante, tra una vertigine di pensiero criminale e l'altra, trova il tempo di guardarmi, mi fa un sorriso stanco, definitivo e addolorato e mi dice:

"Sono un tuo fan".

E sai chi cazzo se ne fotte!, vorrei rispondere.

Invece mi esce un sorriso che io ne sono sicuro, neanche se si riunissero tutti gli intelligentoni del mondo a discuterne, saprebbero dirmi che significato ha questo sorriso. Si potrebbe pensare ad un segno di rassegnazione, ma non è così, io non mi rassegno mai.

Come una piovra che ti spunta dall'oltretomba ecco che si comincia a sentire un fruscio lontano che proprio non corrisponde ai Volvo Penta del nostro Gagliotta blu notte. Chiaro come la merda che adesso si sente questo rumore perché anche il Pesante si volta agitato verso poppa e cerca di scrutare, ma si vede solo uno schermo nero che puzza di lupo mannaro. Anch'io mi volto e cerco con gli occhietti rapaci. Niente!

"Bùttati nella grotta del Cenito senza appicciare le luci" sentenzia il Pesante a quello che guida.

Il rumore si fa più vicino. Una sparatoria ancora ancora, ma un'altra, in mezzo al mare gelido, senza neanche avere la prospettiva immaginaria di poter fuggire, ecco io questo proprio non lo sopporterei. E il rumore estraneo me lo sento fino in fondo ai piedi freddi, però non si vede la faccia del nemico e questo è anche peggio. Solo ora realizzo, prima, durante la sparatoria del molo Martello, credevo di avere conosciuto la paura, ma non era così, semplicemente ero sotto choc. Ora invece c'è la paura allo stato puro, la paura come se la doveva essere immaginata nostro Signore quando la concepì insieme ai dinosauri e alle pietre preziose. E questo panico vorace e paludoso si manifesta in modo assai preciso. Sento come dei fenicotteri che mi picchiettano nel culo.

È la prostata. Mi fa male.

Ecco qua!

L'amico che guida il motoscafo vira a destra e punta dritto e veloce gli scogli. Il Pesante tiene in mezzo ai denti cariati un caricatore di non so quanti colpi e in mano tiene questa pistolona lucida e nera, costosa. Io scruto l'orizzonte e ogni macchia nera più nera di quelle che già ci sono la confondo col nemico, con la barca che mi farà morire in mezzo al golfo. Ma ora non so di cosa aver più paura perché il nostro Gagliotta avanza nel buio e io lo vedo chiaramente che sfiora scogli a fior d'acqua, fondali bassissimi e io sento avvicinarsi sempre di più il momento in cui dovrò immergermi nell'acqua gelida causa affondamento. Ma miracolosamente la barca si destreggia tra gli scogli bui come se fosse mezzogiorno e ad un tratto il mio corpo sostituisce il freddo con una doccia di umidità al di là della sopportazione umana. Vedo e capisco. Siamo entrati nella grotta del Cenito, il nostro nascondiglio o la nostra trappola, questo si vedrà. Il Pesante fa spegnere i motori. Cala il sospeso silenzio dell'ade. Dura poco. Quel rumore di motori che prima si confondeva col nostro di motore, ora si sente vivido e lampante, all'esterno, a regime basso. Guardo in faccia i miei compari, sono tesi e con le pistole in mano, pronti alla sparatoria amplificata ed echizzata dentro a questa grotta madida e sinistra. Attendono il nemico al varco, come si suol dire. Ma il nemico non si decide ad entrare, passeggia all'esterno, attendista, lasciandomi presumere che devo penare ancora un poco prima di morire qua dentro o per la tensione o per l'umidità o per i colpi di mitra come Maurizietto, questo ancora non è assai chiaro. In quest'agonizzante attesa di morte formulo un desiderio, vorrei cantare a squarciagola *Lunghe notti da bar*.

Poi passa un tempo indefinito ma lungo, durante il quale mi limito a tenere la faccia immersa nelle mani, cerco di assentarmi definitivamente e ci riesco assestandomi su un unico pensiero e un'unica parola: Beatrice.

Mi risveglio solo quando la mano del Pesante si poggia amorevole sulla spalla, ma allora tutto lo scenario è cambiato: il motore dell'imbarcazione nemica si sente ancora ma si sta allontanando, battendo in ritirata e attraverso la stretta apertura della grotta del Cenito filtra un timido raggio di sole.

È l'alba.

Ora si capisce che uno come me di albe ne ha viste che ne ha viste, ma questa veramente è la più avvenente di tutte. Un'alba smagliante e statuaria. Un'alba mediterranea. Che ti restituisce alla vita. Insomma, mai questo sole appannato dietro al Vesuvio è stato più simbolico e significativo di adesso. Ti fa uscire dal coma.

All'improvviso, si respira il futuro.

E giù a sorrisetti complici coi comparielli cattivi.

Mi scaricano al porticciolo di Marechiaro con le case decorate dei ricchi che ancora dormono ignari. In questo momento potrei scrivere un romanzo, un'orgia di felicità e di esperienza sono adesso. Prima di congedarmi il Pesante mi tiene per un braccio e mi dice con una sincerità disarmante che quasi mi fa commuovere:

"Mi dispiace, Tony, che ci sei andato di mezzo tu in questa storia. Tu sei un artista".

Io penso che dovrebbero proprio farlo sindaco al Pesante. E prima di lasciarmi andare mi allunga in omaggio un prezioso sacchetto contenente venti grammi di cocaina.

Risalgo la silenziosa e deserta salita Marechiaro sbirciando le belle case a destra e sinistra. Sarebbe bello abitare qua. Spunto su Posillipo e mi infilo in un taxi. Mi stravacco sul sedile posteriore, mi tocco le chiavi di casa nella tasca, tiro un respiro che più lungo non si può e poi, di istinto, mi esce una bella frase:

"Buongiorno tassista, buongiorno vita".

# 4.

*Mi sono innamorato di te*
*perché non avevo niente da fare.*
LUIGI TENCO

L'onestà, innanzitutto.

In questa mia fulgida carriera avrò scritto qualcosa come duecentoventi, duecentotrenta canzoni. Che dire? Almeno cento di queste sono ispirate a lei, a Beatrice.

Ma lei non lo sa. Perché il suo nome non compare in nessuno dei miei brani. Questo è il mio segreto. Questo nascondiglio che si annida dentro di me come una piaga.

Come un'infezione amara.

Ecco, adesso ve l'ho detto. E non è stato facile. Innanzitutto la disgraziata onestà dei propri sentimenti, tenera lezioncina per tutti quelli che hanno studiato assai e che si vantano di saper fare funzionare il cervello.

Insomma, torri di sofferenza si sono fermate nella mia anima e non se ne sono più andate. E non se ne vogliono andare. Tutto da quando Beatrice mi ha lasciato. E non vi parlo di ieri, ma di un certo tempo fa. Non faccio il gradasso quando dico che tengo una sofferenza io che se ne potrebbero cadere i palazzi. Per questo quando canto, urlo.

Urlo migliaia di parole che poi ne significano una sola: Beatrice. La mia morte e la mia fortuna. Sì. Perché se è vero che quando salgo su quel cazzo di palco tutti devono ammacchiarsi come timidi ladri dietro la spalla del proprio compagno per non far vedere che piangono, allora è anche vero che tutto questo accade perché quando io canto penso a lei e soffro e loro, gli spettatori, per dio, lo sanno troppo tale e quale che io sto soffrendo. Insomma non mento. Non dico cazzate. Piango canzoni e chiedo la paura. In fondo chiedo la paura. La paura di non potere amare più chi ho amato veramente. Le cose vanno esattamente così. Mi ubico su quel palco e vi scardino i sentimenti, ve li scoordino, ve li faccio saltare in aria con la precisione del timer agganciato alla bomba, vi mando al manicomio e sento che tengo il potere, il potere di manovrare tutti i vostri cuoricini meno uno, il mio, che chiede quella donna che però mi ha lasciato e che di me non ne vuole più sapere.

Ma perché? Io sono un uomo caldo.

Ma più o meno la storiella recita sempre così, uno lascia, e tutti si danno i cazzotti sul cuore, come i gorilla, e tu vieni meno, ti manca l'aria e il terreno sotto i piedi, ecco, sei stato lasciato, questa piccola morte. Poi il tempo scopre le sue carte e tutti dimenticano.

Io no. Cazzarola io non riesco a dimenticare! Ma perché? E mi porto a tracolla il ricordo di quella donna come se fosse il primo giorno, con tutti gli affetti, i risentimenti, la malinconia, la rabbia, il sesso, l'amicizia, il dolore, la gioia e la sofferenza. Da anni!

Meglio che smetto prima che Cocciante mi sente e ci fa un'altra canzone.

Ma poi ricomincio a pensare, sto in piedi ma è come se mi buttassi a terra, mi tormento, mi infradicio, mi addoloro, sprono me stesso con cocaina, vino, birra, superalcolici, cocktail, aperitivi, sigarette, grassi animali e vegetali, ma il dolore maledetto sempre si riacutizza e mi spinge a fare il porta bandiera di questa via crucis amorosa e mi chiedo dove starà adesso. Da troppo tempo non lo so più.

Questo monumento di seduzione, una bambola femmina e madonna. Ma che ne sapete voi, mi devastava l'anima e vicino a lei mi sentivo come Sbirulino. Impacciato e silenzioso come qualsiasi stronzo.


Scese a Capri, ma prima ancora di sbarcare, già sul traghetto aveva fatto traballare il mito di Rita Hayworth che negli anni cinquanta si atteggiava a femminona potente tra la piazzetta e punta Tragara.

Beatrice, alata e potente, leggera e svagata, veleggiava con le sue scarpe basse e un'altezza precisa e puntuale, come se l'avesse disegnata Picasso quando non stava fuori di testa. Cambiava rapidamente direzione e aveva un passo veloce e svampito. Noi, dai tavolini del bar, la seguivamo fino all'ultimo istante percependo strazianti disagi interni e avremmo voluto lanciare lazi da rodeo e acchiapparla una volta per tutte, con la sensazione netta che lei però si sarebbe liberata con un movimento distratto e lievemente infastidito e, leggiadra, avrebbe ripreso a camminare intraprendendo direzioni che non erano mai le nostre, alimentando un mistero fitto sulle sue destinazioni.

Ma in tutto non l'avevamo vista più di tre volte.

Ciascuno di noi aspettava la sua nuova apparizione per agganciarla, per offrirle una cosetta al bar, un fiore, un sorrisetto speranzoso, ma lei non apparve più. Non la si vedeva a mare, né alle feste, né alle cene rilevanti e nessuno aveva osato avvicinarla.

Io, da subito, ero tramortito dal suo pensiero e mi chiusi in un silenzio lugubre ed immarcescibile.

Peppino di Capri cominciò a starnazzare, a piangere, a lanciare minacciose opzioni che lasciavano il tempo che trovavano visto che neanche lui la conosceva, tuttavia ribadiva che l'aveva vista prima lui, che lui era natio e re dell'isola e che quindi gli spettava di diritto, insomma metteva le mani avanti, cercando di sbaragliare una concorrenza che in realtà non esisteva perché lei semplicemente ci ignorava nonostante il fatto assodato che io, Peppino, Dimitri, Aldo e Patrizio fossimo il gruppo più in vista di tutta l'isola e potevamo avere qualunque donna avessimo chiesto, ma non lei.

Quell'estate Peppino si immerse corpo, anima e cuore in un oceano di ansia e sudore, si prodigava nell'allestimento di cene, rendez-vous, cocktail, concerti, feste, bagni a mare a mezzanotte, falò, spaghettate alle sei del mattino, telefonate intercontinentali, relazioni sociali di tutte le specie, tutto per cercare di vedere la nostra Beatrice, ma lei non si presentava a nessun evento mondano, mai, relegando la sua assenza in un olimpo a noi inaccessibile. Sull'isola sembrava che nessuno la conoscesse. La sua irreperibilità accresceva spudoratamente la nostra alienazione. Cominciarono a fioccare le leggende sull'inarrivabile Beatrice. Per farvi capire il livello di follia nel quale si erano sgretolati i miei amici vi dirò solo che quando Patrizio disse che forse si trattava di un'aliena ecco che questa storia fu presa incredibilmente sul serio, nessuno se la sentì di riderci su, insomma, sembrò un'ipotesi più che plausibile.

Nel frattempo si era fatto il venti agosto e Peppino ormai cantava male e peggio. Lei era sull'isola perché qualcuno ogni tanto la intravedeva e poi quel qualcuno ce lo riportava con l'enfasi e il tono di voce di quando si parla di storie di fantasmi, sottovoce, come in un complotto d'amore mancato, ma ormai non si sapeva più a chi credere.

Peppino minacciava il suicidio dai Faraglioni se non l'avesse non dico avuta, ma almeno conosciuta, voleva sapere il suo nome, almeno questo. Aveva già abbassato il livello delle sue aspettative, il nostro Peppino di Capri. E, ve lo giuro sul bambinello Gesù, cominciò a delirare. Fece il giro di tutti i salumieri di Capri perché, ci disse, questa cristiana dovrà pur mangiare. Ma nessuno l'aveva ancora vista entrare in un negozio.

Patrizio sentenziò:

"Quella donna non ha bisogno di mangiare, si nutre del nostro tormento".

Tutte così le frasi sul conto di quella donna, tutti poeti, all'improvviso, mai un'allusione volgare, mai che nessuno esprimesse un desiderio di ordine sessuale, come se quella materia fosse il paradiso a cui tutti ambiscono dopo che sei spirato.

La notte, nei night, lo vedevi tale e quale che tutti si aggiravano come sopravvissuti ad una catastrofe aerea, con l'occhio aguzzo che anziché cercare materia commestibile, cercavano questa dea caprese senza nome e senza storia.

Come una troia impaziente, Peppino cominciò a battere tutti gli yacht, si aggirava con un barcone e si intrufolava in tutti i panfili, ormai sicurissimo che lei si fosse rintanata con qualche nababbo ultramiliardario. Questo pensiero agghiacciante gli procurò una leggera incursione dentro un ventaglio di malattie esantematiche. Fu una ricerca vana e si rovinò la voce perché su ciascuna di quelle barche il proprietario di turno costringeva Peppino a cantare almeno tre quattro canzoni. Lui, per scongiurare la figura di merda di uomo perso e innamorato di una donna che neanche conosceva, cantava e cantava, si faceva scivolare in bocca ostriche corrotte e appena poteva sbirciava dappertutto, finanche nelle cabine dei marinai e nei vani motore, credendo in cuor suo che, ad un tratto, gli si sarebbe materializzata l'armonia assoluta, dormiente, nuda e serafica, in una cuccetta profumata d'amore. Niente!

Io tribolavo muto. A volte, per il dolore, barcollavo. Un brutto ciondolo, ero diventato. Un folto, rigoglioso portachiavi da custodi impegnati. L'impotenza di amare si era tuffata dentro di me come gli esibizionisti si tuffano dalla cima del faraglione, ma evitavo le piazzate plateali alla Peppino che poi si sa, si sbatteva a girotondo solo perché voleva ribadire la sua egemonia sentimental canora sull'isola. Io invece mi ero veramente sbranato il cervello da solo alla vista di quella donna e avevo rinunciato ben presto alle ricerche, paralizzato com'ero in una sofferenza da ergastolano.

Poi, quel lazzaro playboy di Lillo De Crescenzo, proprietario del famoso ristorante Lo scoglio piatto, spiattellò a destra e a manca una bugia lurida e calunniosa, disse che quella donna rispondeva al nome di Agata, raccontò che l'aveva conosciuta e che lei gli aveva detto che si faceva vedere poco in giro perché adorava il gioco d'azzardo e trascorreva giorno e notte nelle ville di anziani e ricchi tedeschi a giocare a poker e vinceva sempre e aveva già messo da parte un miliardo e due.

Solo questo dovevate dire a Peppino! Ahè! Apriti cielo!

Mi costrinse due notti di fila a insegnargli tutto sul poker. Al termine delle quali si sentì pronto e cercò di farsi invitare in quelle fortezze inespugnabili che erano all'epoca i tavoli verdi di questi tedeschi snob, ricchissimi ed alcolizzati. Ma i tedeschi se ne fottevano della fama di Peppino sull'isola e non se lo cacavano neanche fortuitamente. I loro tavoli verdi erano circuiti chiusi alimentati dal sospetto vorace che qualsiasi individuo che non appartenesse alla loro cerchia fosse, indipendentemente da tutto, un baro. E quel fanfarone di Peppino veniva respinto dai maggiordomi sulle porte, con una puntualità disarmante. Perché Lillo De Crescenzo fece tutto questo lo capimmo dopo. Cercava di sbarazzarsi del nostro gruppo per potersi muovere con grande libertà per l'isola, ormai anche lui alla ricerca folle e disperata della donna immensa. Peppino, tuttavia, corruppe maggiordomi e cameriere delle case dei tedeschi, un paio di loro se le scopò pure, giusto per sapere chi c'era nella villa seduto al tavolo da gioco. Non risultava nessuna divinità di umane proporzioni. Peppino, ormai in preda ad un'acne somatizzata, tornò allo Scoglio piatto e fece una sceneggiata davanti a tutti i clienti che neanche Mario Merola, producendosi in un improbabile combattimento con Lillo, al termine del quale Peppino finì alla guardia medica, ma quando uscì di lì puntò dritto la casa del sindaco e ottenne da lui un foglio di via per Lillo De Crescenzo. E così fu. Lillo fu espulso dall'isola. Andò proprio così. Mica racconto cazzate per far ridere. Si dice che in un impeto di patetica follia Peppino minacciò il sindaco dicendogli che se non avesse firmato quello stronzo foglio di via lui avrebbe cambiato nome, sarebbe diventato Peppino di Procida e disse pure che avrebbe preso casa su quell'isola lì, alla Chiaiolella. Tenete conto che a quel tempo Peppino era una star assoluta a Capri e un terzo dei turisti veniva lì unicamente per vederlo cazzeggiare in piazzetta con noccioline e aperitivi.

Ero nauseato da tutte queste cazzate di beghe. E presi una decisione che si rivelò di un'intelligenza e di una sensatezza impressionanti. Me ne andai in albergo ad Anacapri, dove la mondanità non esisteva e ci andavano solo a risparmiare quattro morti di fame che facevano finta di avere successo e sex appeal al solo scopo di attendere con trepidazione il calare della sera, quando potevano riversarsi ansimanti e boccheggianti a mancatissimi appuntamenti galanti sulla piazzetta caprese, armati di scomodi sandali finto alla moda e giacchine da mercatino lussuosamente strapazzate con paillettes e incerti nastrini, per poi risalire ad Anacapri con le mani in mano, facendosi coraggio gli uni con gli altri, elaborando nuovi piani per il domani che, sistematicamente, si rivelavano fallimentari fino alla fine della vacanza quando, sul vaporetto, avrebbero sentenziato con le facce molli e basse che puntavano la spuma:

"L'anno prossimo, però, andiamo da un'altra parte".


Che Peppino fosse così palesemente condizionato da un gravissimo ritardo di intuizioni amorose lo capii in quest'occasione, aveva fatto il pazzo alla ricerca di Beatrice partendo da un assioma assolutamente errato, quello che secondo lui una donna come quella frequentasse necessariamente giri altolocati e quindi trascurò qualsiasi ricerca ad Anacapri. Fu così che io mi ritrovai di fronte a Beatrice in un modo di una semplicità così nitida e cristallina che se Peppino lo avesse saputo mi avrebbe fatto il foglio di via non da Capri, ma dal mondo.

Lei stava comodamente seduta ad un bar di una viuzza di Anacapri, leggeva tranquilla il giornale e beveva un aperitivo qualsiasi. Era rilassata e serena, lontana da tutto lo strombazzamento che Peppino e gli altri avevano messo su, e questo faceva di lei, ai miei occhi, una donna ancora più superiore. Più up di qualsiasi fervida previsione. Il cuore mi faceva bau bau. Un barboncino timido che mi abbaiava nelle viscere. Me lo ricordo il momento. Si stava facendo sera. E c'era una brezza che ti avviluppava dolcemente i polmoni, liberandoti momentaneamente da tutte le sigarette che fino a quel momento te li avevano scassati. E lei era di fronte a me. Da quel giorno, tutte le volte che il sole si abbassa e si fa notte, aspetto una risposta da me stesso o da qualcun altro. Tutti i giorni. Sistematicamente, non arriva. Perché è infinita la commedia delle domande. E striminzita quella delle risposte. È sempre questa inesorabile sproporzione che determina l'invecchiamento di tutte le cellule. Questo si sa.

Era di fronte a me e lo sentii forte e chiaro che io sarei stato con quella donna, che tutta la gamma infinita di sensazioni si sarebbe susseguita in me con l'inesorabile precisione di tutti i processi di vita. E poi sarebbe stata malinconia, che è uno stato di grazia, e poi neanche più quella, perché poi il procedimento vuole che anche la malinconia diventi un obiettivo lungo e irraggiungibile. Ad un tratto, la malinconia ti fa ciao ciao con una molle manina da bambino. Ci vuole una calma interiore perché la malinconia alligni. Ma la si smarrisce ai semafori e nei negozi la calma interiore. È in quei casi, allora, che stai messo veramente male. Il vostro Sbirulino rimase lì a guardarla. Lei non alzò lo sguardo su di me. Ma io pensai che fosse un caso o che avesse un torcicollo che le impediva di guardare dalla mia parte. Un torcicollo atavico. Abbandonò il tavolino del bar con la naturalezza dei giusti, dei senza macchia, attraversò la strada, e si infilò in un portoncino fiorito col citofono. Abitava lì la sua bellezza. Come se fosse la cosa più normale del mondo. In realtà lo era. Si era portata il giornale appresso, per terminarlo davanti alla finestra.

Vidi tutto questo e lo sentii tale e quale 'o core mio che scendeva da dentro al mio petto, e andava a piedi sotto casa sua. Ma non riusciva a farsi sentire. Non poteva citofonare. È troppo basso il cuore. Non arriva alla pulsantiera.

Feci quello che avrebbe fatto ogni uomo col cuore in mano. Mi misi ad aspettarla al bar del desiderio, quello che per lei era il bar della meritata vacanza.

Il guaio morboso e perverso di quelli come me è che quando attendono non sanno fare altro che attendere. Non sanno distrarsi. Cosicché non bevevo, non mi guardavo attorno, non mangiavo, non pensavo, solo fissavo quel portoncino affollato di bouganville, con il battito cardiaco accelerato. Semplicemente attendevo che uscisse, sentendomi come la nobile diciottenne al ballo delle debuttanti. Profumavo di me stesso, ma non ne avevo coscienza e mi crogiolavo nel pensiero del profumo di lei che forse... sicuramente avrebbe disinnescato congegni, ne ero convinto, avrebbe messo parole definitive sulla costellazione delle sensazioni che gli uomini possono provare per le donne, avrebbe messo i puntini sulle i col suo profumo che solo immaginavo e ancora non conoscevo. Troppo sicuro che la delusione era una parola sconosciuta nel vocabolario di lei. Piuttosto ero io che dovevo organizzarmi per non deluderla, ma non riuscivo ad elaborare strategie, perso com'ero in un'attesa che, ecco fatto, deludente non fu.

Mi apparve e fu un maremoto dell'anima. La mia. Come dire, non ci conoscevamo, ma quell'incontro fu come il sudato capitolo iniziale dopo che hai trascorso tanto tempo a raccogliere appunti. Fu la parola: si parte. Un viaggio di cui non conoscevi la destinazione, solo la sensazione di due strade nette e casuali che sarebbero state intraprese: o la morte o la vita.

Si mosse verso di me con la coscienza del giorno qualsiasi, non sapeva che stava andando incontro al suo nuovo destino, il mio. Io questo lo sapevo, ma solo un cretino potrebbe pensare che questo era un punto di vantaggio a mio favore. Quando palpeggi il lancinante dolore dell'amore non ci sono vantaggi, né vinti, né vincitori. Solo vita e coniugazione o morte e distacco. Solo questo. Il resto è passatempo rancoroso che lascia il tempo che trova. Che ti lascia sterile con niente in mano in un mondo di individui che, chissà perché, vogliono sempre tenere qualcosa tra le mani.

Lei si sedette al suo tavolino e mi guardò. Quello che ti scombussola fino all'esasperazione negli incontri decisivi è che pensi sempre che tu non puoi essere decisivo. L'insicurezza cronica che ciascuno di noi si coltiva dentro come un cancro. Cosicché non ci credi, non ci puoi credere. Lei guardava me come se fossi l'unico al mondo a volerla avere tra le braccia, come se non ci fosse nessun altro. Questo mi lasciò come il ramo secco dopo il passaggio dell'uragano. I suoi occhi potenti e delicati mi dicevano che ero indispensabile in un universo di formiche superflue. Trapelava, in lei, una vacanza di solitudine e timidezza che ardeva per essere colmata, ingenuamente ed immensamente ignara che giù, nel magma mondano ed incorporeo di Capri, tutti avrebbero voluto colmare il suo disagio, in uno sbattimento da Terza guerra mondiale, ma loro non avevano saputo come fare, io sì.

Questo era il mio unico vantaggio. Il vantaggio su Peppino e gli amici di sempre che adesso sentivo come estranei babbasoni vagamente affannanti. Tutto quello che serviva per svoltare in questa sordità era in collina, duecento metri più su.

"Chissà perché, ma ho impressione che potrebbe essere interessante sedere allo stesso tavolo."

La frase! Ecco la frase! Io lo so che adesso si sta pensando che l'abbia detta io, che me l'ero preparata durante la straziante attesa e invece, mondiale ed inenarrabile colpo di scena, questo ben di dio, panacea per tutti i miei imbarazzi e tutte le mie sofferenze, lo disse lei. La bellezza.

Ora, non importa quanto sei stato cattivo, puoi aver ammazzato i tuoi figli, ma quando una come lei ti dice una cosa così, ti senti buono, bravo e bello, non è semplice gratificazione, è proprio come se al giudizio universale ti assolvessero da tutte le tue malefatte, ti riabilitano e ti dicono: "Adesso per te comincia una nuova vita". Così mi sentivo. Ma pensavo di sentirmi così. In realtà, tenevo il cervello appannato. A quella frase tacqui, non sapevo cosa dire, io, proprio io, che una cazzatella, una gentilezza, una mossetta sbilenca più o meno sempre ero riuscito a dirla o a farla. Ma tutto questo veramente mi paralizzava, come il geco immobile sulla parete bianca sotto la luce. Non mi sentivo né carne, né pesce. Sbirulino sprofondato e senza senso quale ero. È solo che sentivo il profumo della vacanza. Ve lo ricordate l'odore dei posti di mare, dei posti di villeggiatura? E l'odore dell'avvicinarsi della pioggia di fine estate? Certo che ve lo ricordate, tutti se lo ricordano. Io quello sentivo. Profumo tra i profumi. Odore di coppia e di esistenza a due in eterno. Lei mi fissava in una maniera primitiva, attendeva una risposta al suo invito dandomi la sensazione di potermi prendere tutto il tempo che volevo semplicemente perché il tempo era dalla nostra parte, dalla parte degli innamorati è il tempo, sempre, ma io ero immobilizzato dalla felicità, volevo che non finisse più, mai più, questo momento. Insomma, mi ero innamorato ed era la prima volta che si faceva sul serio. Ero fatto.

Ma non fatemi continuare con questi ricordi che poi sento la morte in gola che galoppa contro di me. Il ricordo di tutto ciò è la mia morte eppure non posso non ricordare. Condannato come sono a morire o ad essere già morto da un pezzo.

Quando i giorni incalzano ci si spoglia. E lei si spogliò. Ammutolendo il mio desiderio di sesso. Talmente vasto il mio desiderio da farmi venire i sudori freddi, i brividi a trecentosessanta gradi, come le pale di un'elica impazzita. Ci sarebbero voluti dei sali, etti di bicarbonato, ma che ne so, qualcosa che mi riportasse coi piedi per terra. Perché quello che vedevo era troppo per un uomo solo. E tuttavia era troppo anche per tutti gli uomini del mondo. Per quanto fortunato e privilegiato, dovetti abituarmi all'idea che un corpo così, senza aggettivi adeguati, si concedesse proprio a me. Ma mi abituai.

E fu l'estasi.

Giornate di accoppiamento amoroso con vortici di beatitudine da poter riempire romanzi rosa per altri mille anni.

Beatrice nella vita faceva l'istruttrice di atletica leggera, ramo salto in alto. Ora io non voglio essere offensivo e razzista, ma solo realista, questo per dire che si può fare l'amore con le donne più belle e più avvenenti del mondo e pensare di toccare il cielo con un dito, ma non è vero, perché nessuno fa veramente l'amore finché non lo fa con la ginnasta professionista. Allora in quel caso tutti gli schemi saltano, tutto quello che c'è stato prima del corpo a corpo con la regina degli sport sono stati come innocui bacetti formali dati ai cugini o ai nonni. Il ballo d'amore dell'atleta spopola il nostro immaginario scagliandoci senza più freni nel baratro del piacere unico ed assoluto. Questa è la verità. E per i primi dieci giorni quando venivo, Gesù, questo non lo dovrei dire, insomma quando venivo piangevo. Una cosa scabrosa. Lei rideva al mio pianto ma subito dopo piangeva con me. Lacrime di letizia. Questa si chiama intimità. Quella cosa patetica e stucchevole per tutti quanti eccetto che per quelli che consumano la parte dei protagonisti.

Ma siamo onesti! A quanti nell'universo capita una cosa del genere? Ve lo dico io: quasi a nessuno.

Ero, non c'è che dire, un uomo fortunatissimo.

Beatrice, senza sforzo, aveva il potere di mettermi a nudo definitivamente, a me, corazzato dai bluff della vita che troppo bene conoscevo, sarcastico com'ero stato fino a quel momento, snob nei confronti dei sentimenti più lancinanti. Quando piangi davanti alla tua donna non puoi fare più marcia indietro. Ti tiene in pugno per sempre. Sei nei paraggi della compromissione. Basta giochini, non puoi più fingere di essere quello che non sei, cioè un emerito nulla. Finiti i fronzoli, l'amore diventa una croce seria e resistente.

Ma anche tutto questo ben di dio doveva spappolarsi. Fu lei a farlo. Innamorati sì, ma anche a noi ci toccò scendere i gradini e giungere al pianerottolo della quotidianità e su quel piano lì posso essere veramente un guaio di notte, un invadente maiale senza senso. Ma lei ebbe le sue colpe. E io non gliele perdonai. Perché lei era troppo per un uomo solo. Mi tradì, dando ragione in un colpo solo a tutta la sterminata discografia di Riccardo Cocciante, che sul tradimento ha costruito almeno dodici diversi conti correnti miliardari in altrettante diverse banche. Poi volle tornare da me, con le lacrime agli occhi, lacrime di colore differente da quelle che versavamo all'unisono mentre facevamo l'amore le prime volte. Ormai erano lacrime d'appoggio e di recupero. Di risentimento. Allora poi ci si mette l'orgoglio, anche lui gioca la sua parte, interpretandola malissimo. Tutto un repertorio posticcio che scambi per vero. È tremendo, l'orgoglio. È un velo nero ed invisibile che ti fa perdere di vista il risultato. Cercavi il mare, ti ritrovi nella pozzanghera.

Insomma, facile facile, dall'attico ci catapultammo a piedi uniti a fare quattro chiacchiere col portiere dello stabile e a vivere insieme a lui la stronza puzzetta di cavolo cucinato. Io mi comportai come mi comportai e poi successe quel che successe, l'indicibile, ma non fatemi parlare... non fatemi sentire il male senza il cellophane, neanche io me lo merito, è da allora che mi chiedo dove sta Beatrice.

"Dove stai Beatrice?"

Questo vorrei urlare ai quattro venti. Ma non mi fate più parlare. Vi prego.

L'indicibile, io proprio non lo posso dire.

# 5.

*Sono tutti degli eroi
quando vogliono qualcosa.*

PATTY PRAVO

Me lo dice così, Rino Pappalardo, a bruciapelo d'impatto, d'esordio, che il figlio è finito in mezzo alle gambe della moglie. È nato morto. Me lo dice e piange. E mentre piange io non piango.

Siamo seduti su un insensato triangolo d'erba, vicino alla macchina con le portiere aperte, i cappotti addosso, un fascio feroce di brina che ti taglia le vene, una bottiglia di spumante e due calici riempiti a metà di liquido dorato per brindare.

E Rino mi lancia questo affondo di fioretto nello stomaco. Ma a che cosa stiamo brindando, Rino?, ti chiedo io senza dirlo a nessuno. Neanche a te.

È mezzanotte e venti. Il 31 dicembre del 1979 si sta sfaldando lui solo per fare spazio al primo giorno del 1980. Siamo sulla strada provinciale 23, a poche centinaia di metri dallo svincolo dell'autostrada. La A14 per la precisione. Uscita San Benedetto del Tronto. Fino alle undici e mezza abbiamo suonato in un locale di Civitanova Marche. Adesso stiamo andando ad Ascoli Piceno, cantiamo in piazza. Insomma, stiamo lavorando. Sono vent'anni che io e il mio gruppo lavoriamo all'ultimo dell'anno e ogni volta la mezzanotte la si festeggia così, in macchina, tra un concerto e l'altro.

C'è una pineta buia al di là della strada ma a me non me ne frega un cazzo perché il mio amico Rino Pappalardo sta soffrendo. Gli offro una delle mie Rothmans leggere, lui la prende, gliela accendo. E lui mi ripete con un altro filo di voce sbiaditissimo:

"Hai capito, Tony, è nato morto". È la seconda volta che me lo dice, nell'intimità, e piange sempre un po' di più. E io non riesco a staccare gli occhi di dosso dal bicchiere di spumante che lui tiene in mano.

È nato morto. Una contraddizione in termini. Quanto cazzo è vero che ogni uomo ha il suo dolore. Tutti, anche l'ultimo merdoso foruncolo al crepuscolo di uomo ha il suo dolore e ci sarebbe materiale sufficiente per rispettarlo. Ti viene voglia di rispettarli tutti quanti gli uomini quando ti raccontano cose così. Ma poi non ci riesci. Perché, perlopiù, la cattiveria ti assale negli angoli sempre liberi, come l'aspirapolvere, come un tartaro strafatto di cocaina; la cattiveria ti tende agguati notturni al cuore, fa razzia di te, ti stupra e ti violenta e si porta via i soprammobili del tuo corpo lasciandoti con un altro po' di vuoto, un po' più in là il vuoto, questa volta, contaminato coi sensi di colpa.

A volte li puoi vedere i tuoi sensi di colpa, riposano insonni sul comodino vicino a te, quasi tutte le notti, incartati in lussuosi pacchi dono di colore nero e fiocco argentato.

Sono stato cattivo, a volte.

"E come sta Renata?" mi sembra l'unica cosa sensata che posso dire ora.

"Senza la pelle" risponde lui. Breve ed efficace è stato. Ed è come se mi avesse dato un pugno forte e prolungato. Sto per morire di compassione e tenerezza. Una coppia galvanizzata che vuole un figlio e va a finire così. Gesù. Io non ce la faccio. Ma da dove la tiro fuori tutta questa umanità?

Un lungo silenzio illuminato solo dai fari della macchina, poi Rino dice:

"Allora capisci? Ti fermi a pensare al senso della vita, a perché fai tutto questo su e giù, ti attorcigli, ti acchiappi, ti aggrovigli mani e piedi, tu solo, oppure in compagnia, e nel frattempo puoi pure morire di vecchiaia prima di trovare una risposta a questo senso. Oppure puoi trovare la risposta in una frasetta famosa, come fa Titta. Io lo voglio pure fare ma poi non ci credi veramente. E sei punto e daccapo. Forse 'credere' è la soluzione...".

"'Sti cazzi" dico io, "ci hai il tempo di credere tu? Con questa vita che facciamo... credere è un hobby, un passatempo per gente che ha tempo libero."

Non mi risponde. Riflette. Non piange. Fa freddo.

Poi annuisce, ma sta pensando alla moglie. Lo so. Lo sento.

"Vuoi tirare?" dico io.

"Voglio morire" dice lui.

Ha occhi aridi, adesso. Fissa il vuoto. È propositivo con se stesso. Studia metodi. Articola strategie. Per continuare a vivere. Mica per morire.

Il nostro manager Jenny Afrodite spunta dalla pineta buia, rilassato, come un contadino insonne che conosce bene la sua campagna. Viene verso di noi. Lo guardo.

"Dove sei andato?" gli dico io.

"Ho fatto la cacca" risponde sornione lui con un sorriso e si avvia verso la macchina. Ma io non ci credo. Secondo me questo qua si fa l'eroina, per questo si è asserragliato nella pineta. Rino neanche lo ha notato a Jenny, ha altro da pensare lui, deve essere propositivo con se stesso, come dicevo prima. Però tutti noi del gruppo sono mesi ormai che abbiamo questo sospetto che Jenny ha attaccato con l'eroina. Però nessuno ne parla. Chissà perché? Su tutto il resto siamo diretti e franchi con Jenny che, tra l'altro, è anche più giovane di tutti noi, ma di tutti è il più impenetrabile e riservato. Insomma sta ventiquattr'ore su ventiquattro con noi ma di lui non ci dice mai un cazzo, non sappiamo che fa, se scopa, se non scopa... Niente! Però su questo sospetto che tutti coviamo, chissà perché, non gli chiediamo mai niente. E se dovesse essere vero che si fa l'eroina allora è un genio a nasconderlo; sempre lucido, sempre presente, mai una distrazione sul lavoro, insomma un ragioniere diligente e gli occhi che non tradiscono mai niente. Però ogni tanto piglia e scompare, si apparta, senza motivo. E verso questo suo eventuale problema abbiamo una forma di discrezione che mi sfugge, non capisco, e ci trinceriamo dietro il pensiero che sono affari suoi, cazzi suoi, problemi suoi.

Vabbè, andiamo avanti.

Titta e Gino, nemici amici, si sono accoccolati sul sedile posteriore dell'auto come due scoiattoli ilari, e si stanno organizzando il loro veglione. Questi due Cip e Ciop con rughe premature solo a capodanno si fanno la festa e stanno sniffando la cocaina, lo fanno solo in quest'occasione e ridono come due bambini cretini. Trasgrediscono loro stessi. Mi danno la nausea. Gliela regalo io, naturalmente. Faccio questo passamano ai due scalpitanti ogni anno. Il leader col potere sa elargire doni di tanto in tanto, e gli allunga il sacchetto bianco umiliandoli, ribadendo posizioni. Ma loro non se ne accorgono neanche un po' che io li sto umiliando. Coglioni.

Uno arriva nella piazzetta medioevale di Ascoli Piceno e dice:

"Bella".

Bugie per inerzia. A me non fa né caldo né freddo. L'Italia è un paesello monotono. E il Medioevo mi ha rotto le palle. Le piazze tutte uguali, le vie tutte uguali e i portici di queste cittadine maledette, non li distingui uno dall'altro, ci passi sotto e non vedi cosa accade fuori, si fa la passeggiata e a me mi acchiappa la claustrofobia.

Ma cosa accade fuori? Probabilmente niente.

E poi i musei civici che espongono chissà quali cretinate, mi rattristano fino a spingermi al suicidio. Poche cose mi rattristano più del museo civico di una città del cazzo dell'Italia centrale, a ben pensarci. E questi sindaci di quart'ordine che ti accolgono con la bava alla bocca, mi lasciano indifferente, tutti fatti con lo stampino, badano alla loro fama locale, poi nel tempo libero fanno i veterinari, i medici, i direttori di oscure filiali di banca, hanno sempre due figli piccoli e la cravatta sbagliata, ma dico io, per voi non è meglio morire?

Solo la mia città ha ancora un minimo di senso con quell'apertura alata a mare, sterminata. Ti dà la sensazione che se vuoi puoi fuggire. Poi non fuggi mai. Però potresti farlo, l'Africa di qua, la Grecia di là, Gibilterra dall'altra parte col suo infinito mercanteggiamento di armi, droga e puttane. Gibilterra è un paradiso. Pochi lo sanno. Io ci sono stato per i cazzi miei e me ne sono visto bene.

Ma dove eravamo rimasti? Ah sì! A questo precipizio vorticoso di inutilità che è la piazzetta di Ascoli Piceno, con la sua cittadinanza tutta bella schierata, agghindata in vetrina per farsi vedere, fuochi a mare di paillettes a basso costo con gli abitini della boutique della sorella Maria.

Una stanza buia è la provincia. Come ti muovi ti muovi vai a sbattere sempre contro le stesse persone, che conosci da quando sei nato. Deve essere dura la vita quaggiù per i suoi abitanti. E tremenda, anche. E i bambini nella piazzetta, pochi a dir la verità, ma brutti, proprio brutti e duri di comprendonio, corrono come ossessi e le madri che si sgolano come in un esorcismo, ma questi indemoniati avrebbero bisogno di vescovi capaci per liberarsi dal loro Satana che li fa correre e giocare come dementi. Un Satana cretino tengono in corpo questi bambini marchigiani. Ma le madri sono notevoli, questo sì, le donne marchigiane non sono niente male, meno troie e appariscenti delle venete, ma più anonime e intriganti, non hanno storia e quindi non sai cosa cazzo passa loro per la testa. Da qualche parte, sempre, sotto la sobrietà si nasconde l'ingordigia calda e sfrenata. Questo mi interessa. Non c'è mai niente di peggio dell'uomo e della donna sazi.

Però io non ci dovevo venire qua, per dio, cascare a volo libero da New York ad Ascoli Piceno è una porcata che non mi meritavo, ma era un impegno preso da tempo e dite quello che volete di me ma non che non sono un professionista. Lo sono da anni.

E quindi eccoci poco scoppiettanti sul palchetto provinciale. Non lo definirei un concerto quello al quale diamo vita, ma un'accozzaglia stanca e fuori tempo di note arruffate a causa di due deficienti della portata di Gino e Titta che continuano a ridacchiare da dietro i loro strumenti, ma come è possibile che la coca fa quest'effetto a questi due? Come se l'avessero confusa con l'erba brasiliana, la macogna, quella sì che ti fa ridere fino allo sfinimento e ti concede simpatiche allucinazioni. Io poi ho la voce che va per i cazzi suoi, ogni tanto cerco di recuperare ma poi mi dico:

"Chi se ne fotte".

E così sia. Tutto va bene finché questo branco cupo di ascolani gradisce e apprezza. E poi non mi muoverebbero una critica neanche se volessero, mi porto appresso un carico fin troppo impegnativo per loro. L'eco di quel concerto al Radio City è arrivato pure qua.

I giornali lo hanno dispiegato a otto colonne, come se avessero varato l'Amerigo Vespucci.

Insomma, si adoperano nell'ascolto, ma ad un tratto, una mitragliata di solitudine bella solida mi viene sparata tutta quanta dalla testa ai piedi. All'improvviso capisco. Non guardano me. Guardano lo spettacolo.

Ora non vedo l'ora che finisca questo strazio per andare a cena. Ho già preso appuntamento con il duo delle Re singers in un ristorante che fa pesce che pare che non sia niente male. Le Re sono qua anche loro, hanno cantato prima di me. Io vado pazzo per queste due amazzoni brune che straripano una bellezza spregiudicata e pericolosa, e mi stanno pure simpatiche che non se ne ha un'idea.

Anche il buonumore ha le sue pretese. Sempre.

Donne affascinanti e leggere che sanno farti ridere, un cocktail taumaturgico meglio dei cristalli puri di coca di Caracas.


Antonella, ironica e lasciva, mi infila una cozza in bocca e mi sussurra:

"Com'è?".

"È buona, ma mica quanto te."

"Sei il solito maiale" mi dice ad alta voce, ridendo.

Ci ha una risata Antonella che fa paura, sembra Pavarotti dentro casa quando fa il pazzo con la moglie perché non trova le mutande pulite. Una risata poderosa, tiene Antonellina.

India, la madre di Antonella, scoscia ovunque con violenza sensuale, canta come se partorisse, e cantando cantando, a soli quindici anni, ha partorito Antonellina. Il frutto di un amplesso veloce dietro un amplificatore a Salerno. Se uno non lo sapesse, le scambierebbe per sorelle. Sex appeal e finta sciatteria le accompagnano dappertutto, calamitando tutti gli sguardi del mondo attivo.

India e Jenny se ne stanno dall'altro lato del tavolo, parlano concentrati a voce ragionevole, fanno progetti di lavoro. Pensano al futuro. Ecco perché io e Antonella ci teniamo alla larga da quei due. Vogliamo solo cazzeggiare e divertirci. E che cazzo! È il primo dell'anno.

"Voglio fare un disco con te, Anto, e poi una tournée assieme, così ti tengo bella bella davanti per giorni e giorni" dico subdolo e ridanciano.

Lei, ridendo di rimando:

"Che ci facciamo assieme io e te, Tony? Io sono una rocker".

"E io che sono, scusa? Il figlio della merda?" ululo conviviale.

Lei ride assai e mi mette una mano amichevole sulla coscia. Dal mio piatto prendo un bocconcino di cernia e glielo proietto in bocca ad Antonella.

"Viviti 'sta cernia" dico.

Antonella ride ad ogni cosa e si sfila la cernia in bocca con ironico erotismo, seguito da un falso gemito che però a me mi fa arrapare veramente. India ci guarda dall'altro capo del tavolo e ci riprende giocosa dicendo a Jenny:

"Guarda quei due cretini, sono fatti l'uno per l'altra".

Jenny fa spallucce e elargisce un sorriso di superiorità che, chissà perché, mi fa piacere.

"Hai sentito che dice mammeta" dico io ad Antonellina, "dice che siamo fatti l'uno per l'altra. Sposami Superanto e non te ne pentirai. Questo ben di dio sarà tutto tuo, pezzettino pezzettino, a prezzi modesti."

"Ma tu sei già sposato!"

"Non me lo ricordare, per dio, non all'inizio dell'anno almeno."

Passa di lì il cameriere. Io lo acchiappo per il camice.

"Non ho capito" dico impetuoso. "Ma quando ce le portate le olive all'ascolana?"

"Non le facciamo le olive all'ascolana, signore."

"Non fate troppo gli originaloni" dico io. "Che è così che si va in fallimento, che vi credete?"

Antonella ride arrecando un serio inizio di sordità al nostro vicino di tavolo. Un altro cameriere ci smista a tavola la undicesima bottiglia di vino bianco. Io verso e inneggio a un brindisi.

"A te Anto e al tuo seno del quale parliamo in continuazione coi ragazzi. Il tuo seno ci rende meno lunghe e faticose le giornate."

Scoppia in un boato, Antonella, ammacca orecchie altrui e platealmente, con le sue mani, mi fa vedere come ci si aggiusta le zizze. Io mi calo e le do un bacetto in mezzo al crepaccio che tiene tra le due tettepalle, un crepaccio che pare la cascata del Niagara. Un salto di cento metri. Ci abbracciamo tra lacrime di ridarella e beviamo tutto d'un fiato il centoventesimo bicchiere di vino della serata. Galleggio nell'alcol e nell'uva, adesso, insieme alla mia amica.

"Ma tu non devi fare la pipì, Tony?"

"Mi hai levato le parole dalla boccuccia" dico lesto.

Ci alziamo e andiamo in bagno. Dondolo lungo il ristorante urtando qualche sopravvissuto del cenone di capodanno, un'orbita di menu fissi e deludenti, ma non chiedo scusa perché non ne ho voglia. Come due naufraghi spauriti io e Antonellina approdiamo al cesso. Va da sé che io mi infilo in quello degli uomini e lei in quello delle signorine.

Mi sto lavando le mani nell'antibagno in comune quando Antonella esce fuori più lieve e soddisfatta. Prima di voltarmi verso di lei, con le mani bagnate, le dico per la prima volta serio:

"Non pensare al luogo Anto, tutti i luoghi sono quelli giusti".

Antonella recepisce il telegramma. Tace. Io mi volto. Lei mi guarda diversa, alza un dito finto minaccioso puntato contro di me e intima:

"Non mi far fare cazzate eh, Tony".

È fatta! Ed è evidente che se tentenno un altro istante, quanto è vero la madonna, non mi chiamo più Tony Pagoda il seduttore per eccellenza. Afferro tutto il corpo di Antonellina, ma senza alcuna veemenza e lei cala a picco. Ci baciamo con la lingua e io, con le mani che colano acqua, mi aggrappo alle sue zizze con una voracità plebea, come quei bambini del Terzo mondo di fronte alla minestrina. Dopo un poco lei si stacca e mi ribadisce col dito alzato:

"Non mi far fare cazzate, Tony, che sono pure fidanzata adesso".

E, col top bagnato solo in zona petto, sgattaiola rapidissima fuori dal bagno. Ma la cazzata l'ha fatta e io ora posso pure asciugarmi le mani.

Mi guardo allo specchio baldanzoso, sono pronto per tenere la lezione numero uno sulla seduzione.

# LEZIONE NUMERO UNO SULLA SEDUZIONE

*Il ritmo*

Mi rivolgo a voi, a quelli che, come me, bellissimi non lo sono mai stati. Quelli, insomma, che non è che una passa e vi muore dietro, magari non vi nota neanche e allora, è palese, resta una sola e unica arma nel vostro bagaglio, ma un'arma che può essere possente e smisurata e può smuovere le montagne: la parola.

I belli e i bellissimi possono saltare a piè pari questa lezione, non ci interessate, senza alcuna invidia eh! Però, sapete com'è, bellissimi, voi vi mettete là e quelle arrivano, non dovete fare un cazzo di niente, vi crogiolate e vi alimentate solo del vostro esser belli. Allora sì, avete i lineamenti a posto, ma non avendo avuto la necessità di sviluppare altre doti che cosa succede? Succede che per il resto siete insignificanti ed indifferenti, non avete il senso dell'umorismo perché nella vita non vi è servito, non vi spremete il cervello per il senso della conquista e questo fa di voi delle personcine aride e silenziose. L'unica arrampicata di pensiero che riuscite a organizzare è quella demente dello sguardo finto tenebroso. Siete patetici e mi fate piangere o ridere non so. Non ci interessate. Tenebroso di che? Cazzoni.

Ci sono delle eccezioni, questo lo devo dire visto che mi sto momentaneamente occupando di saggistica. È il caso del mio maestro Mimmo Repetto, che non si è mai seduto sugli allori della sua straordinaria bellezza e ha sviluppato a tutto tondo fascino e seduzione, massime argute e canzoni fantastiche. È un uomo che ha sofferto Mimmo e la sua bellezza la fa passare in secondo piano. Ma è un'eccezione.

Torniamo a noi.
Non è che basta solo saper parlare bene.
Incontrate un professore universitario, quella risma lì sa proferire, altro che, chiacchiera in apnea, senza bombole, come in una catena di sant'Antonio che tiene in mano solo lui, insomma non passa mai la palla, come i figli unici quando giocano a pallone. Però succede che al secondo capitolo della sua conversazione la donna, dall'altro capo, per quanto interessata, potete giurarlo, non sa scegliere se morire d'angoscia o di noia. Tiene le smanie alle gambe, le muove in preda a convulsioni epilettiche, come quando sei incastrato nella sedia del cinema e danno un film che ti fa cagare fino all'inverosimile. E, in quel momento, state pur tranquilli, intelligentoni, quella donna ha un unico pensiero, questo: sapere che ore sono. Vorrebbe sbirciare il suo orologio, ma pare brutto. Allora getta l'occhio al vostro di orologio, ma in prospettiva il quadrante appare capovolto rispetto a lei e così non è facile capire che ora è, e io lo so, voi state là imbalsamati e compiaciuti, credendo che vi sta studiando le mani, origliate le premesse delle carezze, pensate che di lì a poco vi dirà che le tenete belle e lunghe, mani affusolate, sagge e pelose. Questo credete che sta per dirvi e lei, invece, snervata e straziata da questa vocina vostra lenta e patetica, ora cavernosa, ora da frocio, insomma lei agli sgoccioli, si fa coraggio e vi chiede:
"Scusa, mi diresti l'ora?".
Questo vi chiede. Voi non lo ammetterete mai perché siete froci dentro nello spirito, intelligentoni, ma è così.
Insomma tutto questo per dire varie cose, innanzitutto che non ci interessano né i belli né questi pensatori da serie C2, girone B. Cosa resta? Un po' di cose e un po' di chance.
Tanto per cominciare, è meglio sparare la più grossa caz-

zata del millennio piuttosto che tribolare nel luogo comune. Tutto ciò che è luogo comune non va detto. Sembra una banalità, ma non lo è, visto che quando ci piace qualcuna l'emozione viaggia ad alta quota e quando l'emozione si comporta in questa guisa ecco che il cervello riesce ad elaborare solo frasi fatte. E più sparpagliate frasi fatte, più vi giudicate negativamente, più vi fate impacciati, più vi deprimete, più tallonate l'arrendevolezza, più captate il fallimento, più giustificate in malafede la vostra necessità, menzogna, di una vita in solitaria. No. Impedite a voi stessi questa spirale. No. Ora non si deve mollare. Su questo c'è da lavorare, bisogna impegnarsi. A ritmi serrati, come gli schiavi. Dobbiamo essere di caucciù. Flessibili. E tenaci, come tutti i falliti del mondo quali siamo.

Solo il belloccio può permettersi di dire:

"Carino questo ristorante".

Tu dovrai dire:

"'Sto posto che ho scelto va bene per gli zingari".

"Che significa?" dice lei con leggero stupore.

Lo stupore va bene, la preoccupazione di non aver capito non giova semplicemente perché lei non penserà mai di non aver capito, a questa prospettiva ne preferisce sempre un'altra: che siete voi che non sapete quello che dite.

"Significa che io e te siamo liberi come zingari, io però, per grazia di dio, ci ho una casa, oltre alla roulotte."

Questo lo dovete dire sotto tono, non come se fosse la battuta del secolo. Lei sarà ancora un po' intontita, non sa che pesci prendere ed ha già un obiettivo, capire che pesci dovrà prendere con voi e forse sorriderà. Ma subito dopo, rapidi come puma, si cambia registro. Il vero segreto è quello di non darle il tempo di pensare a lungo. Perché noi non siamo belli e se la lasciamo sola a pensare lei arriverà in quattro e quattr'otto alla conclusione che non vuole stare con voi.

In linea di massima la vostra lei scende di casa con la netta convinzione che non succederà niente, anche se le piacete di partenza, lei pensa sempre che non succederà un emerito nulla. Sta a voi far crollare il muro, sta a voi cambiare la rotta della sua decisione vecchia e precostituita. Sui rapporti amorosi mi pare di capire che, di base, le donne hanno una pigrizia interna. Un imperativo che gli frulla perennemente nel cervello è una cosa del tipo: "No, non voglio, non ora, no grazie". Madri apprensive le hanno allenate come atlete olimpioniche ad organizzare sfaccettate forme di rifiuto. Hanno colonizzato i cervelli delle ragazze perché ci odiano a noi uomini esterni, strepitosi predatori del sesso spinto.

È tutta una negazione, all'inizio. Un no che si trasformerà in un sì tondo e pulito e una bocca semiaperta che penderà dalla vostra prossima battuta. Ma se mi state a sentire però.

Perché noi dobbiamo vincere le madri. Che non è impresa da poco. Ingombrano per sempre, le madri, fino alla morte delle loro figlie. Dobbiamo sconfiggere l'affetto apparentemente disinteressato di quelle donne macigno fatte in ghisa. Dobbiamo dargli un'altra angolazione della vita, un'altra prospettiva su cui contare, ogni santa volta. Farle affacciare al mondo, come se quello lo avessimo inventato noi. Il bluff è il motore della nostra seduzione. Ma un bluff col sapore della verosimiglianza. Niente Goldrake del cazzo e Fantastici Quattro.

Non dovete farla pensare per un po'. In quel po' dovete darci dentro. Ironia con la pala. Se non avete ironia non è detto che siete fottuti. Ma niente barzellette, per dio. E non vi mettete a fare i comici proprio adesso se in tutta la vostra vita non lo siete mai stati. Solo dopo che avete sparato il cinquanta per cento dei vostri colpi le date tregua con una pausa silenziosa nella quale lei penserà che non siete niente male, ripenserà a quello che vi siete detti, magari ve ne andate a fare in culo un attimo in bagno così riflette più distesa. Ma potete andare in bagno solo se avete accocchiato una battutina come si deve o un pensierino arguto. Dicevo che se non avete ironia non è detto che siete fottuti. C'è un trucco elementare per sopperire alla mancanza di ironia, ed è il ritmo del dialogo, dovete dargli un ritmo convulso, elettrico, agitato ma non troppo, altrimenti diventa snervante, vorticoso ed insensato. Le viene l'emicrania e il suo unico desiderio è trasformarvi in un Optalidon. Ma voi non siete Tony Binarelli e non potete trasformarvi in un Optalidon. Dovete saltare di palo in frasca soffermandovi massimo per una decina di battute su ogni fatto, argomento o stronzata qualsiasi. Non più di dieci battute a meno che l'argomento non sia uno dei suoi preferiti. Inoltre le dieci battute è il massimo che potete permettervi perché delle cime di certo non lo siete.

Il ritmo, si diceva. Tutti i sentimenti della vita scaturiscono da questo segreto: il ritmo delle cose. E ci vuole pochissimo per mancare l'amore, quando le cose si dispiegano troppo lente o troppo veloci.

Se parlate al rallentatore è meglio che ve ne state a casa. Siete spacciati, oppure vi toccherà una demente psicopatica prossima al ricovero, in corsia però, perché tanto stanze private non se le può permettere perché i soldi veri nella vita non li ha fatti.

La lentezza della vostra conversazione è direttamente proporzionale alla sua entrata nel club delle persone che non vi vorranno mai più vedere in vita loro.

Se poi cominciate al ralenti con troiate tipo "Sai cosa penso..." o "Io ritengo che al giorno d'oggi..." allora potete anche sventolare il fazzoletto bianco e guardare coi vostri occhi la vostra lei che si allontana sulla nave popolata da tutti gli uomini del mondo, tranne che da voi, unici sciocchini rimasti a terra sul molo.

Sedurre è come scrivere una bella canzone, tutto tecnica e ritmo, tecnica e ritmo. Il talento dell'ironia è una freccia supplementare che non sempre potete avere al vostro arco. In questo caso ci vuole tanto ritmo. Un battito che, perlopiù, viene fornito dagli aggettivi. Spiazzanti e convincenti, iperbolici e precisi. Se sono rari e poco usati nella lingua è ancora meglio e fate più bella figura. Le donne non si seducono né con i complimenti, né con i fiori, né con gli sguardi a pesce lesso. Queste sono puttanate da cofanetto Sperlari. Tutti ne parlano, tutti le vogliono, ma nessuno se le compra queste caramelle Sperlari.

Gli aggettivi seducono, i sostantivi annoiano. Questo è il grande segreto. Gli aggettivi li dovete dispensare con generosità, en passant, e a ritmo sostenuto e vedrete che andrete a letto con chiunque, a meno che non avete di fronte una lobotomizzata assoluta che non capisce neanche il suo nome. In quel caso non ne vale neanche la pena. Per voi ci vogliono donne intelligenti. Perché il sesso, in fin dei conti, è poca roba. Ve lo dico io che pure frocio non lo sono mai stato. E sedurre è tanto. Le cretine lasciatele andare coi cretini. Voi non siete belli, ecco perché non siete neanche cretini.

Insomma, a riepilogare, il ritmo dev'essere elettrico ed elettrizzante, mai convulso, mai lento come in un documentario su inutili animali che cazzeggiano nella tundra o nella steppa.

È consentito un solo rallentamento, è quando dovete dire la parolina magica, il sim sala bim del colpo finale, un colpo duro e maestoso, quando cioè le dovete dire o che la amate o che la desiderate o che vi piace assai o che ci volete andare a letto. Ma per il sim sala bim non c'è formulina magica, la frase migliore la dovete trovare voi a seconda di chi ci avete di fronte, l'importante è che lo dite bello e buono, magari stavate parlando della mozzarella di bufala e toh, rallentamento, occhiata rapida, voce un paio di toni più bassi e giù con un "Mi piaci mica poco, tu". E poi coltivare una sana speranza.

È pure superfluo che vi sottolinei che se avete davanti a voi un puttanone fenomenale non potete scegliere lo stesso colore, cioè non dovete dire robe del tipo "ti scoperei". Se fate questo passetto qua siete proprio dei dementi in saldi. La donna di fronte a voi è sempre un elastico tesissimo, voi non potete allungarlo di più. Dovete solo ridurre la tensione, questo è il vostro compito. Quindi, al puttanone rifilate il "ti amo". Alla romanticona del secolo scorso osate pure il "ti legherei alla spalliera del mio letto, e mica ci si libera così... è ottone massiccio".

Che ve lo dico a fare? Scendono di casa, sfilano lungo l'androne con gli stronzi neon, aprono il portone, vi vengono incontro e quello che vogliono dimostrare non sono. Sono l'opposto. Ci potete fare un'equazione sopra. Questa è matematica. È così. È così che vanno le faccende dei sessi opposti.

Ci ha il vestitino a fiorellini? State sicuri che non vede l'ora che la prendete per la testa e la sbattete sette otto volte contro il calcestruzzo.

Si è messa i quintali di rossetto infuocato per fare la bocca a cerchio preciso alla Giotto? Allora dormite pure fra diciotto guanciali che per avere un pompino vi dovrete mettere a fare l'elemosina su un tappetino di ceci organizzato da preti sadici.

A volte le cose vanno in maniera del tutto diversa e imprevedibile, ma è raro, in quel caso è possibile che vi trovate di fronte a una razza superiore. Potrebbe essere la donna della vostra vita. Tutt'altro registro. Si può pensare di lavorarla ai fianchi per giorni e giorni per sposarsi e fare figli. Ma col tempo, vi faccio vedere io se poi non ci rimanete male. Ci rimarrete malissimo, altro che.

Un'ultima regoletta, se siete uno che fa un lavoro non c'è male, del tipo artistico, che ne so, cantante come me, attore, pittore, musicista, allora durante il primo incontro fatele sapere che lavoro fate ma non attaccate a entrare nello specifico della vostra attività. Questo privilegio glielo dovete far sudare. Fate i brillanti su altri temi così lei penserà, faccio un esempio cretino:

"Gesù, se questo sa tutte queste cose su come si fa la parmigiana di melanzane pensa quando arriverà a parlarmi del suo ultimo spettacolo teatrale che io ho visto e in cui lui faceva la parte di Amleto e sapeva pure tutta la parte a memoria... mmm... mi devo ricordare di chiedergli come fa a ricordarsi tutto a memoria".

Se pensa cose così allora è più facile che digerire la pasta cruda. È fatta!

E direi che per ora la lezione number one si può dire anche conclusa. Non vi scoraggiate, su, anche voi potete sedurre, che sono quelle facce? Siate up e sorridete, ma sappiate che io già sono in lutto per i vostri sorrisi.

Ora andate.

E seducete!

\* \* \*

Ma dove ero rimasto? Forse ad Antonella che se ne torna a sedere al tavolo a braccia conserte per via di quell'acqua sessuale che le ho sparpagliato sul tessuto? Mi sa di sì.

Il vostro caimano la raggiunge. Il caimano sono io.

E non le dà tregua.

"Scusa Anto, mica lo sapevo che ti eri fidanzata."

Una finta comprensione occultata alla grande che mi pone ai suoi occhi come un papa sul trono a San Pietro. Lei, dal canto suo, è un poco tesa. Per quel bacio con la lingua che mi ha dato tiene i sensi di colpa che le viaggiano in quarta sulla spina dorsale, come i camion con gli abbaglianti accesi sull'autostrada.

"Fa niente Tony, tu mi piaci pure, ma lasciamo perdere però, eh?"

Diciamolo subito, non è una sconfitta. Mi sta solo implorando un po'. Io annuisco un poco sconsolato, ma fingo pure meglio di Belmondo nei suoi film più belli e butto giù due dita di vino, raddoppiandole il senso di colpa, ho l'aria di chi accetta la brutta notizia, ma che sottolinea però la delusione dell'anno iniziato male. E vado a segno, perché Antonella ora mi sta guardando un tantinello dispiaciuta. Ho occhi avariati, adesso.

Che succede ora a parere del mondo? Succede che uno stronzo qualunque potrebbe pure pensare che, per avere la meglio, si può continuare su questa via, tenere il muso sul lungo periodo per acuire il senso di colpa, per poi farla cedere. Errore madornale e grossolano. Il senso di colpa nelle donne ha questo di caratteristico: non dura mai a lungo, ha un'autonomia di minuti, presto si trasforma in irritazione, per poi degenerare nel menefreghismo, e quando arriva quel momento, se vi fate trovare col broncio, lei vi ha già archiviato in fondo in fondo, proprio lì, vicino al culo.

Il colpo di genio, invece, che io metto sistematicamente in atto, è tornare a far finta di nulla ed ecco che riattacco con allegria alla Mike e battute alla Gian, pure meglio di quelle di Gian, e lei, Antonella, riprende a ridere, sfarzosa e cavalleresca. Una risata napoleonica, la sua.

Innalzo il mento su India che non la smette più di confessarsi con Jenny e urlo risoluto e imperativo:

"India, sei l'Asia".

Un cavallone di risate mi diventa Antonella dopo questa battutina frigida. India e Jenny mi ignorano senza maleducazione. Ma con questa gag di periferia ho ristabilito clima e rapporti di forza col mio obiettivo centrale: una notte con Antonella Re.

Ad ogni modo, io e Antonellina riprendiamo daccapo, altro vino, ancora, bianco e gelato, dopo la cernia un assaggio di calamari, omaggio dello chef, mentre India e Jenny continuano sussurranti, in un'atmosfera da Ave e Maria.

"Qui il pesce è proprio buono" dice la rocker. "Ma come mai?" cascante dalle nuvole chiede all'esperto di pesce, che sono io.

"Anto, mica stiamo a Roccaraso, qua il mare sta ad un metro" rispondo.

Esausti, non demordiamo e, compiaciutissimi della nostra nuova decisione, ordiniamo spavaldi una impepata di cozze. Lo chef non sa che cos'è l'impepata. Gesù! Potrei pure rifiutarmi di pagare e invece me lo faccio trascinare dal cameriere al mio cospetto. Lo guardo severo. Lo chef si presenta a me troppo in colpa per questa sua ignoranza, come se andasse alla ghigliottina. Spiego lentamente, professorale, dettagliato, come si fa l'impepata. Meditabondo, lo chef si ritira per andare a preparare, ma per lui non è stata una buona giornata, lo sa lui e lo so io. Antonella ha seguito tutta la scena in un silenzio floscio e concentrato. E per quei minuti si è sentita proprio come la donna del boss.

Il boss sono io.

Quando anche tutto il buio delle cozze si è dischiuso dolcemente, prima nella pentola dello chef, poi tra le labbra mie e di quelle di Antonella, decidiamo di prendere un dessert. Ma io adesso a tavola non ci resisto più, mi sembra di starci da una vita. Mi sento come quando avevo dieci anni, quando stare a tavola per tanto tempo era una tortura che ti faceva piombare dritto dritto o alle lacrime di sonno o a correre attorno ai tavoli.

Ero bello da bambino. Mia madre era bellissima. Sia da bambina che da ragazza.

Accelero i tempi della fine della cena. Jenny paga il conto per tutti e quattro. E sono le cinque del mattino. Usciamo al freddo, lividi e timidi per un momento. Ma poi racconto ad Antonella di quando cantai a Londra all'aperto. Pioveva a dirotto, ma io tenevo i sandali ai piedi. Questo racconto fa ridere anche Jenny e India. Solidarietà da dopo cena, al freddo fuori al ristorante. Le conosciamo tutti. Sono cose tipiche e devo dire che sono anche belle. Ci guardiamo intorno alla ricerca di un baretto per farci un ultimo drink di capodanno, ma Ascoli Piceno è una tenebra dormiente anche nel giorno della festa. Optiamo per il bar del nostro albergo. Ma è chiuso anche quello. Che si fa? India e Jenny dicono che rimangono un po' nella hall a fare altre quattro chiacchiere. Antonellina dice che vuole andare su in camera. Io, va da sé, non aspettavo altro e mi fiondo dietro a lei, elargendo auguri e buonanotte a Jenny e a India.

Adesso silenzio, lungo le scale. È il momento delle decisioni. L'ora della vendemmia dopo che hai tanto seminato. Antonella avanti, io dietro. Pensiamo alla stessa cosa. Accompagno tutto il suo corpo sulla soglia della sua stanza.

Senza preamboli, che ormai sarebbero grotteschi, dico serissimo:

"Voglio entrare, Anto".

"Non è cosa, Tony, sul serio."

"Voglio entrare Anto e forse lo vuoi anche tu."

"Non è questo il punto."

"È il primo dell'anno, Antonella, è una festa."

"Non è questo il punto" mi dice con lo stesso identico tono di prima.

"E qual è?"

"Ho le mestruazioni, Tony."

"Voglio solo poggiare la mia testa sul tuo seno, Anto." Sono sincero, adesso. Lei mi fissa, onesta e addolorata.

"No Tony, mi sono scocciata di continuare a fare cose senza senso."

"Se cominci a dare un senso alle cose significa che stai invecchiando, Anto."

"Io sono sempre stata vecchia, Tony." Quest'ultima cosa me l'ha detta con una serietà e una consapevolezza che mi fa paura, l'ha detta come se non avesse aspettato altro tutta la vita che poter dire questa frase. Questo mi disarma definitivamente.

Le accarezzo lievissimo i capelli intrecciati e impregnati degli odori della cucina del ristorante. Poi riesco a dire solamente:

"Auguri di buon anno, Antonella".

"Buonanotte, Tony."

E la porta della sua stanza si chiude dall'interno.

Voglio solo poggiare la mia testa sul tuo seno. Mi è venuta così.

Mi giro di centottanta gradi. Vedo chiaramente davanti a me il corridoio dell'albergo. Ubriaco proprio non lo sono più. C'è la moquette a terra. È blu. Ci sono delle sedie disposte ai lati. Ci sono degli specchi e tante porte. Su ogni porta un numero diverso di stanza. Faccio qualche passo in direzione della mia stanza. Poi mi blocco. E inizio a piangere. Un pianto come si deve. Coi singhiozzi fortissimi e le lacrime, molte, e penso a quanto era bella mia madre da giovane e penso a quanto vorrei stare ancora con Beatrice e penso al mio amico Rino Pappalardo che non è riuscito a far fuoriuscire il figlio dalla moglie, ma a tutte queste cose non riesco a pensarci abbastanza e allora mi sforzo, cerco di rigirarmi il coltello nella piaga io solo, in mezzo a un corridoio che non conosco e ci riesco e piango più forte e la situazione mi sta sfuggendo di mano perché ora piango tantissimo e non riesco neanche a fermarmi e non penso proprio più a niente e non ho bisogno di nessuno sforzo, adesso, per piangere, e India e Jenny li vedo in mezzo alle mie lacrime e si muovono poco lontano da me, trasversalmente, battono la ritirata e mi guardano mentre io piango tantissimo, sono sorpresi, ma non più di tanto, increduli poco, e io piango da svegliare tutto l'albergo e loro mi guardano ma non si preoccupano e non si avvicinano a me perché è come se lo sapes-

sero da tanto tempo che prima o poi io dovessi piangere così disperatamente ed è per questo che non si meravigliano e
mi guardano ancora per qualche frammento di tempo e poi
entrano tutti e due nella stanza di India e io li vedo che entrano e io lo so che parleranno per un po' di me che stavo
piangendo da solo fuori ad un corridoio che non conosco e
poi faranno l'amore perché mentre io corteggiavo Antonella
in realtà stavo già piangendo, con tutto il mio interno, mentre loro si sussurravano lenti tutto il tempo e forse si stavano
innamorando e adesso si stringeranno forte, come in una
bellissima canzone e poi si faranno le foto, delle foto stupen-
de, abbracciati nei prati, sotto ai monumenti e poi le vedran-
no insieme e rideranno e qualcuna la incorniceranno e io ancora alle prese con le lacrime e vorrei che questo momento,
tutto sommato, non finisse più perché forse, ma dico forse,
questo, per me, è un momento vero.

E vorrei essere più preciso, ma credetemi, non è facile
essere precisi quando hai le lacrime agli occhi.

# 6.

Quindici anni fa, con mia moglie, si scopava da bufali.
Ora è un oggetto d'arredamento.

A casa tengo un pianoforte a coda bianco, lampade, divani in pelle nera, tavoli e tavolini di cristallo, lampadari, porcellane di Capodimonte che sono la mia passione e tengo pure mia moglie. Un soprammobile di troppo.

A volte si lagna e dice:

"Tony, non pensi che dovremmo buttare un po' di cose in questa casa? Non pensi che ci sono troppe cose?".

"Sì, tu, amore" rispondo io.

Poi ci piazzo vicino un sorriso e lei se la beve, crede che scherzi, ma se è così ovvio che non scherzo.

L'unica differenza che passa tra mia moglie e il mio Steinway a coda bianco del 1969 è che lei deambula e il pianoforte no. Lei parla e il piano no, qualche volta prova a rimproverare, ma perlopiù, ormai, si lamenta da sola, come in un supplizio, borbotta dentro casa rimproverando le sue scelte, avvolta in un esaurimento nervoso condito con la depressione.

Un involtino di angoscia mi è diventata questa donna. Ma chi la riconosce più? Si è organizzata il suo calvario lei sola, senza che nessuno glielo abbia chiesto.

Quando la conobbi mi piaceva perché stava molto zitta. A letto si faceva fare tutto quello che dicevo io, con una muta passività che mi eccitava fino alla morte apparente. Mi sembrò un ottimo ripiego per dimenticare Beatrice. La sposai. Le cose si misero male quando cominciò a parlare. Quando prese ad avanzare pretese assurde sul campo della comunicazione e del dialogo. Ora, io sono uno che può divertirsi a parlare con tutti, anche con un mastino napoletano o con quella palla in mano di Fred Bongusto, ma provate voi a fare quattro chiacchiere con mia moglie e poi vi faccio vedere io se non vi cadono le braccia nel senso letterale del termine. Proprio senti le braccia che ti cadono. Ti fai molle e pesante in un atto unico e senti che hai bisogno di un bravo ortopedico dopo due scambi di battute con mia moglie Maria. Voi provate e poi mi fate sapere. Anche un massaggio profondo ti ci vorrebbe, ma lei neanche quello sa fare. Ha quella parlata lenta, strisciante e monocorde che ti intontisce i sensi. È una cosa che non si può raccontare, è un'esperienza che bisogna vivere sulla propria pelle, anche questa tappa di dolore mi è toccata. Parlare con lei è come farsi le analisi del sangue, ti spaventi, ti impressioni, poi ti senti svuotato, la nausea sale su, non hai fatto colazione, allora recuperi al bar, ma qualcosa non quadra nel tuo corpo e anche il caffè non ha più lo stesso sapore. Si è fatto altro e irriconoscibile.

Provate ad andare al ristorante con mia moglie, provate, e se lei parla mentre mangiate vedrete che i cibi non sanno più di niente. E cucina una merda, si impegna, si prodiga, ma chissà perché ci ha questo debole per i minestroni, le frittatine, i risottini finti, le carni bianchicce, il merluzzetto, piatti che confinano con la morte e lei che si mette di spalle alla vita. Cosicché, anima e coraggio, maniche a rovescio, e ho dovuto prendere la decisione di non farla più entrare in cucina. Ora ci metto piede solo io e do vita a questi carnevali di pesci, alici fritte, gioiosi polipi in cassuola, spigole in tripudio, cernie da mezzo milione, calamari osannanti in tutte le salse e tutte le maniere, buone maniere, insomma botte di vita familiare che continuano però a rendere mia moglie insensibile. Io preparo questi piccoli capolavori con una gioia vaporosa, ma lei affoga senza salvagente in un'indifferenza globale, tiene solo l'occhio desto e preoccupato a quello che si sporca in cucina e che poi deve lavare lei. Dice che sporco assai. Se solo sapesse che lei, invece, mi ha sporcato l'esistenza per sempre. Per sempre me l'ha sporcata. Sempre la stessa rovinosa caduta nei matrimoni, col tempo ci si concentra sui dettagli, perdendo di vista l'ambizioso progetto iniziale. Forse perché quel progetto iniziale non era poi così ambizioso come si credeva.

Si crogiola, mia moglie, in una costante altezzosità da nobili decaduti, del tutto incongrua con la sua modesta formazione di tutto. Sono queste sproporzioni sparate a colpi di apparenze che mi incrinano lo stato d'animo fino allo sfinimento. Mi logora in progressione, spossandomi tutto quanto. Sono stancanti, gli esseri umani, quando non li tieni a servizio.

Insomma, sono tornato da pochi giorni da quel cesso di Ascoli Piceno e mi devo ritrovare davanti agli occhi questo quadro familiare da strage eversiva, ma non si pensi che, in fondo, la cosa mi scomponga più di tanto, ci ho fatto il callo, l'abitudine. E poi questo è un periodo di dio per il lavoro, sono tornato sull'onda lunga della positività, il successo mi si è accoccolato attorno come un hula hoop che non ti abbandona più i fianchi, mi sento come una majorette texana, radiosa e sorridente smagliante, cupola di benessere, sono una grossa navata del duomo che punta dritta dritta all'altare dell'esultanza e tra poco comincia la grande tournée e questa casetta del terrore la vedrò ancora meno di quanto la vedo adesso.

Anche la Befana è passata e si è dimenticata di portarmi con sé sulla scopa.

Una volta, vicino Courmayeur, lo so che non ci crederete, ma ho conosciuto un maestro di sci di quarantacinque anni che era fermamente convinto che Babbo natale e la Befana esistessero veramente. Non sentiva ragioni. I genitori si erano dimenticati di informarlo. E a nulla sono valse le informazioni successive provenienti da fonti esterne. Lui credeva solo al padre e alla madre. Come tutti noi, d'altronde. E quelli, per una sorta di indolenza, non gli avevano detto le cose come stanno. Ho un debole per i genitori pigri che se ne fottono di tutta la pedagogia del mondo.

Le approssimazioni, alle volte, commuovono.

Tornato a casa, mi sono rintanato, per sfuggire a quella biscia fetente di Maria, da solo in camera da letto. Mia figlia è dalla zia e questa non è una cattiva notizia, perché a casa mia il silenzio è cosa rara e pregevole visto che, ma non chiedetemi il perché, mia moglie tiene in funzione la lavatrice con cicli di ventiquattr'ore su ventiquattro.

Qua dentro, si perseguono, con insensato accanimento, ritmi alberghieri.

Insomma, me ne sto tutto bello calato sul marmo del comò della stanza da letto a tirare cinque sei lunghe strisce di cocaina quando, più opportunista e tempestiva di Paolo Rossi sotto rete, mia moglie si presenta nella stanza, senza neanche bussare alla porta. Di solito bussa, se non lo ha fatto significa che sta incazzata, nove su dieci che mi sta per atterrare addosso un boeing di rotture di cazzo che mi dispenserà senza troppi preamboli. Il fatto che mi sorprende a pippare non la scompone più di tanto. Questo lo ha dovuto accettare da tempo senza darmi fastidio, altrimenti se ne poteva pure andare a fare in culo per quanto mi riguarda. Entra e si mette in piedi vicino alla porta come una sentinella inglese al cambio della guardia. Immobile. Mi guarda, ma mica dice qualcosa.

"Che c'è?" chiedo con la respirazione difettosa, visto che sto al quarto tiro consecutivo.

Non risponde. Se c'è una cosa che mi fa morire di noia è quando si mette a fare queste pause teatrali per calamitare l'attenzione su chissà quale cazzata di problema.

"Parla" dico irritatissimo.

Mi levo il pantalone con le pence e lo dispongo sull'appendiabiti. Mi aggiusto garbatamente le mutande quando finalmente si decide a parlare, ma era meglio che non parlava proprio:

"Tony, ti devo dire una cosa".

"Dici" dico io mezzo rotto il cazzo.

"Voglio il divorzio" sentenzia lei.

La stanza si popola di baruffa nell'aria. Giusto un attimo sto zitto. Poi se pensate che Antonella Re ride forte assai allora dovete vedere me in questo momento. Le vomito addosso una tempesta di ilarità, gli occhi mi lacrimano di risate per la situazione ridicola, mi infilo il pantalone del pigiama, prendo una pantofola e gliela tiro appresso a mia moglie. Lei si scansa umiliata. Io rido un po' di più.

Lei ci riprova, in modo cretino:

"Non sto scherzando, Tony".

Stanco e tramortito dalle mie stesse risate, non ho neanche la forza di replicare talmente è ridicolo e insensato quello che dice questa donna. Mi limito a prendere l'altra pantofola e a tirargliela contro ancora più forte. Questa volta la prendo in pieno al centro del petto. Vedo in diretta le lacrime che le nascono negli occhi, lacrime così pesanti, così mastodontiche, che se ne stanno incollate dentro le pupille, non possono muoversi, non hanno neanche la forza di staccarsi e di scendere sulle guance. Lacrime stanziali. Che paiono muli.

Ho bisogno di mia moglie, ma non so perché. Forse perché quando entro in una casa vuota il magone mi acchiappa come l'edera rampicante attorno al mio corpo.

Come quando metti piede nella stanza dell'hotel, magari tieni addosso pure la novità e la gioia del posto nuovo, ma mai il vero relax, entri nella stanza d'albergo e il senso di inquietudine sempre ti si appiccica addosso poco lucido, magari basso e sotterraneo, da tombino. Lavora come la tenia. Ma lavora.

Comunque, questa pazza mi propone il divorzio, roba per gente che veramente tiene tempo da perdere. Io quel tempo non ce l'ho. Se vuoi darti una botta di vita, non c'è bisogno di scomodare avvocati e carte bollate, puoi farlo comunque, io l'ho sempre fatto. Sotto banco. In nome di una libertà da quattro soldi. La mia. La libertà di mentire, di tradire, di tramare, di rubare le vite altrui senza che quelle neanche se ne accorgono. A volte l'onestà è una gran cazzata e non fidatevi di chi parla male dei furbi, è gente intrisa di un moralismo precostituito. Mica ci si può fare un'idea su tutto. La maggior parte delle idee si ereditano e sono tutte sbagliate, però. Anche la furbizia richiede un'intelligenza a precedere. Anche la furbizia è un'arte. Ve lo dice uno che di furbate ne ha fatte di cotte e di crude. E Maria pensa che con la benedizione della legge si può liberare di me. Ha bisogno dell'apparato che le dà ragione. Questo è quello che commette la gente debole e molliccia. Quelli che hanno le palle quadrate, invece, fanno tutto ciò che gira loro per la testa senza andare a scomodare nessuno. Per questo rido così tanto. Perché è goffa lei e il suo aspirante divorzio. C'è, nella sua richiesta, una voglia di modernità che mi farebbe addirittura inclinare verso la tenerezza se non fosse che una moltitudine di svantaggi è contenuta dentro questa idea di separazione.

Tuttavia, la notte, non riesco a prendere sonno. Sono le quattro e mia moglie dorme in una piscina di lacrime. Le ha versate tutte prima e quando finisci le lacrime, va da sé, ti viene sonno. Anche di piangere ci si stanca. Ma io sono teso. Agito le gambe e tengo i piedi sudati dentro al letto, ma il corpo... quello no, quello sente freddo. Una febbre senza febbre. Mi accendo una sigaretta. Dal letto premo l'interruttore e accendo il lampadario al centro della stanza, una brutta esplosione di watt piatta e appariscente. È brutta la notte illuminata da un lampadario a centro stanza. È brutta come poche altre cose. Niente storie, sull'illuminazione degli appartamenti l'uomo non ce la fa proprio a progredire. Da quando ha abbandonato candele e lampade a petrolio si è messo solo a fare casini.

Che ti succede, Tony? Poi te lo chiedo ancora una volta, che ti sta succedendo, Tony?

Niente!

Sono stato veramente bene un tempo. Ora non più. O forse non ero io. Beatrice.

Guardo il comodino sul quale non c'è assolutamente nulla. E il fatto che su questo cazzo di comodino non ci sia niente, neanche il posacenere, ecco questa è una cosa che mi manda fuori di testa all'istante. Il vuoto del comodino si trasmette come per una brutta telepatia dentro di me e diventa il vuoto di tutto me stesso. Se si racconta non si crede. Io non l'ho mai visto un comodino completamente vuoto in una casa vissuta e abitata. E se l'avessi visto nella casa di qualcun altro mi sarei meravigliato assai, figurarsi come ci si sente quando questa realtà tocca in sorte proprio a me.

Dov'ero quando si decideva di non arredare veramente questa casa? Probabilmente festeggiavo il secondo quintale di cocaina nel mio corpo capiente in mezzo a donne non estranee alla generosità.

Ma ci ho una tempra io che tutto sa fronteggiare, anche il vuoto, anche me stesso. Un guerriero della psiche, con la potente arma della mia somma ignoranza.

O forse non ero io.

Tutto questo è veramente ancora troppo poco per morire.

Mi libero dalle coperte di scatto e di prepotenza, come in una lotta greco romana. Raggiungo il comò, prendo il posacenere e il mio portafogli e li sistemo frettolosamente sul comodino vuoto.

Ora, però, mi sembra ancora più vuoto di prima.

Sto tra la paralisi mentale e il panico stronzo. Da questa storia del comodino pare che non si riesca ad uscire. Due sono le cose, o mi libero del comodino o mi libero da me stesso. Poche storie. Ma ora è la casa tutta che comincia a pesarmi e quella linea poco gloriosa che riposa è la donna che ha dormito con me per anni e che poche ore fa mi voleva lasciare per sempre. Dorme e magari sogna. Sogna di lasciarmi, naturalmente. Ma l'occhio mi cade ancora una volta sul comodino. Gesù! Non ce la faccio proprio più. Parliamoci chiaro, non riesco a staccare gli occhi di dosso dal comodino e dalla sensazione di deserto che questo pezzo di legno spoglio mi scaglia addosso come un lanciatore di coltelli dalla mira approssimativa.

Coordino un pensiero che mi sembra abbia una sua sensatezza, se prendo il televisore da ventuno pollici e lo metto proprio sopra al comodino posso star sicuro che non mi sembrerà più vuoto. E così faccio. Stacco la spina e con uno sforzo immane trasporto il tv color dal tavolino al comodino. Ma quando lo sistemo sopra non passano neanche due secondi che il comodino si sfonda sano sano, i piedini debolucci cedono all'istante, cade pure il televisore a faccia a terra, e il vetro davanti si frantuma in tanti pezzi piccoli. Quello che è veramente di una gravità inaudita è che in quei due secondi netti in cui il comodino ha resistito a mantenere il televisore io ho avuto la netta sensazione che quel vuoto maledetto comunque non se ne era andato. Il tonfo del televisore, ma che lo dico a fare, è una roba da bomba acca. Maria apre gli occhi lenta, poi, dopo qualche istante, il rumore che deve aver sentito nel sonno le si replica in testa in tutta la sua atroce realtà, trasalisce, e bissa quando si volta e vede, nel silenzio male illuminato dal lampadario centrale, il televisore e il comodino distrutti a terra come macerie da terremoto e la mia stronza sagoma in pigiama, in piedi, immobile ed insensata.

Con un filo di voce sgomenta e senza speranza di sopravvivere chiede:

"Che è successo?".

Ma ora sono implacabile. Non darei tregua neanche a un gattino appena nato. Salto a piedi uniti sul letto. Come un atleta del risentimento. Afferro mia moglie per un braccio. Lo stringo. Lei fa per arretrare terrorizzata ma non ci riesce. Le do uno schiaffo. Un ceffone da marito e moglie, come ce ne sono stati tanti anche in altre famiglie. Lo schiaffo col rovescio della mano. Platealità italiane. Vuole piangere, ma ha troppa paura e non ci riesce. Io sembro un ladro che si è intrufolato di notte nella casa degli estranei ed è proprio con questo tono che sibilo:

"E perché vuoi il divorzio?".

Non riesce a rispondere.

"E perché vuoi il divorzio?"

Vorrebbe aver già divorziato. Ma non è così.

"E perché vuoi il divorzio?"

Vorrebbe non essersi mai sposata. Avrebbe preferito la verginità a vita piuttosto che stare qui adesso. E più ripeto la stessa domanda più perfeziono il mio grado di cattiveria e di trasmissione di paura alla donna.

"E perché vuoi il divorzio?"

Infine ce l'ha fatta a piangere. Senza le lacrime questa non mi accocchia granché.

"Perché sei un superficiale" mi dice.

Se mi voleva uccidere, con queste parole ce l'ha fatta.

Muti. Tutto muto dev'essere adesso. Non voglio sentire una parola neanche se la pronunciasse il padre eterno in persona.

Mi levo il pigiama. Mi infilo i pantaloni. La camicia. La giacca. Con la coda dell'occhio sento che lei mi segue con lo sguardo dal letto, ma non mi interessa, chi è? Chi se ne importa... basta... non mi interessa... basta adesso. Mi metto il cappotto di cammello. Esco dalla stanza. Prendo le chiavi. Tintinnano, nella quiete della notte. Apro la porta di casa. La richiudo senza fare rumore. Scendo le scale. A due a due. Una fretta senza giustificazioni tengo ora.

Mi ha momentaneamente sconfitto quella donna. Con pochissime parole. Superficiale a me! Tutte le casalinghe del mondo possono trovare le parole giuste per impiccarvi. Perché hanno un sacco di tempo libero per raccattare le parole giuste. Che penetrano e sprofondano.


Se ne fotte di me, il cielo, paludato nel grigio e nel torpore come lo vedo adesso. Ancora freddo. Quello delle cinque del mattino, l'ora più spietata e cattiva per il freddo, chissà perché. Ti accoltella quel freddo lì. Fino a giù, che più giù non si può. Uno esce e quello ti salta addosso come un commando di terroristi. Tengo i geloni ai piedi e una sensazione chiara: che questi problemi di circolazione io mai li risolverò. Mai!

Fuori al mio portone la città si staglia al contrario, da qui mica si vede il mare, abito dall'altro lato io. Il lato oscuro di Napoli, direbbero i Pink Floyd. Non è un bell'affare, credete a me, vivere spalle alla città, con le finestre che danno sulla collina di Capodimonte e il mare sempre dietro di te che te lo devi andare a cercare.

I ricchi veri si affacciano, spalancano le braccia e si sniffano lo iodio, ma a me tocca andare a prendere la macchina per mettere su tutto questo armamentario di emozioni. Insomma, non è un giochino vivere in una città di mare e a volte dimenticarselo, il mare stesso.

Ma abbiamo visto di peggio. Tutti abbiamo visto di peggio dal momento che non è previsto un limite giuridico al peggio.

Come se non bastasse, me le devo andare a risolvere vicino agli scogli le faccende familiari che mi pompano l'acido nel cervello, alle cinque del mattino.

C'è un comodino vuoto nella mia testa.

E anche la città è vuota come non lo è mai stata. Neanche un fresco fidanzato che si ritira dopo l'orgia di tenerezze dei primi giorni dell'amore. Niente. Tutti i netturbini hanno già fatto la doccia. Tutte le ostetriche hanno sfangato l'emergenza della nuova vita. I tossici hanno già ritrovato il portone al centesimo tentativo e gli alcolizzati si sono ripiegati ai piedi del loro vomito. Ho intercettato il breve momento di tutte le sospensioni metropolitane. Succede sempre così: quando hai bisogno del conforto dell'uomo, quello sta dormendo. Per questa ragione triviale gli insonni trascorrono la vita a non darsi pace. Non credono a quello che vedono, perché tutto quello che vedono, sta dormendo con una innocenza assolutamente colpevole. Ma non mi sento ancora solo, da quando basto a me stesso. Una prerogativa che richiede una saldezza naturale. Anche quella svanirà. Bisogna solo avere un po' di pazienza e attendere la decomposizione di tutte le proprie, sedicenti qualità.

Scendo la rampa che dà al garage, ripida come una pista di sci, e devo trattenere tutti i muscoli che però è come se mi parlassero e mi dicessero: Tony, riposa.

Ma se riposo posso anche morire.

Nel garage dove tengo io la macchina ci stanno la bellezza di altre centosessanta macchine. Già lo so che troverò il ragazzo che fa il turno di notte che dorme sulla poltrona di pelle nera, sfondata e con la gomma piuma che si affaccia mica tanto timida da tutte le parti, lo troverò con la bocca spalancata che russa e sogna bocche vogliose di donne che avrà o non avrà, forse, non lo so. Non mi interesso della vita dei ragazzi come lui. Ma invece lo trovo alla fine della rampa, tutto agitato, losco e frettoloso, che sta chiudendo due borsoni. Attilio Colella, si chiama questo giovanotto.

"Che cazzo fai, Attilio?" chiedo io con la voce distrutta dalle Rothmans.

Non se l'aspettava proprio di vedere a quest'ora, non dico me, ma qualsiasi essere in posizione eretta. E non trova le parole.

"O stai rubando o stai partendo" gli dico gelido.

Ma a lui mo' gli brillano gli occhi, come se l'avessi letto nel pensiero.

"Tutte e due le cose. Me ne vado, Tony, per sempre, me ne vado a Barcellona" me lo dice come Cenerentola davanti al principe del cazzo, con gli occhi che fanno bip bip, che sbattono senza autocontrollo, occhi che sognano tutti gli anni che tiene ancora davanti questo diciottenne e a me mi girano le palle ancora un poco di più. E le parole mi escono come macigni, pesanti e doverose.

"Fai bene, sulle ramblas ci trovi le migliori puttane del mondo" gli dico sapendo il fatto mio.

"Non mi interessa quella roba lì, io ci vado perché voglio fare il torero." Mica scherza, macché, questo dice veramente, che ci crediamo!

E poi dicono che io sono uno strano.

Ma non me la sento di ridergli in faccia, perché io un chiodo fisso tengo in questa vita, quello di dovermi sempre distinguere dal gregge dei miei umani compaesani che troppo non sopporto e so troppo bene che quando il ragazzo ha comunicato il suo sogno loro hanno riso come cretini, con le carie a cielo aperto e le otturazioni a portata di mano, e via così, con questo brutto repertorio da dentisti. Cosicché non rido, anzi, ci do dentro con l'originalità, lo guardo serissimo, ma non dico una parola, mi limito a tirare fuori la graffetta d'oro, sfilo duecentomila lire e gliele infilo nella tasca del giaccone.

"Non parlare così Attilio, quando vai in un altro paese, una puttana è sempre la prima e l'ultima amica che ti fai, a questo servono questi soldi. Ad avere un'amica."

Che dire? Non gliel'ho fatta passare liscia la sua stronza risposta un po' affrettata. Tutta la determinazione serrata della gioventù mi irrita in profondità. Ma ci vuole altro per tenermi testa con le paroline. E infatti mi guarda come se gli avessi presentato la donna della sua vita. Tanta è la riconoscenza che questo per tutto il viaggio in treno non riuscirà a prendere sonno perché si dovrà ricordare questo momento come un virus nel cervello. C'è poco da parlare e c'è da stare certi che sono l'unico al mondo che lo ha sostenuto in questa stronza idea del torero. Ma chissà! Magari questo frocetto foruncoloso mi diventa il famoso, primo e ultimo torero di nazionalità non spagnola e allora ecco che vorrei essere menzionato come si deve nella sua autobiografia.

L'idea del torero, a pensarci su, in sé ci ha una sua poesia e anche la mossetta di partire alle cinque del mattino, con questo freddo buio e metallizzato, potrebbe finire in uno dei miei testi maggiori, ma è lui che non mi convince, se lo scruto bene posso capire che tiene la stoffa solo per diventare un bel niente.

Si congeda dopo avermi teso la mano, ma il vostro Tony mica conosce solo il colpo di scena, ma anche il controcolpo, e quindi non gliela stringo la mano, invece gli do una bella pacca sulla spalla e senza guardarlo mai più in tutta la mia vita punto la Cadillac rossa decappottabile che sarà pure parcheggiata tra le altre stronze auto tutte uguali che sembra di stare a Berlino est, ma come non ricordare che questa belloccia spicca come Marilyn Monroe tra una comitiva di sartine e mi ci tuffo dentro, senza mai riuscire a smettere di meravigliarmi di questi interni in pelle amaranto. Mentre il ragazzo sgattaiola di corsa lasciando incustodito il garage, con quei borsoni a tracolla che non gli saranno di compagnia perché sta andando dritto dritto incontro ad un grumo bello solido di brutta solitudine. Ma non lo sa, perché tiene diciotto anni. L'età delle atrocità a cielo aperto quella lì, né carne né pesce né uova né verdure, disabituato alla vita, illusoriamente orfano della morte, digiuno della forza pressante e vitale di tutte le quotidianità, figli che avrebbero bisogno ancora di tante madri, ma poi si resta figli per sempre, questo è il guaio grave, sebbene non sia il solo, le disgrazie non si privano mai di un buon accompagnatore, diceva mia madre sapendo il fatto suo e anche alcuni fatti degli altri, e poi tutta una serie di gestazioni maldestre, in quell'età maledetta che dovrebbero abolire, e questo subito ti rende insensibile all'essenziale, ondeggiante come il destino della formica, tutto questo non è per niente un buon inizio, credetemi. Alle volte è solo una fine anzitempo. Ce ne sono rimasti sotto di giovanotti, altro che, davanti allo stupore delle scoperte. Ci sono certe scoperte che non danno seconde possibilità. Però, come diceva mio padre, hai la vita davanti. Peccato che a diciotto anni non la capisci questa frase così semplice: "La vita davanti". Hai un rapporto col tempo alterato. Drogato di false dilatazioni aberranti. C'è una prospettiva di infinito, nel diciottenne, che si può tranquillamente considerare uno dei più consistenti crimini dell'umanità. Siamo a livelli di reati di altra fattura, come l'epurazione di una razza intera, siamo nell'area dei tribunali internazionali, insomma dalle parti di Norimberga. La porca verità è che capisci cosa significa avere la vita davanti quando quella si è posizionata tutta dietro. Semplice come la sete. E allora l'uomo si moltiplica, diventa una folla di rimpianti. Ma questo non smuove le vite, le svaluta solo un altro poco. Le accompagna, con una lieve, elegante spinta di una mano da maggiordomo, verso il cimitero affollato di cadaveri esperti.

Chi l'ha inventata la vita? Un sadico. Fatto di coca tagliata malissimo.

Il cervello è meno scaltro e vispo di quello che ci vogliono far credere gli scienziati. Mentono. Perché hanno bisogno di finanziamenti cospicui e vizi a volontà. E, lusingandoci, sanno fin troppo bene che verseremo loro parti cospicue dei nostri risparmi. Tutta la beneficenza è una storia di puttane e di clienti che s'illudono di adocchiare, in fondo all'acciacco, l'immortalità.


Sulla mia Cadillac rossa ho fatto rimuovere il cambio automatico e ho fatto montare il cambio tradizionale. Mi è costato una cifra, ma così doveva essere. Perché io quella troiata isterica del cambio automatico la lascio volentieri a quei pigri obesi degli americani che escono di casa in tuta, vanno al lavoro con la tuta, rincasano con la tuta e per la vita di casa, ovviamente, sempre la tuta tengono. Fatemi vedere un uomo in tuta e a me mi prende uno sconforto da malato che vaga nella corsia d'ospedale tra barelle e bottigliette d'acqua distillata alla ricerca di un cesso sporco e perennemente occupato. Un degente per strada, questo divento. S'impara in carcere l'odio accanito per la tuta. In quel luogo nel quale tutte le umanità si lasciano andare. Si comincia con la barba di due giorni, si persevera abbandonando un decoro degli indumenti, ed ecco la tuta, si prolunga l'agonia divorando l'anestesia dei canali televisivi, si tocca l'apice lasciandosi cadere in giù con una corda al collo attaccata al tubo della doccia. L'ho visto da vicino il carcere. Per molti mesi. Dove la puzza della morte precede tutte le altre puzze della folla coatta. Che pure ci sono. Ne sai qualcosa in più e prima sullo sfilacciamento delle vite se hai avuto il privilegio nefasto di assistere al deterioramento accelerato dei detenuti. Ce n'è abbastanza in carcere per far capire a chiunque come funziona la vita fuori. Perché il problema, in carcere, non è la mancanza di libertà, ma la percezione, da qualche parte, della pericolosa corrispondenza tra le due libertà, quella dietro e quella davanti alle sbarre. È una scuola ben congegnata, la reclusione. Checché se ne dica. E come tutte le scuole didatticamente ineccepibili, la lezione non sembra vera. Ti opprime, la lezione perfetta. Non ci credi. E quando esci, qualcosa dentro di te ti fa barcollare la razionalità. In un angolo remoto di te stesso, ci vuoi tornare in carcere. Per verificare l'esattezza della sua lezione.

Sono tormentati dalla curiosità, gli ex detenuti.

Si combatte tutti i giorni, seriamente, senza stipendio, col mistero della conoscenza, se si è avuta l'esperienza della vita coatta.

Il carcere allena e prepara per ben benino alla reiterazione di tutti i reati. Ma lo fa in buonafede. Ed è davvero imperdonabile quella buonafede. E delittuosa, anche.

Ma poi, ancora, senza sosta, senza tregua, il pensiero dentro, quello che ho un comodino vuoto nella mia testa.

Per strada veramente non c'è nessuno. Giro a vuoto per il mio quartiere, questa gabbia di palazzi, ma nessuno. L'insonnia, un ricordo, tutti dormono ora e se non dormono cacano guai al buio nei loro appartamenti, certo non per strada, perché solo io ho ancora voglia di affrontare questo clima mostruoso. Ma se vi dico che è mezz'ora che giro e che non vedo nessuno, credetemi, non mento. Non ne ho motivo. E il labirinto di calcestruzzo colorato dei palazzi mi avvolge senza proteggermi e al mare già non ci penso più e non so bene il perché. E solo dopo mezz'ora finalmente vedo un tipo, per un attimo, che entra nel portone di casa, lo vedo veramente per un istante, avrà poco più di trent'anni, è alto e atletico, non mi somiglia per niente, perché appare incongruamente conciliato con la vita, eppure la mia testa sibila un pensiero chiaro e cristallino:

"Sono io quello lì" questo mi dico in mente. Ma non ha niente di me quel tipo. Sono io che proietto speranze e specchi deformati sul primo passante di turno che non affoga ancora in tinozze di disagio come me.

Ma poi finalmente, alle sei e un quarto, qualcosa da fare la trovo. Vado a trovare il mio maestro, quello che mi ha spiegato tutto, la A, la B e la C.

Ma dalla D in poi me la sono vista io, si capisce.

Ho avuto le cosce per camminare. Ma a me piace saltare. I furbi saltano. Alle volte cadono nelle pozzanghere. Le pozzanghere non sai mai dove stanno. Si dispongono a cazzo, le pozzanghere. Come le piante selvatiche. Non c'è giustizia per l'astuto, solo casualità. Che è pure peggio.

Con la faccia stravolta dal sonno mi apre la porta la sorella, una donnetta sui settanta ottanta, senz'arte né parte, una che ha immolato l'esistenza solo per accudire il fratello che poi sarebbe il mio maestro, Mimmo Repetto.

Questa leggenda.

Sono le sei e un quarto e Mimmo, naturalmente, sta sveglio perché a lui l'insonnia tutta la vita gli è ronzata attorno, come una mosca africana, appiccicosa ed immortale e coi sonniferi Mimmo ci può zuccherare le camomille, niente gli fanno, solo gli sbarrano gli occhi come se fossero mantenuti spalancati da pali di palafitte thailandesi. Resistenti e duraturi.

Entro nel salone e lo trovo avvolto in una tunica gialla di grande valore che gli ho portato io da una tournée in Venezuela. Fresca lavata, la tunica incombe come un dolce martello sul suo corpo devastato da settantanove anni di vita vissuta veramente, mica uno scherzo i ricordi di Repetto. Le sue mani sono massacrate da una vitiligine che, questo lo devo dire, mi ha sempre fatto un poco senso, ma le dita... ah, un romanzo quelle dita, lunghe e sottili come bisturi da chirurgo, che ora folleggiano sul pianoforte a coda nero, alle sei del mattino. Non mi guarda, concentrato sul piano come un astronauta alla sua prima missione.

Suona Bach, me lo dice la sorella, con uno spirito da missionaria crocerossina, che è Bach, perché io mica lo sapevo, mi vede e me lo sussurra tre volte soave e leggera come un raro uccello tropicale:

"Bach, Bach, Bach".

Gode, come una depravata, di quello che lei non sa fare. Lo sa fare il fratello, invece. Il mondo è pieno di questi individui così, allignano nell'ombra, con l'alibi del servizievole, si trasformano in paguri resistenti e inossidabili. Poi però, senza dire altro, se ne torna a letto. Ma a quell'informazione ci teneva assai, la vecchia.

Non dico una parola perché se il maestro suona la tradizione vuole che anche i piccioni e le lavastoviglie del circondario devono starsene zitti. Mi avvicino un po' di più per apprendere da questa fonte mostruosa ed inesauribile e le sue dita volano e volteggiano, arzigogolano senza tregua, perfette e inesorabili, su tasti neri e su tasti bianchi, una poesia, Dante, Leopardi, Carducci, tutti insieme, se ne vanno a braccetto, messi d'accordo dalle inarrivabili dita del maestro. Una poesia un po' meno poetica quando mi avvicino ancora un altro poco e scopro che il maestro suona con un catetere attaccato al suo corpicino che se ne cade a brandelli, afflosciato come un canotto bucato.

La tristezza, se pensate che quest'uomo con tre accordi

93

uno in fila a un altro era capace di far crollare matrimoni da trentacinque anni di serenità. Le donne, tra loro, facevano incontri di judo e karate ad alto livello pur di accaparrarsi Mimmo Repetto per una notte. Ma vi parlo di anni fa.

E più si sbatte sul veloce con brio di Bach e più il catetere gli oscilla pericolosamente e io penso che se esagera con la passione quello si stacca e io mica glielo so rimettere, mi tocca andare a chiamare la sorella, ma mentre quella si sveglia e viene in soccorso non vorrei che mi scappasse dalla vita il mio maestro Mimmo Repetto.

Per grazia della madonna il catetere resiste alla musica.

Quando finisce la sonatina è come se si risvegliasse da uno stato di trance comatosa. Suda come un bambino dopo la partita di pallone. Ci ha l'influenza. Finalmente mi localizza estatico poco lontano da lui. Con un gesto rapidissimo fa scodinzolare nell'aria quelle dita che sembrano fruste. Un gesto che, pur di vederlo ancora una volta, io sarei pronto a buttarmi nel fuoco. Bellissimo. E finalmente esordisce:

"Passami la padella, Tony".

Ma allora a cosa cazzo serve quel catetere? Vallo a sapere. Non io, naturalmente. L'elenco di malattie possedute da Repetto occupa almeno tre pagine di quaderno a righe. Neanche il suo medico curante se le ricorda tutte. Ogni giorno vissuto in più da Mimmo è una casualità che stupisce il mondo della sanità.

Comunque, si capisce, dopo tutto questo sbattimento sul piano, alla sua età, anche un maestro deve pisciare. È incastonato nella sedia a rotelle e io gli allungo la padella. Se la ficca sotto e mentre si sente questo fastidiosissimo rumore metallico di liquidi mi dice serafico:

"Stai pieno di problemi, Tony".

Non solo suona come un padre eterno, Mimmo Repetto, ma mi legge anche dentro a questa stronza testa trasparente che tengo.

"No" bluffo io, "anzi, tengo una tournée interessantissima, bella lunga, che mi comincia proprio tra poco."

Non mi crede neanche per un istante, mi fissa giusto un

attimo, senza impegno, e poi ripete ancora più convinto di prima:

"Tu stai pieno di problemi, Tony" e mi allunga la padella puzzolente che io non so dove cazzo depositare e così la sistemo sul tavolino davanti ai divani, spostando alla buono e meglio un'orgia di ninnoli d'argento.

Non l'avessi mai fatto, giustamente s'incazza come una iena.

"Ma che cazzo fai, mi lasci quella roba sul tavolino del salone? Non puoi fare il favore di buttarla nel cesso?"

Non ci avevo pensato. Mi precipito nel bagno. Ma neanche tanto, tocca muoversi con cautela se uno non vuole che poi la pipì ti cade da qua e da là. E poi non sia mai la madonna che mi va a finire sui mocassini nuovi, cosicché attraversare il corridoio che conduce al cesso diventa una faccenda brutta e lunga, un po' come attraversare il traforo del Monte Bianco a piedi.

Quando approdo di nuovo nel salone, dopo quella prova da equilibrista da circo, anch'io sono un po' sudato. Ora Mimmo mi dà le spalle, sfondato nella sua sedia a rotelle, guarda fuori attraverso i vetri. Di fronte alla sua casa c'è un brutto palazzo.

Che cos'è una città se non un susseguirsi di brutti palazzi?, penso io.

"Vieni a guardare" mi dice.

Mi avvicino alle sue spalle e con un cenno del capo mi indica una finestra di fronte, l'unica accesa in tutto lo stronzo condominio e si intravede in quella casa una coppia di trentenni che balla un valzer. Roba da non credere ai propri occhi. Quei due pazzi, alle sei e mezza del mattino, si stanno sparando, spassosi e ben determinati, un valzer. Pigiama e camicia da notte, varcano per brevi istanti le soglie dell'arte per compensare giornate non artistiche.

Non ridono, sono concentrati come gufi.

Magari quando finisce il disco si fanno lui la barba e lei la doccia e poi via, un'altra giornata di lavoro impiegatizio uguale a quella del giorno prima. Non trovo le parole per commentare quello che vedo nella finestra di fronte. Promanano felicità, potete scommetterci un organo a piacere del vostro corpo.

"Ogni mattina fanno questo e io ogni mattina mi metto a guardarli e ogni volta che li guardo mi dico che è ora di farla finita con questa stronza vita" questo mi dice Mimmo Repetto, mozzandomi il fiato una volta e per sempre.

Ci ha ragione lui, cos'altro? Tuttavia, cerco le parole per inserirmi nel discorso, ma è inutile, perché Mimmo sta già pensando a un'altra cosa.

Balbetto, cercando di riportarlo sulla terraferma:

"Mimmo, io... io...".

Lui fa una piroetta su se stesso, muovendo con grande perizia le ruote della sedia a rotelle e mi piomba di fronte a me. Si è girato così velocemente di centottanta gradi che io lo vedo chiaramente che il catetere volteggia dalla posizione verticale all'orizzontale, si tende nell'aria il catetere, a volo libero, come lo spinnaker della barca a vela che si gonfia col vento di poppa. Ma resiste. Questo catetere gli vuol proprio bene a Mimmo Repetto. Lo guardo dall'alto verso il basso. Lui alza gli occhi sul sottoscritto, fa un cenno appena percettibile col suo mento scavato e scolpito.

"La prostata" tuona apocalittico su di me e sulle prime luci del mattino e continua:

"La prostata è il grosso problema dell'anziano moderno".

Puzza di rivista medica questa definizione di Mimmetto, ma nessuno la potrebbe dire meglio di lui. Perché Mimmo è uno di quelli che quando parla, qualunque cazzata vada dicendo, ottiene subito un ascolto attento ed immediato dalla popolazione circostante, mentre io tutta la vita ho dovuto faticare per farmi notare, a forza di gomitate e trucchetti da baro alla stazione. Mimmo no. E non perché ora sia anziano. Anche quando era più giovane, apriva bocca e si faceva il silenzio, il mondo gli si accucciava attorno a semicerchio, come in un bel falò estivo sulla spiaggia, per sentirlo parlare. E a me mi fa talmente girare le palle questa differenza tra me e lui che io, ecco, io potrei anche ammazzarlo con una gomitata il mio maestro Mimmo Repetto.

Però carriera non ne ha fatta come avrebbe meritato.

Perché la carriera la fanno solo quelli che nessuno vuole ascoltare. È più comodo. Così la gente, il pubblico, che non ha accocchiato assai nella vita, si fa una ragione del suo fallimento specchiandosi in quel tizio lì che gli sta di fronte sul palco, un paio di metri più in alto di loro. Tra di loro dicono: ma quanto è bravo. Per giustificare il prezzo del biglietto. Ma dentro, nei paraggi dell'anima, sussurrano: è poca roba, solo che è stato più fortunato.

Dimenticatevela la fortuna, se io sto qua da solo e voi tutti là, raggruppati nella platea come sfollati, una ragione tonda e pulita c'è. Ed è, semplicemente, che io sono meglio di voi. Ecco tutto. Ma quello che loro sanno ma faticano ad accettare è che in quei due metri in legno di distanza tra me e loro passano abissi e oceani, a volte neri, a volte bianchi. Ma è così che vanno le cose. Sto un paio di metri più in alto, ma in realtà, quanta distanza...

Se pensate che io e Mimmo, dopo la sua sentenza sulla prostata, ci siamo detti qualcos'altro allora vi sbagliate. È solo che lui aveva sete, è andato in cucina a prendersi un bicchiere d'acqua e io l'ho visto allontanarsi sulla sua bicicletta a quattro ruote. L'ho seguito con lo sguardo, ancora col cappotto addosso. Lui beveva e mi guardava e mentre mi guardava io gli ho fatto un cenno di saluto. Lui ha chiuso gli occhi e con questo gesto è riuscito a fare due cose contemporaneamente: ha salutato me e si è goduto più a fondo il suo bicchiere d'acqua.

La mattina non era ancora salpata. Ma c'erano avvisaglie.

Ma quando mi sono chiuso la porta del suo appartamento alle spalle mi sono fermato un attimo sul pianerottolo, un piede sullo zerbino e uno no, e ho pensato che forse è stata proprio una cazzata venire qui a trovare Mimmo Repetto. Ed è per questo motivo che, coi piedi sullo zerbino con su scritto "Salve", mi sono fatto un tiro di coca.


Offuscato da me stesso, di nuovo in strada mi sono ritrovato. Stanco, ma col sonno ancora lontano, perché qua proprio si fatica e si combatte col proprio corpo. Lo metti alla prova e lo senti che lo stai mettendo alla prova. La coca mi sale su tutta d'un colpo, mi schiaffeggia come un'onda cattiva e mi viene da vomitare. Ma non vomito, perché, per la precisione, io non vomito dal 1965, l'anno in cui capii sette otto cose che valeva la pena capire veramente.

Comunque, un po' meno freddo adesso, e con la sensazione che la giornata per me stia finendo e invece sono appena le otto del mattino e si vede, perché la stronza popolazione mattutina la vedi tale e quale che, intorpidita e sbadigliante, è già pronta a darci dentro con la vita di tutti i giorni. Ma a casa non ci torno, per far che poi, per vedere quegli occhi aguzzi di mia moglie che vorrebbero congedarsi da me, una volta e per sempre? Io non lo trovo giusto. Se non sono stato un buon marito è anche perché lei non è stata una buona moglie. È così che cominciano le guerre, ci si rinfaccia le cose e ognuno dice all'altro:

"Hai cominciato prima tu".

E così facendo le anime evaporano, una ad una, in un modo o nell'altro.

Però anche quando ti avvolgi tutto quanto stretto stretto nel malessere, può sempre capitare che quel che resta di te, per caso naturalmente, intraveda un filo di luce reale, giusto un poco. A quest'ora stronzissima la mia luce si chiama Samanta. La riconosco dal suo culo che procede allegramente sul marciapiede. Un culo che ti mette allegria, che salta su e giù, come un suonatore brasiliano di percussioni. Una piccola samba il culetto di Samanta diciassettenne. Accosto con la Cadillac. Alle sue spalle.

"La dovrebbero levare da mezzo 'sta stronzata di scuola" esordisco io.

Mi spara una mitragliata di sorrisi talmente rapidi, uno dietro l'altro, che sembrano un solo sorriso.

"Tony, Tony" ulula solare nella ferocia grigia dei palazzi alti che non danno tregua a nessuno.

"Sali, ti do un passaggio a scuola."

Non se lo fa ripetere mezza volta di più che, con un balzo elegantissimo, è vicino a me nella macchina. È un'apocalisse l'eleganza tra i piedi della gioventù. È un'apocalisse perché è una rarità che ti sbaraglia le conoscenze consolidate.

"Già stai andando a scuola?" chiedo io.

"Quella troia della Tartaglia mi deve interrogare in stenografia nella prima ora."

"Non serve a un cazzo la stenografia, l'ho sempre detto io."

"Hai parlato come dovevi parlare" mi dice complice assai.

"E neanche la prima ora serve a un cazzo, si dovrebbe cominciare sempre dalla seconda e questo non vale solo per la scuola."

"Hai parlato ancora meglio" mi dice lei scoperchiando dei denti bianchissimi che mi accecano gli occhi e il mio stato sessuale delle cose.

Svolto per via Tracchia dove, non ci crederebbe neanche Gesù Cristo se glielo raccontasse il padre eterno, c'è una nebbia fitta e bassa peggio di Varese. Ogni mattina, chissà perché, solo a via Tracchia c'è la nebbia. Io e Samanta l'attraversiamo impavidi. Lei si raccoglie i lunghi capelli neri legandoseli con un elastico che un attimo prima teneva in mezzo ai denti e mi dice:

"La Tartaglia mi tortura oggi, dovevo essere interrogata ieri ma non ci sono proprio andata a scuola".

"Hai fatto benissimo, per dio" dico io con l'impeto e la severità dell'educatore che non ammette scuse.

Parcheggio in tripla fila sotto scuola sua, mentre orde inutili di ragazzi con un'acne che sembrano cieli stellati si riversano nell'edificio fatiscente e male illuminato.

Samanta si volta verso di me.

"Tony, mi vuoi fare la firma di mio padre sulla giustifica, l'altra volta l'ho fatta io, ma la Tartaglia mi ha sgamato tale e quale che era falsa."

Sono quasi commosso.

"Sarebbe un onore per me" dico sincero.

Mi allunga il blocchetto delle giustifiche, mi fa vedere una vera firma di suo padre che tiene come riferimento, io mi adopero con la penna con una concentrazione da orologiaio. Il risultato della firma non è niente male. Plausibile, direi. Controlla pure lei. Sembra soddisfatta.

"Grazie Tony, mo' scendo, vado a ripetermi la stenografia nel cesso della scuola."

Chissà perché, questa frase mi centrifuga in un colpo solo la circolazione sanguigna. Ventri litri di sangue convergono all'unisono sul mio apparato genitale all'istante. Sono eccitato che non se ne ha un'idea. Tengo i piedi caldi adesso. Puf! I problemi di circolazione, svaniti, in un colpo solo, come l'airone che si allontana.

Tutto questo non durerà, purtroppo. Tutte le imprevedibilità si accatastano nello spazio di un ruttino. E che cazzo!

Si avvicina per darmi il bacetto sulla guancia, ma le nostre labbra si sfiorano molto vicine. Io non mi scosterei neanche se venisse il terremoto. Indugiamo complici e vicini. Ci abbocchiamo. Un bel bacio in bocca alle otto e un quarto del mattino. Con la sua lingua giovane e vorace che mi rovista dentro. Mica è la prima volta che ci baciamo così, macché. Le scappa un brevissimo gemito. Ma è un gemito che non ha alcuna importanza per lei. Un'altra piccola finzione da ostentare, che forma il carattere. Io non ho importanza per lei. Sono, ai suoi occhi, uno strambo fenomeno esotico che lei conosce e le sue amiche no. Questo le consente un pizzico di mistero su di lei nelle chiacchiere sussurrate dell'intervallo scolastico, nei bagni rumorosi a spararsi sigarette aspirate male, quando le confidenze prendono quota e vince chi ha accumulato il maggior numero di stranezze prima della terza ora. Sono io la stranezza di Samanta. La stranezza dell'adolescente è sempre un adulto martoriato che le gironzola attorno con un'automobile ambigua. In questo senso corrispondo in modo preciso al personaggio. Sono il suo circo Barnum che alimenta la sua fama e la sua popolarità liceale, niente di più. Niente di meno. Ma bisogna sapersi accontentare quando i denti non sono più bianchi e quando, senza averlo desiderato, le tue masse adipose in espansione sono diventate un buon modello per i pittori malati come Bacon o Picasso. Eppure io, in questo momento, sarei pronto a dare la vita, per un orgasmo procurato da

Samanta. Forse non lo fa neanche apposta, ma con una mano mi sfiora il cazzo. Una mano piccola che io lo so, odora di latte condensato. Poi, furtiva, se ne scende dalla macchina sculettando da regina.

Non sono venuto.

Perché, come diceva mia madre, non si può avere tutto dalla vita.

Lo diceva lei che dalla vita non ha avuto proprio niente.

Chiudo gli occhi e cerco di imprimere una volta e per tutte l'odore della mano di Samanta, ma è già svanito il latte condensato, tengo il naso chiuso, mi sforzo, ma mi ricordo solo l'odore del Nesquik, che non è quello giusto.

Alle porte dell'invecchiamento, il primo compagno di giochi che ti tradisce è sempre l'olfatto.

Seguiranno cataratte.

Poi, sono andato altrove, dimenticandomi che ero sceso con l'intenzione di andare a vedere il mare, ma non l'ho fatto più perché ci ho ancora un comodino vuoto nella mia testa.

E il mare non è una distrazione adeguata. Ti fa precipitare nel pensiero, che invece devo fuggire con accanimento sistematico. Devo solo distrarmi. La distrazione. La massima invenzione dell'essere umano per continuare a tirare avanti. Per fingere di essere quello che non siamo. Adatti al mondo.

## 7

*E scoppiano folgore e tuono*
*non credo alla vita pacifica*
*non credo al perdono.*

PIERANGELO BERTOLI

"Sbilanciami una sigaretta" ordino a Titta con la mano tesa.

Me la sbilancia senza guardarmi in faccia. Io la prendo senza guardarlo in faccia. Mi passa pure l'accendino, ma continua a non guardarmi. Me l'accendo e mentre do fuoco non guardo né Titta né la sigaretta.

Si capisce, stiamo guardando Napoli-Juventus. Stadio San Paolo.

Io, Titta, Gino, Lello, Rino e Jenny.

Assiepati in tribuna d'onore, concentrati su questo in-chiodatissimo zero a zero che ci fa galleggiare in un limbo di noia e tensione a tutti e ottantamila spettatori quanti siamo, già da cinquantadue minuti di gioco giocato.

Due file avanti a me c'è una tipa niente male che ogni due e tre si volta e mi lancia mezzi sorrisi, prona sui quaranta, parecchio bella, borghese e sofisticata e si capisce tale e quale che mi ha riconosciuto di fama. So distinguere queste cose. Ma non me la caco. La noto con la coda dell'occhio ma ho già deciso che continuerò a starmene asserragliato all'interno della mia popolarità, almeno per questa volta. Anche se mi dista un sei sette metri non ci metto molto a capire che tipo di donna è. Un luogo comune vivente. Uno stereotipo in pacco dono con fiocco riciclato. Profumino invadente di tabaccaio di lusso spacciato per raro oggetto di profumeria, qui la tirchieria è di casa, roba che ti intontisce l'olfatto, venditrice di bigiotteria porta a porta o casalinga con marito assente, fa tante telefonate ad amiche che fanno anche loro tante telefonate. E non si dicono assolutamente niente. Perlopiù riflettono stancandosi il cervello in modo inverosimile su qual è la casa che deve ospitare il conchettino pomeridiano prima di avviare i fornelli perché marito lavoratore la sera va cercando primo, secondo e contorno. E lei e le sue amiche si prodigano ai fornelli per i loro uomini non perché li amano ma perché temono l'inenarrabile confronto sempre in agguato che gli uomini possono fare tra mogli e madri. È questa competitività all'ultimo sangue tra mogli e suocere che salda la Repubblica italiana e tiene uniti tanti matrimoni, che vi credete!

Ma la mattina, verso mezzogiorno, spicciate spazzate per terra e stirate di panni si fantastica alla grande su scopate multiple. Farneticano, scomodamente adagiate tra l'orgoglio della prima tv a colori e la credenza nera con vetrinetta, su giovanotti universitari figli delle amiche. Concluso l'orgasmo solitario si concentrano sull'ordine dei loro vestiti, momentaneamente spogliati dalla loro funzione. Compunte e ipocrite, tornano alla loro morte giornaliera. Quel gemito di poco fa, un deragliamento di cui vergognarsi. Ma neanche tanto poi.

L'amore? Quello ormai ci sono rimasto solo io a cantarlo. Anche per questo mi vengono a sentire ai concerti. Per ricordarsi quello che non vivono da vent'anni a questa parte o che, più probabilmente, non hanno mai vissuto. Com'è brutto avere a che fare con gente che non sa campare ma che se solo gli dai due dita di confidenza ti snocciola un decalogo bello e pronto di come si fa e come si dice nella stronza vita.

Se solo il mondo mi stesse a sentire troverei le parole giuste per farlo saltare in aria questo tappo puzzolente di vite applicate sulla sedentarietà dei neuroni. Conducono una vita costruita sulla paura. E il peggio è che hanno paura di tutto. E per un assurdo contorcimento mentale cercano di vincere la paura col sommo obiettivo di comprarsi una casa al mare e una in montagna. E fino a quando non hanno raggiunto quest'obiettivo soffrono come cani, terrorizzati come se si facesse loro del dolore fisico. Non c'è filosofia di vita più strampalata di questa. A confronto, la mia vita cosiddetta sregolata possiede la potenza, la linearità e la coerenza della vita del papa o di quella di un monaco tibetano. Ma vaglielo a spiegare a questi ottusi che conoscono a menadito solamente tutti i movimenti degli ultimi sei anni del loro conto corrente. La loro soddisfazione sta tutta nel possedere in tasca il libretto degli assegni vicino al cazzo perennemente moscio. La tribuna d'onore di questo stadio, poi, pullula di queste teste di cazzo senza pullover. Tuttavia, li si potrebbe pure capire. Si nuota boccheggiando con la paura atroce di finire sotto un ponte a vivere di accattonaggio e si registra sempre con un lieve sorriso di soddisfazione che questa ipotesi è stata scongiurata. La propria somiglianza al prossimo tuo non del tutto in difficoltà si capisce che per taluni è un traguardo. Vanno capiti, alle volte. Così, quando il pallone va sul fondo il loro cervelletto seleziona immediatamente i ricordi degli ultimi modelli di patetiche automobili acquistate dai loro amici. Un filo di angoscia li attraversa, stanno per rovinarsi la domenica se non si ricordassero che il lunedì dopo una corsa dal concessionario ci può pure stare per pareggiare i conti, mettersi a livello e comprare pure loro un nuovo modello di Fiat. E Agnelli, anche lui in questo momento in tribuna d'onore, se la ride proprio per questo motivo. Un giusto sorriso di superiorità nel constatare questi tragici affanni mentali che non lo riguardano.

Nel quarto d'ora tra il primo e il secondo tempo, che ve lo racconto a fare, Jenny si è assentato ed è scomparso nel bagno dello stadio. Un pensiero ci ha accomunato tutti quando ci ha comunicato che andava al cesso. Sempre lo stesso. E infatti ci siamo pure guardati con Titta e Gino, come a dirci con gli occhi che Jenny continua a darci dentro con la merdosa eroina. Ma nessuno ha parlato, come da copione non scritto. Questa cosa di Jenny ci traumatizza e ci fa sentire più piccoli di quello che siamo. Più poveri. Nutriamo un rispetto non perché tiene un problema, ma solo perché ha un mondo suo, Jenny, che non è il nostro. Questo ci fa sentire più soli e più stronzi. Ci mette in fuorigioco. Non riusciamo a metterci in comunicazione con lui ed è questa la base di tutte le tristezze. Il non poter comunicare è l'unico grande affanno dell'uomo, pensateci. Tutto quello che facciamo tende verso questo, ma le fatiche per farlo sono immani e mastodontiche, le montagne da superare e tutti i tentativi di comunicazione in cui ci adoperiamo alla fin fine ci sembrano goffi, elementari e moribondi, finché muori e solo lì forse te ne vai tanto contento perché al momento di farla finita, per la prima volta, con la tua morte sei stato capace di mettere in atto la prima grande suprema forma di comunicazione. È per questo che da quando è tornato non abbiamo più avuto il coraggio di guardarlo in faccia a Jenny. Il suo mondo ci schifa, appollaiato un paio di gradini più su. Ci tiene in pugno e fa di noi quel che vuole facendo una cosa che non ci dice.

Ma andiamo avanti.

Io, naturalmente, di calcio ne capisco e quando dico che Speggiorin è una mezza sega dico la sacrosanta verità. Che questo Napoli non accocchierà nulla di buono questo è chiaro pure ai bambini di tre anni. Perché che il calcio è una cosa seria come la matematica qua nessuno lo vuole capire. Lo hanno dato in mano a degli scalmanati che fingono di tenere il cuore in mano. Dovrebbero scervellarsi in equazioni e invece fanno i melodrammatici e questi sono i risultati. Pareggi risicati.

Mediocrità. Mediocrità che mi fanno scivolare altrove, non qui.

"Dove vai?" mi chiede Titta.

"Avranno una priorità i cazzi miei?" bofonchio io spocchioso. Si sente solo, senza di me. Non ci vogliono i dottori per capirlo questo. Se non gli sto vicino, se non lo tratto a pesci in faccia come di tradizione questo non si raccapezza più, pensa che la vita gli stia sfuggendo di mano, che la vita non è vera. È masochista. Un altro modo di vivere. Niente di cui meravigliarsi. Macché! Come quando finivo in carcere, mia moglie mi veniva a trovare in parlatorio e quella era la peggiore mezz'oretta della settimana. Puntuale come un impiegato svogliato all'uscita dell'ufficio mi chiedeva come facessi a vivere in carcere. Non rispondevo, perché non si ha voglia di guardarsi dentro in carcere, impegnato come sei ad anelare esclusivamente il fuori, ma la risposta la tenevo chiara come poche altre cose della stronza esistenza. Vivere in carcere è un modo come un altro per trascorrere la propria vita, questa la semplice soluzione. Insomma, mo' non vorrei mettermi a filosofeggiare proprio qui, in piedi, in mezzo allo stadio pieno, ma le cose vanno come vanno e nessuno ha mai detto niente. In questa città se ne cadevano i palazzi e nessuno diceva niente, tanto qualche doppiopetto di buona volontà si metteva lì certosino e ci pensava lui a ricostruirli peggio di prima, mica si partorivano i Masanielli per questi accadimenti, tutto come prima, tutto uguale a prima, ma sempre un poco peggio, un leggero slittamento, senza farsene accorgere da nessuno, questo per dire che uno in carcere di più o uno in meno mica cambia la vita di nessuno, neanche del carcerato stesso, neanche la morte del carcerato stesso. Una cosa sola cambia la vita delle persone, diciamo all'unisono noi tutti cantautori e cantanti di mezzo mondo: l'amore, ma poi non ci crediamo neanche tanto, semplice semplice, anche perché quello che le canzoni non dicono è che pare che l'amore stia sempre un po' più in là di dove stiamo noi, non lo sapevate questo? Ma sì che lo sapevate. L'amore è un orizzonte plumbeo. Insomma si vive e così sia, senza troppi sforzi. E pure quando ci si sforza, un paio di mesi dopo te li sei belli che dimenticati gli sforzi. Chi ci vuole pensare alle tonnellate di merda che costruiamo pazientemente per cercare poi, noi stessi, a tentoni nel buio, di venirne fuori?

Dunque procedo lungo le scalette della tribuna perché io voglio vedere il bel gioco che proprio non c'è, non sono un tifoso io, il concetto di tifoso stesso già mi irrita profondamente perché mi avvicinerebbe ad un groviglio di masse uguali che reggere non potrei, se volete, per motivi profondamente ideologici.

E mentre scavalco personcine assiepate sui gradini senza posti numerati mi accorgo della profonda torsione del collo della donna di poco prima, mi segue con lo sguardo, carica di meraviglie, la sua zozza routine mi si visualizza ad encefalogramma piatto tutta in un istante se, al passaggio di un esserino mediamente famoso quale sono io, si può suscitare questo poco di giravolta di collo da saltimbanchi. La guardo freddamente. Ma rivedo la mia posizione. Vuoi vedere che appronta una scusarella al marito e mi raggiunge all'esterno? Un orgasmo nel boato di ottantamila persone che urlano gol in fondo in fondo non sarebbe una storiellina da poco. Uno sfondo sonoro insolito sarebbe. Che potrebbe fare andare in gol anche a me, veramente però, un'altra volta nella vita, questo chiedo, almeno un'altra volta da quando Beatrice... non c'è più. Pie illusioni. Menate mentali, di capa, che forse ormai mi faccio solo io. La ricerca del cuore in mano attraverso movimenti della testa, questo mi sono ridotto a fare, dimentico che il cuore in mano te lo ritrovi così senza preavviso, come quella volta ad Anacapri, quando fiori e bouganville non erano lì per caso, ma complottavano insieme a me, al mio servizio, ora, deficiente che sono, penso che possano complottare insieme a me i tifosi dello stadio, le carte buttate a terra, le lattine che rotolano in canaloni di vento artificiali, le sciarpe azzurre da duemila lire, la pelliccia di visone di quella cafona, tutto questo mai potrà ardere verso il sentimento. Neanche si che. E quindi, come un demente, albergo all'esterno, da qui posso scrutare un gruppazzo di tifosi di spalle, immersi nei loro vestiti e penso che quando queste masse si accumulano una sull'altra ecco che allora i vestiti messi vicini gli uni con gli altri finiscono per coprire corpi e perdono il loro concetto di vestiti, vanificati gli sforzi gai di troppi stilisti quando ci si mette comodi per sopportare la stanchezza della partita. Accendo una sigaretta nell'attesa della signora, da qui si vede pure il cesso della tribuna numerata. Un laido pensiero mi attraversa in quest'attesa di niente: come mi muovo mi muovo finisco sempre vicino a un gabinetto, come attratto da una forza soprannaturale che mi conduce verso i canali di scarico dell'esistenza, dell'anima. L'anima. Questo concetto che se ne sta in bocca a tutti giusto per fare i sensualoni e i sensazionalistoni. Ma che tutti non sanno cos'è. Materiale da prima intervista per personcine arrivate troppo rapidamente al successo che credono che la chiave assolutamente casuale di quel successo alberghi appunto nell'anima. Menzogne. O meglio, gente ignara dell'assenza della propria anima che ne ha fiutato solo il concetto e la potenzialità del significato. Truffatori e mezze tacche a buon mercato.

Ma per parlare d'anima ci vuole ben altro, ci vuole appunto la proprietà della propria anima. Io questa ce l'ho, gli altri non credo. Attenti con l'anima, a furia di scomodare questo concetto, ci si gioca se stessi, per poi scoprire, quando le luci si spengono, che in fondo a quel se stessi non c'è niente per cui valga la pena vivere, è a quel punto che i gesti si fanno definitivi e che sui vostri gesti si scagliano poi come sciacalli parlanti psicologi e sociologi. La vostra presunta anima finisce col diventare materiale statistico e carta burocratica ingombrante. Il funerale l'ultima festa senza lacrime vere. Morti e perduti siete e sarete se non lasciate in pace la vostra anima.

Ma torniamo al posizionamento geografico del mio corpo. Vicino al gabinetto, dicevo. Alla gente di solito non succede un cazzo perché tende a sistemarsi là dove stanno tutti gli altri, ma se uno si assenta, se si colloca là dove nessuno ha pensato di andare ecco che lì trovi la fresca merda umana che si agita per regalarti sorprese ed imprevisti. Cosicché se nello stadio non sta succedendo niente di significativo va da sé che è nei cessi degli stadi che sta succedendo qualcosa, un po' come quando ti catapulti alle feste mondane, nella festa non succede un cazzo di niente, invece basta mettere la faccia in cucina ed è lì che si snocciola la festa vera, cuochi sudati, camerieri impauriti, urla del cazzo in nome di gerarchie che tutti i capetti hanno voglia di ribadire ora dopo ora, guai alla confidenza, e poi palpeggiamenti, mani ovunque, tra uomini e donne, uomini e uomini, baci e toccate, in mezzo ai piatti, in mezzo all'immondizia, dietro le bottiglie di vino di varie annate, e ancora la frustrazione del lavapiatti, ultimo arrivato, che lava e riflette e potrebbe pure pensare di uccidere, poi più semplicemente manda tutti a fare in culo e se ne va a lavorare da un'altra parte. Anche così si fa carriera, mandando a fare in culo il prossimo.

È singolare, la festa. Uno pensa che nel salone sta accadendo qualcosa. Si balla. Ma è sul letto matrimoniale dove hanno messo i cappotti che si balla veramente. È nelle tasche dei soprabiti degli altri che si annidano i segreti e le biografie. Io l'ho sempre fatto. Furtivo, non ho mai smesso di frugare nelle tasche dei cappotti e delle pellicce. Mica per rubare, solo per emozionarmi attraverso la conoscenza frammentaria degli altri.

Ma è una vita che battaglio contro la troiamma della sdrucita piccola borghesia, ma credetemi, è guerra persa, so' più resistenti dei carri armati quelli lì. Il cesso dello stadio mi ha regalato il grande nulla, nessuna presenza, neanche un preservativo usato per farmi baloccare in immagini logore ed usurate che ancora, a fatica, stuzzicano i miei pensieri e così, in anticipo, me ne sono andato a casa da Rita Formisano, la reginetta della noia, questo si sa.

La signora impellicciata non si è presentata, aveva paura di perdere i privilegi sociali acquisiti con una fatica da minatori nel caso in cui si scosciava nel cesso dello stadio insieme a me. O temeva di non trovarmi e di doversela vedere con qualche balordo che le voleva rapinare la pelliccetta che ha ottenuto implorando un marito sordo a forza di minacce, ritorsioni gastronomiche e capriole sul letto. Tra un po' di elettriche trasgressioni col cantante famoso e tenersi ben benino la pelliccetta addosso ha optato per quest'ultima. Opacizza il vetro del destino per paura di doversela fare con lo spettro degli spettri: la perdita di qualsiasi cosa. Invece, per lei, deve essere sempre tutta un'acquisizione. In questo senso, non sono il palazzo giusto. Puzzo di trabocchetto.


Mi accoglie col tavolo da stiro aperto, il volto stanco, assassinato da questa sua domenica pomeriggio uguale a tutte le altre che l'hanno logorata dentro a Rita, ex donna piacente, ora buona solo per il conquin pokerato che mi sparo quando posso con lei e le sue amiche. Il volto logoro dicevo, i due figli piccoli che dormono narcotizzati dai compiti, per la grazia di nostro signore.

È lei che mi ha piazzato il caffè in mano e mi tortura la salute con una lamentela sua che porta avanti da tre settimane e che io, quanto è vero la madonna, non mi fíro più di sentire. Una sua crociata personale che non interessa a nessuno tranne che a lei e lo sa ed è per questo che va al manicomio più di quanto le è consentito, vuole litigare ma ha perso per strada l'interlocutore, e finisce a litigare con i fantasmi, questo la depista e la rende ancora più fragile di quello che non è già, con marito separato e menopausa in agguato, alle porte, e lei incastonata col ferro da stiro in mano contro una parete lunga quattro metri e nessun quadro appeso, solo nell'angolo a destra un calendario di frate Indovino, per il resto tutto bianco, la tristezza mi sta strangolando, uno alza lo sguardo e viene accecato dalla vernice bianca e malandata e il frate a fumetti a lato che non rappresenta un cazzo di niente e sul chiodino del frate una palma rinsecchita della pasqua scorsa. Ma come cazzo fa a viverci in tutta questa assenza? In questa freddezza? Che poi è la stessa dei suoi sentimenti.

Tant'è che il suo gigantesco problema sarebbe questo: tre settimane fa viene a trovarla la sorella e il figlio piccolo si addormenta sul suo divano e nel sonno fa la pipì. La sorella chiede scusa ma Rita niente, non ne vuole sapere, spara una cazziata articolata e composta alla sorella, come se avesse commesso peccato gravissimo, le dice che è una tragedia questo divano con un po' di pipì sopra, che lei non sa educare il ragazzino e che non la vuole più vedere. La sorella non batte ciglio, giustamente le deposita una pereta in mano e le dice che se lei è così meschina, misera e miserabile allora anche lei non la vuole più vedere. Ora succede che la sorella probabilmente veleggia in grazia di dio per i cazzi suoi magari depositando pipì del figlio in altre case, dato che una tragedia non è, e Rita invece ancora non si placa, si tormenta in una rabbia duratura che ancora coltiva contro la sorella ma anche il senso di colpa le sta massacrando tutto il corpo imbottito in questa vestaglietta che occulta la sua salute per restituirmela come una malata in corsia. La novità della pipì sul divano ha perso tutta la sua freschezza e si è fatta obsoleta, ma bisogna capire, è l'unica digressione che ha posto interstizi nella vita di Rita, per questo mi tormenta:

"Che devo fare Tony?".

E questa domanda me la pone già da tre settimane e io faccio finta di fare il conciliante e occulto il mio vero pensiero solo perché poi quando si gioca, a Rita che è una latrina con le carte in mano, le sfilo puntuale quelle cinquantamila lire domenicali. Ma io ci ho questo di caratteristico, un paio di volte ce la faccio a mentire, ma se mi cacate il cazzo per la terza volta allora esplodo e dico quello che penso e allora adesso parto in quarta senza freno e le dico tondo tondo a palle ferme:

"Hai rotto il cazzo Rita con 'sta storia, hai torto, tua sorella dice che sei piccolo borghese, ma sei peggio, sei tre volte piccola piccola piccola borghese, puzzi proprio di questa roba qua, ma ti pare il caso che un bambino fa una cosa del genere e tu cachi il cazzo di questa maniera, ma che tiene 'sto divano tuo? Il platino da sopra? L'hai lavato ed è tornato tale e quale, io mo' i bambini non li sopporto e questo è universale, però tu non puoi torturare le palle di tua sorella, le mie e quelle di tutti quelli che incontri con una cazzata di questa proporzione".

Lei mi guarda con la bocca spalancata e gli occhi lucidi, non regge al colpo, già lo so che la testa cretina che tiene sul corpo flaccido sta elaborando un'altra cretinata ancora più vana di lei e cioè che tutti staremmo facendo un complotto contro di lei, io e la sorella per esempio che manco so che faccia tiene, ma lei procede per definizioni, per questo, dicevo, la battaglia contro la piccola borghesia è una battaglia persa, è una robetta che si annida nelle viscere della terra, puoi abbattere i palazzi, dissodare i terreni, ma le viscere della terra, quelle non le riesce a toccare neanche il padre eterno, per quelle robe lì ci vuole solo l'omicidio su commissione, il delitto perfetto, ma posso mai mettermi ad uccidere Rita Formisano perché mi spappola le palle per la sua storiella con la sorella? Non penso proprio. Anche perché uccidi lei e ti ritrovi circondato da altre mille come lei. La piccola borghesia è come uno di quei film sugli zombie, ne uccidi tre, tiri un sospiro di sollievo, poi si scoperchiano le tombe e ne escono altri quattrocento. Un inferno. Poche storie, un inferno assoluto.

Lo so, lo intuisco da quella sua faccetta scomposta ed allibita, con le venuzze verdi alle tempie che si dilatano come cuori artificiali che il suo impulso primario è cacciarmi di casa, è troppo per Rita quello che ho detto, non sono intimo come la sorella, tutto sommato sono un estraneo e sentirsi dire queste cose da un estraneo ti mette di fronte al problema nel suo scheletro e non è mai una camminatella trovarsi di fronte ai propri scheletri, diventi indifeso, le gambe debolucce, non hai più armi se mai le hai avute, non puoi trincerarti dietro le scuse, dietro le bugie, sono brutti quei momenti lì, puoi fuggire, e lei lo potrebbe fare cacciandomi, ma rema contro un altro concetto della sua piccola armata culturale, cioè che cacciare fuori un estraneo che tuttavia è considerato amico è una roba che appartiene a quella struttura in nome della quale gente come Rita immolerebbe la propria anima, questa struttura si chiama, in capa a lei, buona educazione.

Guardate che non dico puttanate quando dico che milioni di persone in nome della buona educazione muoiono, si fanno ammazzare, il self control come stile di vita, le regole come santi, il bon ton è il loro dio. Muoiono di rabbia e si tormentano il corpo umano a forza di risentimenti, rancori, ma se gli toccate la buona educazione allora non c'è più matematica secondo loro. L'offesa peggiore per gente così è dire di uno che è scostumato. Ed infatti 'sta stronza questo riesce a dirmi, con la voce flebile, rotta dalle lacrime, la rabbia dentro al cuore che mi scaglierebbe il ferro bollente in testa, ma questo è un gesto maleducato e allora supplisce dicendomi proprio questo:

"Sei un maleducato, Tony".

È la frase che mi scardina i collegamenti mentali più elementari.

È la frase che fa di me un troglodita nudo con la clava in mano.

'Fanculo il conchettino pokerato. Dimmi che sono una merda, mi sta bene, io vengo dalla merda e nella merda torno ogni giorno perché essa è puzzolente, tutto svanisce nella vita meno che le puzze, ma se ti metti a dire sconcezze e banalità come quella che sarei maleducato allora divento una belva feroce, manco tre tonnellate di coca mi fanno quest'effetto, macché, peggio mi ritrovo, balzo in piedi pittoresco, mi avvento contro quella parete tutta bianca che ti stona l'equilibrio e quasi barcollante arrivo alla sua stronza vestaglietta madida di terrore, l'afferro per i capelli a Rita Formisano e ai suoi cinquant'anni portati male e a cazzo. E mentre le tiro i capelli ansimo e sento l'odore di lei, che è lo stesso odore della sua casa, finestre troppo chiuse, è l'odore del suo dolore, tutta questa familiarità senza famiglia nel suo odore.

Non durerà negli anni questa storia dell'odore della casa. Negli anni a venire, eserciti di detersivi monopolizzeranno l'olfatto, gettandoci non privi di sconforto in un asettico miasma fatto di niente che caratterizzerà tutti gli appartamenti. Livellati gli odori, altrove andremo a scovare le differenze. L'umiliazione dell'olfatto come conseguenza del progresso.

Lei urla, greve e roca, poca roba, solo un rantolo di smarrimento. I figli non si svegliano. In altre circostanze urla per i cazzi suoi e i bambini ci hanno fatto l'abitudine. Io non mollo gli stronzi capelli a triple punte e le dico incazzatissimo, con un'equilibratissima distribuzione di male parole:

"Maleducata sarai tu e quella stronza di tua madre, non ti permettere puttana, mi hai cacato il cazzo a chiedermi un parere e ora sei solo una fottuta disonesta del cazzo se nel momento in cui non ti arriva la complicità che speravi dai addosso a me dandomi del maleducato. Non lo riesci a capire che sei una merda, volevi solo fare pettegolezzi, io non faccio pettegolezzi perché non tengo tempo, lo capisci questo, tu muori appresso a una casa senza quadri e a ferri da stiro che ti pesano non in mano, ma nel cuore e poi vuoi la complicità da me, ma lo sai chi cazzo sono io? Io non ti conosco, Formisano, sei solo piccola così e ora vattene a cacare in corridoio" e la scaravento in corridoio. Lei cade e scivola come un campione di bob sul pavimento lucido dove, c'è da scommettersi i patrimoni, passa la cera un giorno sì e un giorno no, tutta una storia di pattine che neanche Tina Pica.

Sto per scagliarmi ancora contro di lei quando un lampo di razionalità, ma proprio un lampo rapidissimo mi si focalizza davanti agli occhi con le sembianze della denuncia per percosse. Mi si materializza l'immagine, proprio, di questo foglio gualcito battuto a macchina, tenuto in mano da un brigadiere fesso e noioso come Rita che mai, mai mi giustificherà, perché l'unica cosa che tiene in testa è la violenza che ho fatto a Rita, anche se avevo ragione da vendere assai. Cosicché le piazzo solo un calcio sul polpaccio floscio di Rita e imbocco rapido la porta della sua casa. Un calcio non si nega a nessuno buttato a terra quando ti acchiappano i cinque minuti.

Ma già sotto al palazzo la tensione mi sale a quattromila, che cazzone che sono stato, perdere il controllo così, per cosa poi, per la pipì del figlio della sorella di Rita Formisano sopra un brutto divano sul quale non mi sono mai seduto, e Rita Formisano che non è nulla per me se non un'oscura conoscente che gioca con me a conquin. Ma in realtà lo so. Perché è una vita ormai che tiro cocaina. Quando cala l'effetto ti fai nervoso. Lo chiamano down, per spararsi le pose. Sei più che irritabile. Sei leggermente ingovernabile e può anche capitare che ti metti a picchiare una povera crista. Uno cerca di gestirla sempre questa droga formidabile che è la cocaina, ma non sempre ci riesci. Alle volte è lei che ti porta dove tu non vuoi, dentro gli abissi di merda che sei diventato con o senza coca. O che sei sempre stato. Gli altri la prendono, la coca, per sentirsi qualcun altro e invece quella serve unicamente a ricondurti costantemente a te stesso. Ma questo è il problema mio. A me piace me stesso. Come dicono i toscani, mi garba. Ma torniamo a Rita. C'è qualcuno più fesso di me? In questi momenti commetterei un omicidio contro me stesso per quanto sono un mongo-loide, ora che faccio? Tentazione di citofonare e chiedere scusa. Un barlume di lucidità ancora ce l'ho per come vanno le cose della vita e ci rinuncio perché è palese che quella mo' sta scioccata come neanche durante il terremoto del ventitré novembre e adesso mi odia più di quanto odia se stessa e magari sta già con la cornetta in mano a telefonare al centotredici. Il panico mi scivola denso nel corpo come una flebo inesorabile. Vado su e giù lungo il marciapiede, a volo mi faccio un tiretto di cocaina mettendomi di spalle agli sparuti passanti. La coca mi aumenta solo la paura e mi pento di tirare e il mio modo naturale per manifestare che mi sono pentito di tirare è proprio quello di farmi un altro paio di tiri. Strano modo di procedere, lo so, ma io sono fatto così. Maluccio assai. Ma insomma una paura incontrollata non riesce a farsi da parte, temo solo che la polizia mi venga a cacare il cazzo per questa faccenda delle percosse alla Formisano e allora, coi miei precedenti, già lo so, tra una cazzata e l'altra, vuoi vedere che se ne salta la tournée in Sudamerica, cosa che sarebbe peccato mortale perché stiamo parlando di sessanta milioni al nero solo per me più tutto il contorno barocco e godereccio che il Sudamerica già so che avrà voglia di propormi e per cosa? Gesù, se ci ripenso mi metto a piangere. E quindi passeggio come un cretino ossesso. Ma poi ecco che la coca nella testa fa il lavoro che deve fare perché mi fa fermare di scatto perché, porca puttana, un'idea geniale mi è saltata a piedi uniti senza ostacoli dentro la capuzzèlla. L'idea è questa, mo' vado da mio cugino, il mio cugino preferito, che è il mio avvocato, penalista con due palle a forma di esagono per quanto è capace e per quanto mi vuole bene.

Quest'andata improvvisa, di domenica pomeriggio, da mio cugino l'ho già raccontata tipo millecinquecento volte a chiunque, ai miei musicisti l'avrò raccontata almeno trenta volte e loro ridono sempre puntuali, una volta l'ho raccontata pure ad un'hostess svedese, lei non ci capiva niente, ma io l'ho raccontata in italiano, patriottico, fedele alla lingua madre e, miracolo miracolo, pure lei ha riso, tutto questo per dire che figuratevi se non la racconto qui adesso, figuratevi, la racconto eccome.

Dunque, premettiamo che mio cugino è alto un metro e novantasei e pesa, senza iperboli cretine, esattamente duecentoquaranta chili. Il peso me lo ricordo perché sono vent'anni che mio cugino si tormenta e ci tormenta a tutti i parenti, raccontandoci che sia se fa diete feroci, sia quando si mangia quattro bistecche alla fiorentina da mezzo chilo ciascuna, lui invariabilmente non smuove il suo peso da quei maledetti duecentoquaranta chili precisissimi e non riesce a farsi una ragione di questo unico, anormale fenomeno fisiologico. Mia zia gli ripete come in una nenia sempre le stesse tre parole:

"È disfunzione piccerì".

A queste tre parole mio cugino che tiene cinquantacinque anni, diventa una specie di condor inferocito, ringhia contro la madre dicendo che non è disfunzione, che è andato dai medici quattrocento volte e questi gli hanno detto che disfunzione non è, urla che la disfunzione è una malattia e lui non è mai stato malato in vita sua, ma mia zia, come un disco incantato, ignora le sue urla e ripete a cantilena:

"È disfunzione piccerì". Lo dice perché così ha risolto il problema alla fonte. La rassegnazione che ti anestetizza dalla guerra giornaliera. Un'altra sfumatura della sopravvivenza. Tutto questo accade di solito la domenica a pranzo e alla terza cantilena di mia zia, mio cugino si alza da tavola con un movimento energico e sportivo assai nonostante la mole, abbandona la tavola, il piatto, tutto il mangiare e se ne esce di casa. Mia zia, che secondo me, sotto sotto, gira gira, semplicemente si diverte a rompergli le palle, lo insegue con la voce e, puntualmente, gli ricorda:

"E mo' che fai? Non mangi più? Che fai la dieta? Ma a che ti serve? Tanto è disfunzione piccerì".

A questo punto mio cugino sta già in mezzo alla strada a sbirciare dal giornalaio le riviste hard core che tuttavia sono sempre quelle perché se le è guardate pure prima di salire a casa dalla madre.

Ma l'altra aberrante fissazione di mio cugino, oltre a quella dell'inamovibilità scultorea del suo peso, è quella che noi chiamiamo in famiglia *la sua ossessione del compleanno*.

Quando ne parliamo con le mie sorelle ci schiattiamo dalle risate perché nessuno al mondo è più fissato di mio cugino per il suo stesso compleanno. Ha sviluppato questa ossessione patologica dopo il compimento dei diciotto anni. Va' a capire perché. Da quel giorno noi parenti sulle prime quando veniva questo benedetto quindici marzo, sua data di nascita, ci dimenticavamo di fargli gli auguri, può capitare, a chi non capita, allora lui puntuale come un cucù svizzero, aspettava fino a mezzanotte. A mezzanotte e uno iniziava il giro di telefonate a tutti i parenti che non gli avevano fatto gli auguri e ci insultava facendoci sentire delle pezze, hai voglia a dire che ti eri distratto, che avevi avuto da fare, che ti era passato di mente, macché, lui non ti sentiva e giù a scaricare insulti à gogo. A dirci quanto eravamo merde, latrine, cessi, stronzi, froci e altre raffinatezze per non avergli fatto gli auguri. Essendo il più grande di età, di peso e di altezza fra tutti i cugini ci incuteva grande soggezione e paura a noi più piccoli, da sempre. Non ha mai smesso di ricordarci l'ordine immutabile delle gerarchie. Ora sono anni che io e le mie sorelle attacchiamo a telefonarci già verso il dieci febbraio per ricordarci gli uni con gli altri che il quindici marzo si sta avvicinando e non bisogna dimenticarsi di fare gli auguri a Vincenzo, se no chi lo sente. Insomma a febbraio io e le mie sorelle scopriamo tra di noi questa solidarietà ridanciana e ormai da anni puntuali facciamo la processione di telefonate a mio cugino per fargli gli auguri e lui tutto contento, ogni anno, fa 'sta manfrina commossa in cui ci ringrazia con le lacrime agli occhi per quanto siamo cari a ricordarci del suo compleanno.

L'anno scorso, tuttavia, dopo quindici anni di seguito in cui ci siamo sempre ricordati puntuali di chiamare succede un contrattempo di quelli che possono pure capitare: il figlio di mia sorella cade dalla bicicletta e si apre il ginocchio come un cocomero, mia sorella si precipita al pronto soccorso, spaventi e pianti, paura e fazzoletti, insomma tutto il repertorio della repentinità improvvisa ed ecco che mia sorella si dimentica di fargli gli auguri.

Apriti ginocchio di mio nipote, apriti cielo.

A mezzanotte e due minuti precisi mio cugino Vincenzo sta sotto casa di mia sorella, c'è una pioggia torrenziale con l'acqua che cade come a secchiate, ma lui nella foga e nel lutto della mancata telefonata di auguri si è precipitato per strada senza manco l'ombrello. Bussa alla porta di casa di mia sorella che è una specie di strofinaccio neanche strizzato. Forse ora, con tutta quest'acqua in mezzo ai pori, pesa qualcosa di più di duecentoquaranta chili, chi lo sa. Mia sorella lo vede e realizza, scorge soprattutto che sotto l'orgia di duecentoquaranta chili di grasso si annida un occhietto iniettato di sangue come non glielo si è mai visto a mio cugino.

Su mia sorella cala una doccia di terrore, ha realizzato, a nulla servirebbe dire tutta la faccenda del ginocchio del figlio, sa già che mio cugino se ne fotterebbe altamente e sarebbe cazzo di andare dal ragazzo e urlargli in testa che non si deve permettere di farsi male il quindici marzo, giorno del suo compleanno. Insomma mia sorella lo guarda, senza parole. Mio cugino dice solamente:

"Che sei uscita pazza, stronza di merda?".

È tale la paura di mia sorella che, di istinto, fa un gesto che si rivelerà sbagliatissimo, prova a sbattergli la porta in faccia. Mio cugino che, non si riesce a capire come, con tutti quei chili, tiene un'agilità e una prontezza di riflessi meglio di un'anguilla del delta del Po, lestissimo infila un piede tra la porta e lo stipite e blocca il tentativo di mia sorella.

Mia sorella Emilia non capisce più un cazzo, brancola nella merda fitta e, avvolta nel panico come la merenda dentro al tovagliolino, si mette a scappare lungo il corridoio come Carrie, andandosi a rifugiare nella camera da letto tra le braccia del marito che dorme. Chiude a doppia mandata e chi si è visto si è visto. A questo punto succede una scena che chiunque direbbe: "Ecco la cazzata", ed invece quella che segue è la sacrosanta, clamorosa verità.

Inesorabile, flaccido e complesso com'è di carattere, mio cugino appronta uno spogliarello di solitudine nel corridoio. Regna un silenzio antico, da licantropi, adesso. Con una postura da lugubre trapasso mortuario, molla via una cintura di tre metri, si sbottona il pantalone con la lentezza di Rosa Fumetto dentro al Crazy Horse, si abbassa la mutanda che pare un lenzuolo antico. Si accovaccia rivelando ginocchia di ghisa e, rilassatissimo, rilascia la cacca a terra su un tappeto di una certa bellezza. Ve lo giuro su Berlinguer. È andata così. Poi apre un cassetto a colpo sicuro, perché conosce i posti. Acchiappa una tovaglia di fiandra alla quale mia sorella ci teneva così tanto che non l'ha mai messa a tavola, neanche a natale, e, con un lembo ricamato a mano da una sartina di Lucca, si pulisce un culo vasto, opaco e sconfinato come una luna piena in una notte d'estate di tanti anni fa. Beatrice, dico io.

Tuttavia, ha ritrovato la pace mentale ora.

La vendetta non è vero che non serve a niente. Lo ha tolto d'impaccio, a lui. Però, ha confuso la vendetta con l'umiliazione. Ma la realtà si estrinseca in tutta la sua potenza vergognosa, sbilenca, e raramente è modificabile. Defecare dopo aver saccheggiato. Un comportamento da ladri d'appartamento. Non è mai stato chiaro se per fretta e paura o per mortificazione politica. Con una disinvoltura che ho scrutato solo sulla faccia di certe puttane mantenute di alto bordo quando finalmente si sposano col miliardario lascia la casa trafitto da un sorriso di riconciliazione col mondo e coi parenti.

In realtà, ha piombato a terra tonnellate d'incomprensione con mia sorella, ha dichiarato una guerra fatta di mutismi e sconcerto.

Ma se avete appena conosciuto mio cugino aspettate di conoscere mio cognato, che stava dormendo come il neonato senza colpe. Lui non conosce lo sconcerto, conosce solo l'azione. Assisterete alla trasformazione lesta e violenta di un infante in una belva feroce. È questione di attimi. Quando aspetti da una vita di usare una pistola non stai tanto tempo là a rifletterci su. Prendi la palla al balzo. Ora o mai. Passi la vita a costruire la tua occasione di violenza e quella invece si presenta in contropiede mentre dormi come il beato angelico. Sto parlando di mio cognato. Un metro e cinquantasei di stigmatizzazione. Quella degli altri nei suoi confronti, mica viceversa. Settanta chili. Trentacinque per il tronco e le cosce, gli altri trentacinque distribuiti su una testa gigantesca come le cazzo di tartarughe delle Galápagos. Il corpo del barattolo di pomodoro ammaccato, la testa estesa come un brutto Telefunken, questo è mio cognato. Che fine hanno fatto i televisori Telefunken? Si diceva che erano buoni. Chissà. Oscure e articolate sono le sorti della finanza e dell'industria. Inaccessibili alla collettività. Comunque, su mio cognato il concetto di proporzione alloggia con la stessa inadeguatezza del poverello sull'Isola di Cavallo. Come il cafone a corte dalla regina Elisabetta. Una contraddizione, insomma. Per questo lo hanno trattato sempre una merda. L'uomo non perdona il difetto fisico. Hai voglia a progredire. Hai voglia a farti comunista. È l'istinto che parla come un ventriloquo e quello, l'istinto, non si mette mai a mentire, non conosce la democrazia, l'istinto. Avanza come un mulo coi paraocchi, non vuole sentire ragioni perché non conosce ragioni. Conosce solo la strada. Costellata da risatine a danno del marito di mia sorella. Che però ignora sin da bambino il concetto della parola "resa". E allora tutta la vita ha combattuto per rifilargliela su nello sfintere alle mezze calzette da bar che commentavano malevole su di lui, ma che avendo una testa meno estesa del Telefunken non sapevano come fronteggiarlo sul terreno del ragionamento che, alle volte, conduce, anche nell'Italia malaticcia, a fulgide carriere. Ed infatti, chino sui libri e sul danaro, questo assemblaggio sballato di uomo si è fatto procuratore della Repubblica, uomo di legge implacabile, niente cazzi e tempo libero, non conosce la parola "resa" e non conosce la parola "accontentarsi", quest'ometto che sembra un robottino testardo e laborioso. Ma, naturalmente, il corpo determina il problema. Ma non lasciamoci risucchiare dall'inganno apparente. Il suo problema non è la sproporzione corporea, ma l'altezza. Un metro e cinquantasei sono davvero pochi. Robetta. Un torcicollo costante. Sempre a guardare toraci scadenti altrui o occhi superiori che lo squarciavano in tralice. Sempre a guardare in su, verso un mare lungo, infinito di teste di cazzo che valgono meno di lui ma che, per ragioni geometriche, hanno l'aria, errore, di saperla più lunga di lui. Ora, io dico questo, non è che esistono molte certezze in questa vita cangiante, ma una c'è, inconfutabile, con logiche d'acciaio inossidabile, questa certezza si chiama "complesso dei bassi". Che profonda, banale intuizione quella lì. E il marito di mia sorella non vi sfugge, anzi è uno degli esempi più avanzati, un prototipo di determinazione, una conferma scientifica. Mangia invidia a colazione, pranzo e cena. Non ve lo mettete contro, perché ha elaborato in quella mente complessata tutti i trucchi possibili per farvela pagare.

A colpi di commi, paragrafi, norme bis, e tutto il repertorio formidabile che la giurisprudenza ha previsto. Ma non in questo caso. Ora no. Perché ora, lucido e consapevole, sta perdendo la testa. È notte. Ha sonno. Ha lavorato sedici ore. Ha la preoccupazione di un figlio col ginocchio spappolato. E quel cazzone di mio cugino vuole interrompergli così il primo sonno, senza lutti imminenti e senza ragioni sensate che non quella di aver deciso di sporcargli un tappeto e una tovaglia nientepopodimeno che con la cacca. Ma veramente stiamo facendo? Questo non è consentito nei confronti del marito di mia sorella alto un metro e cinquantasei e ansioso di vendicarsi contro tutto il mondo più alto di lui. Dunque i quattro quinti del globo. Ma non ci provate proprio. Ma state male? Sì, mio cugino sta male. Come me d'altronde. Stiamo tutti male, allegramente però.

Qualche anno prima, il marito di mia sorella, avendo lavorato a delicate, pericolose indagini di terrorismo aveva avuto accesso a una cosa che gli aveva ringalluzzito il cuore, una roba che gli aveva sparpagliato l'adrenalina fin nelle falangi: il porto d'armi. Dunque ha una pistola. Una stronzata che non si dovrebbe mai dare a gente sotto il metro e ottanta. Lui, invece, ce l'ha.

E sogna da una vita di usarla. Quale migliore occasione

che adoperarla contro un obeso che gli caca in casa? Nessuna. Ora o mai. Quanto è vero la madonna.

E poi, adesso, i fatti. Con l'inconscio sente il lugubre pianto di disperazione di mia sorella. Balza in piedi come un vigile del fuoco che fa il turno di notte. Approda in corridoio coi suoi piedi scalzi e chiattoni.

Nudo e senza mutande. Sintonizza il Telefunken sul problema.

La cacata calda lì come un trofeo, come un brutto soprammobile da prima comunione, cioè scandalosa. Conta fino a zero ed è già con le mani nel cassetto delle mutande. Ma non prende le mutande.

Disseppellisce una Smith & Wesson, calibro non so che, e attraversa il corridoio come un uragano. Come Lewis nel salto in lungo, scavalca con un balzo perfetto sia mia sorella piangente e accoccolata sulla parete che la stessa cacata. Atterra plastico vicino alla porta blindata d'ingresso, plana su un carezzevole zerbino di juta, infila le scale come un puma, coi genitali compatti e rattrappiti dall'emozione che gli ballonzolano sincroni coi passi. Scende tre gradini alla volta producendo nessun rumore. È eccitato come nel giorno in cui è nata sua figlia. Localizza mio cugino che sta varcando ignaro e sornione il portone, con la fatica pesante a portata di prostata. Gli tornano in mente, in un istante, settecentosedici film western che ha visto nella sua vita, unica divagazione in una vita punteggiata di sforzi e sacrifici disumani, e dunque non sbaglia. Prende la mira come Eastwood. Una mira facile però al polpaccio di mio cugino che è largo come la fiancata di una pilotina. Spara nella tromba delle scale che, per effetto Lombard, di acustica, per il lavoro di cantante che faccio, ne capisco, si amplifica fino all'inverosimile facendo saltellare sui materassi obsoleti gli abitanti di dodici appartamenti. Quelli che hanno la rete ortopedica zompettano un po' di più. Mio cugino tuona lento a terra davanti al portone come quelle navi che si coricano pacifiche su un lato dentro a mari profondi, lontani e sconosciuti.

Piove. Ma l'acqua non lo riguarda.

Non un lamento, non una parola, non un insulto, mio

cugino è pazzo ma conosce le conseguenze delle pazzie che mette in atto. Lui sa che un colpo di pistola dopo il cazzo che ha combinato, ci può stare tutto. Si accomoda sdraiato in silenzio sul marciapiede, fende il sampietrino, come una balena stanca della notte, una tragedia ambientale. Taciturno, rantola una sola lacrima di dolore nell'occhietto destro e stretto come un foglio di carta in sezione. Piange ora, ma piange pure da un sacco di tempo.

Il marito di mia sorella guarda la scena. Non vuole perdersi lo spettacolo.

Ma anche gli altri inquilini, invasi dalla curiosità e dalla paura, si sono accoccolati sui rispettivi zerbini per rintracciare le dinamiche dell'accaduto. Va detto però che brancolano nell'imbarazzo della scelta. Non sanno se dedicare gli sguardi al gambizzato obeso o a quel concentrato di disarmonia della carne che è il marito di mia sorella, che ha scelto di vestirsi solamente con una pistola nera. Optano per quest'ultimo. Voyeur morbosi e smodati, non conoscono il limite dell'invedibile, aspirano sempre all'oltre, come il naufrago al pezzo di legno che galleggia.

Il marito di mia sorella non li delude. Lucido, sorvegliato nella mente e pacato nell'incedere, riguadagna le scale all'in su e chiosa ai voyeur della bruttezza:

"Se mi vestivo, rischiavo di non colpirlo".

Non fa una piega. La logica è sempre stata dalla sua parte. Un corpo illogico come il suo gli ha fatto sviluppare questa facoltà mentale noiosa ma utilissima. Non verrà denunciato, perché mio cugino, che è avvocato, sa bene come vanno a finire queste cose. Entrano in un regno nebuloso, vischioso e aleatorio, perché il codice non si è ancora espresso sulla defecazione in casa altrui. È un tipo di reato che fa un poco senso. Atipico e puzzolente.


Ma quando divago, lo so, ci do dentro parecchio. Eravamo a me che vado a trovare mio cugino penalista in una domenica pomeriggio del cazzo. Sulla morte della domenica pomeriggio non se ne parlerà mai abbastanza. Questa prova generale della fine del mondo, tutte le sacrosante settimane. La domenica pomeriggio, il tempo si dilata, diventa un guerriero invincibile. Il tempo della domenica pomeriggio non batte alla stessa velocità del tuo tempo. Dunque, tutto si fa triste torpore. Tutto è baratro di nulla. L'ovatta invisibile cala negli appartamenti. Le orecchie si separano dal mondo. I tossici danno i numeri. In molti valutano attentamente l'ipotesi del suicidio. I paeselli ameni assomigliano a piccole Nagasaki nel momento di massima popolarità. Gite e bagni a mare non corroborano, perché aleggiano un'intercapedine di depressione: il momento in cui ti dovrai mettere in macchina e tornare indietro. In autostrada, poi, l'unico che ti somiglia e ti capisce è il lavorante del pedaggio. Ti ci specchi. Ma questo non aiuta, solo impedisce la prospettiva. A casa, nel pomeriggio del ritorno, se i letti sono disfatti, allora c'è da temere. I sogni si accosciano. L'assenza di speranza incrina la convinzione del cattolico praticante. Ti scocci di rifarli, perché è inutile, tra poco si va a dormire. Ma se non lo rifai, il letto, il pensiero di quella approssimazione ti imprigiona in una gabbia di malessere. Ti guardi un tempo della partita noiosa con un atteggiamento come se da dietro al televisore dovesse sbucare da un momento all'altro il prete che ti confessa prima del trapasso. E quando il prete appare, c'è da giurarci, la prima cosa che ti segnala è il letto disfatto. Un macigno senza catapulta e la notte si fa agitata. Si sbrodola nel lenzuolo che diventa una pezza. Perché era già una pezza dalla notte prima. E, al buio nel letto, il lunedì appare come un complotto del mondo ordito esclusivamente contro di te. Invece, nel lunedì vero, si dischiudono rivoli di gioia, anche se non tutto è svanito, qua e là durante la giornata, affiora l'ombra del cattivo pensiero. Questo: tra sei giorni è di nuovo domenica.

Comunque.

Mio cugino apre la porta di casa e me lo dice repentino e furtivo:

"Vattene nella saletta d'attesa e non ti muovere. Devi aspettare un poco, guagliò".

Non replico. Sudava. Ma non fa caldo. Dunque, quell'agitazione sta sbandierando le sue buone ragioni. I penalisti non cazzeggiano. E la domenica pomeriggio, nella casa, si occupano di ciò che è proibito nello studio durante la settimana. Valico una nebbia di polvere che sosta dal mille e ottocento e quando arrivo nella saletta avvilita da una coltre di libri antichi perché così si usa se sei penalista di grido, non sono solo. Alloggiano quattro bestie di novanta chili ciascuna. Una sfilata di panico mi serpeggia sulle cosce. Mi guardano ed è come se parlassero. Mi stanno dicendo, col peso di sguardi palpitanti, che mi è consentito essere ovunque ma non lì. Ci ha questo di brutto questa città, anche quando non hai fatto niente sei costretto a metterti sulla difensiva.

Ti impongono il nascondiglio proprio quando sei stato concepito per stare all'aria aperta. Perché sono ignoranti, cattivi e a loro la coca gli fa sempre un brutto effetto. La usano per un obiettivo. Una contraddizione che li mette in conflitto con l'universo. Oggi pomeriggio l'universo di questi qua sono io. Chiaro come il gin tonic.

"Sono il cugino di Vincenzo" sfrigolo con la saliva che mi bolle tra la lingua e il palato. E con queste cinque parole credo di aver risolto tutto il palcoscenico di problemi legato alla diffidenza. Manco si che. Avevano deciso di sacrificarmi sull'altare del cazzeggio come lo intendono i criminali, cioè umiliare il prossimo. Oggi pomeriggio il prossimo sono io.

"Nessuno ti ha interrogato e vedi di non rompere il cazzo" si è manifestato vispo e garbato, per tutta risposta, uno dei quattro energumeni. Accarezzato da una voce roca da centosettanta sigarette al giorno. Sfiorato da una cicatrice verticale vicino all'occhio che precipita giù lungo la guancia con la forma identica di un ombrello. Ci ha un ombrello in faccia questo qua, fatto da punti di sutura. Ce ne sono state di facce, ma questa non ti passa facile. S'impiglia nel cervello come il prototipo della paura. Ma non deve essere facile portarsi un ombrello sulla faccia, deve trattarsi di una fonte calda e inesauribile di frustrazioni. Devi sentirti come fatto, tutti i giorni. Ma questo è il gioco, bisogna essere comprensivi anche nel momento in cui hanno deciso di toglierci di mezzo dal mondo. E comincio a perdermi in considerazioni ipotetiche che si riveleranno esatte. Questi sono quattro guardie del corpo di qualche camorrista rilevante che se ne sta dentro da mio cugino a parlare. È domenica pomeriggio e non può riceverlo allo studio e lo sapete perché? Perché questo è latitante. Questi pensierini sporchi li faccio mentre guadagno uno sgabello e mi accendo una sigaretta. Faccio una bella boccata e lancio contro un manoscritto di un abate francescano una nuvola densa di smog quando, d'incanto, con il livore gratuito tipico del meridionale del cazzo, uno di quelli mi fa:

"Spegni quella sigaretta".

Io sollevo lo sguardo e vedo che pure lui sta fumando.

La prepotenza, chiaro come la Schweppes, non è mai un buon biscotto se ad esercitarla non sei tu.

Ora, ragioniamo.

Fanno una paura che non vi dico. Hanno le ascelle rigonfie di revolver, dettaglio trascurabile, perché non serve il revolver con me. È sufficiente una manata di uno di questi stronzi sulla mia guancia con la barba bianca di un giorno per stendermi a terra come il coccodrillo dentro la palude, insomma emanano terrore e minaccia da tutti i pori, però oggi, sarà quel cazzo di comodino vuoto che mi porto dietro, sarà la vacuità della domenica pomeriggio, sarà che Rita Formisano mi ha irritato il sistema nervoso, sarà che mia moglie si è messa a fare la donna moderna, insomma oggi ho deciso che non mi nascondo in buon ordine da questi quattro dementi. Dunque, non spengo la sigaretta. E sibilo, col coraggio del condannato a morte:

"Col cazzo che la spengo! Prima me la fumo, ma poi ti metto il mozzicone nel culo. Che niente ti produrrà perché per te ci vuole ben altro".

Forse mo' muoio per infarto procurato dallo spavento delle mie stesse parole. Un caso clinico sicuramente interessante. Mi studieranno, statene certi, figli di papà e ambiziosi figli di contadini iscritti a medicina. Gli sguardi dei quattro cadono di colpo sulla novità. La novità sono io. O, meglio, la novità è la mia risposta. Sorprendente come un sisma nel cuore della notte.

Non sono abituati a questo trattamento articolato di offesa e, soprattutto, paritario. La loro prepotenza parcheggiata nella notte solista per non avere macchine intorno, ora si è ritrovata dentro all'ingorgo. E, per costoro, facile facile, non sono previsti semafori. Il più vecchio dei quattro si produce in un sorriso, si sistema meglio sulla sedia come a volersi godere il seguito dello spettacolo che, statene certi, non mancherà di esserci. Vuole vedere come va a finire la partita. È dalle parti dello sport che l'uomo gode veramente. In gratuità.

Nel frattempo, si è assiepato nei dintorni dei libri antichi un silenzio che promette un casino inenarrabile. Anche quello ci sarà. La prevedibilità del napoletano, in questi casi, è pari solo alla sua imprevedibilità. Per questo sto ancora qui a regalare una chance a tutti quanti. Perché a Varese tutto questo non succede manco si che.

L'offeso riflette. Con la calma di chi deve elaborare una risposta adeguata, per non deludere i compagnielli. Però gli occhi iniettano livore, come quelli del conte Ugolino. Fa due boccate, si aggiusta il pantalone e, come in un duello al rallentatore, prende ad avanzare lentamente verso di me, affamato come Farinata degli Uberti. Oggi tutto Dante. Va' a capire perché. Forse perché l'inferno è davvero a pochi metri. Si sentono solo i suoi passi pesantissimi sul parquet antico di mio cugino. Un bel parquet, mica legname fasullo. Approda davanti a me, in piedi. I suoi genitali all'altezza del mio viso sofferente. Beatrice, forse, in una maniera o nell'altra, adesso ti raggiungo. Non siamo lontani, Beatrice. Un uovo alla coque mi investe l'olfatto. Chiaro come la merda che questo il bidet lo frequenta con la stessa parsimonia degli anglosassoni. Ma non glielo dico. Quando si offende, schiaffiamocelo bene in testa, non si deve esagerare. Si passa in un momento dalla parte del torto e lo show si fa moscio e ridondante, il gioco fiacco e stancante. Quando ci si scambia le offese tutto è permesso, ma non di essere imprecisi. Il senso della misura è fondamentale se vuoi continuare a tenere banco. A che servono diciotto coltellate quando te ne basta una sola.

C'è omicidio e omicidio. C'è il dilettante e il professionista. E sull'offesa, metteteci la mano nel falò, appartengo alla seconda fascia. Oggi, però, senza preavviso, vuole avere la meglio l'imprevedibilità. Mi aspetto da un momento all'altro che questo mi pisci in testa umiliandomi fino alla punta delle dita dei piedi, invece replica mansueto come il filippino a servizio. Cerca la mediazione, ed è una gran fatica per uno come lui. Non è facile per nessuno farsi democristiani dentro Auschwitz.

"Spegni quella sigaretta, Pagoda, perché ad un cantante della tua potenza vocale la sigaretta gli fa solo male" dice con la voce che fa teneramente sgocciolare il bambino che è stato come tutti i bambini.

Bene, ragioniamo un'altra volta.

A) Sa chi sono.

B) Ha parlato in un italiano corretto.

C) Mi ha fatto la grazia di sant'Antonio. Mentre evitava di uccidermi mi rimetteva anche al tavolo verde del mondo.

D) Mi ha ripassato la palla.

E non ho nessuna intenzione di fare l'assist. Se c'è da fare gol, sono io il centravanti. Punto e a capo. E, sentite mo' che saggezza, i centravanti delle squadre di calcio segnano sempre perché possiedono una sola qualità: sono ottusi. Vedono unicamente la porta e si dimenticano del mondo circostante. Dunque, io, ora, sono ottuso. Voglio fare gol. E, abdicando alla conciliazione, dico, fermo e resistente:

"Devi chiedere scusa per tutta questa aggressività. Anche se è finta, devi chiedere scusa, in ginocchio, altrimenti, te lo ripeto, finisco la sigaretta e ti metto il mozzicone nel culo".

Embè! Se volete fare gli imprevedibili avete trovato l'interlocutore congruo. Non ve la faccio vincere la partitella nella saletta d'attesa. Col cazzo che ve la faccio vincere. Palla ripassata, ma ora che fa? Ci deve pensare. E tiene poche armi per pensare. Ma se ci pensa troppo a lungo l'arbitro lo espelle. Io lo vedo, che lui sta riflettendo, ma è uno sforzo immane. Cerca di raggranellare qua e là, all'ultimo momento, delle nozioni che, semplicemente, non ha mai posseduto.

I suoi amici se la stanno godendo e fanno:

"Oooooh!".

Finti e provocatori. Come le troie.

Ora immaginate che sul vostro viso vi arrivi dritta dal quarto piano una lavatrice. Questo mi arriva a me sul volto, sebbene sotto forma di polpastrelli. Uno schiaffo, alla velocità di una navicella spaziale, che mi fa girare la testa in un frammento di tempo che non si può contare per quanto è veloce. La mia bella tempia rugosa colpisce un trattato di diritto redatto da un bravissimo amanuense ottomano.

Non è uno schiaffo, è un'anestesia totale senza siringa.

Mi cadono a terra tre cose all'unisono: la sigaretta, la dignità e le lenti azzurrate.

"Tony P., mettiti in ginocchio tu. Adesso."

Volevo fare gol, ho fatto autogol. Pochi cazzi da spartire. Ci sono stato tanto per strada, ma ho dimenticato un concetto elementare: c'è sempre chi c'è stato più tempo di te, in mezzo alla strada. Come questa merda umana che mi si è parata davanti. La strada insegna tutto. La strada ti fa amanuense del mondo. La strada ti violenta i sentimenti e ti dice non più, non adesso, non ancora e poi dice no, no, niente, no e ancora no. Là, in strada, dove i desideri si fanno fetidi. Le speranze oggetto di risata.

La strada è nichilista e non si stanca mai di ripetertelo.

Cado in ginocchio come la pera dall'albero. Ai suoi piedi. Non recupero la sigaretta né le lenti ed invece, anche se non ci credete, questa è l'unica maniera per recuperare la dignità.

La schermaglia è finita, lo so, bisogna fare i fatti. Ora ogni parola sarebbe controproducente. Ho messo a dura prova la sua resistenza intellettuale che, semplicemente, si è esaurita.

Nello spazio di uno sbadiglio.

Gli altri tre ridacchiano. Stanno trascorrendo il pomeriggio in un modo come un altro. Niente di indimenticabile per loro, intendiamoci. La cocaina, a questi, gli ottunde il gusto dell'aneddoto. Non a me, si capisce.

Non pago, l'uomo cattivissimo mi aggiunge con intervalli regolari:

"Si' 'na faccia 'e cazzo".

Fammi recuperare la dignità, cortesemente.

"'O mozzicone! Io t'metto 'na stecca 'e Multifilter 'n culo."

Si sta allontanando la dignità, come una motocicletta di grossa cilindrata. Chissà perché ha optato per le Multifilter. Ah sì, è vero, sono più lunghe delle sigarette normali.

Mai sottovalutare l'ironia, anche nel momento più tremendo.

"Mo' cantami 'na canzone, menestrello."

Se ne è andata, la dignità. Ha svoltato l'angolo a senso unico. Non la troverò più. Perché menestrello a me è davvero troppo.

Lo so io e lo sa lui e lo sanno gli altri tre.

"'Na bella canzone napoletana di tradizione."

Il folclore non li abbandona mai. Come l'acne a quattordici anni. È il loro contatto con la realtà, dal momento che fanno cose irreali tutta la giornata.

La lingua paralitica, la mandibola di duemila chili, organizzo sotto paresi una stentatissima *Carmela*.

Sergio Bruni, se mi vedesse, mi sputerebbe in mezzo ai pantaloni.

Ma dopo un verso morente, si apre la porta a vetri smerigliati del Settecento di mio cugino. Compaiono sulla soglia mio cugino stesso e un uomo che conosco: 'O Pesante, il mio fan, il mio boss, ma soprattutto, il boss di questi quattro dementi.

Ed è come un'apparizione. Di colpo, è come ritrovarsi a Medjugorje. I quattro stronzi sono i malati. Ma non è previsto nessun miracolo per loro. Solo per me.

Di fronte all'essenziale, la vita è sempre una questione di quantità. O meglio, la quantità è l'unico fattore che determina la qualità.

Il tipo che mi ha umiliato c'è stato tanto in mezzo alla strada, ma non tanto quanto il Pesante. Parlano i numeri. Questa è la realtà. Il Pesante spedisce uno sguardo tremendo al ricchione che mi ha ridotto così. Io sollevo lo sguardo su quest'ultimo e ora lo vedo tale e quale, sul suo viso, che la sua dignità se ne sta scappando pure lei, si è messa sulla Kawasaki e sta raggiungendo la mia a via Chiaia.

Si fanno la gitarella, senza di noi.

"Che cazzo sta succedendo? Quello è Tony P. È un amico mio" chiede retorico il Pesante perché ha già stabilito la risposta in anticipo, dal momento che ha estratto la pistola col silenziatore più velocemente di Henry Fonda. Il ricchione articola un suono che galleggia nella sillaba, ma non mi chiamo più Tony Pagoda alias Tony P se non dico io per primo le cose come stanno. E lo faccio.

"Mi ha definito menestrello."

Che sintesi potente, porco cazzo! Mi sento così intelligente, certe volte. E non ho torto.

Al Pesante gli convergono sacche di sangue 0Rh positivo nella testa, ma che è? Una trasfusione senza ospedale? Si fa rosso in volto come un abito scollato da gran sera. Due secondi impiega per localizzare la scarpa da ginnastica del ricchione e poi, accecato da una rabbia mostruosa ma controllata, gli spara sul piede. Frantumandoglielo. Come il mosaico che si stacca dalla parete della chiesa.

Quel bel parquet si sporca di sangue. L'umiliatore cade a terra, dimenticandosi di dire ahia. Mio cugino dischiude la bocca, si sta concentrando su eventuali danni al parquet. Il Pesante, per la seconda volta nella sua vita, mi passa il braccio sotto l'ascella e mi tira su con la dolcezza di una balia del secolo scorso.

Questo Pesante, diciamolo con la franchezza necessaria, non è un uomo per me, è la madonna di Lourdes.

E mentre mi tira su fa una cosa che, da quando sto al mondo, è la più grossa lezione nei confronti dell'umanità: si mette in ginocchio ai miei piedi, come un penitente. Dentro un silenzio, ora, luttuoso e indimenticabile. Sta parlando al mondo il Pesante. Dal basso ignobile della sua esistenza criminale sta dicendo a tutti il segreto della vita. Oppure, più realisticamente, sta svelando la vita come dovrebbe essere e non è.

Sta dicendo che l'arte è più importante della vita. E non è poco.

Perché essa, l'arte, contiene una cosa incontenibile.

Lo scatto in avanti.

# 8.

*Proviamo anche con Dio
non si sa mai.*
ORNELLA VANONI

Gli uomini si dividono in due categorie: quelli che si mettono comodi. E appassiscono. E gli altri. Io faccio parte degli altri.

In ultima analisi, dico io, la vita è una favolosa rottura di coglioni. Ma su cosa dobbiamo concentrarci? Sulla rottura di coglioni? O sul favoloso? I comodi si adagiano sulla rottura di coglioni. Li rassicura. Come il telegiornale alle otto. Gli altri, li vedi, si catapultano in strada a tutte le ore, valicano la notte, avidi e nevrotici, spaesati ma concentrati. Cercano il favoloso. E non lo trovano. Perché lo hanno già vissuto. Ma fanno finta che questo preveda il bis. Non è così. Però non lo sappiamo veramente. E allora, giù a provarci, senza tregua, come drogati. E, come per tutti i drogati, la strada per il favoloso è costellata da intermezzi e arcobaleni di squallore, di umiliazioni, di pochezza, di elemosine e di bruttezze. Poi, ad un tratto, si matura, che brutta parola però, immonda, la maturazione, e tuttavia si capisce. Comprendi, nella sua essenza più intima, che cos'è il favoloso lontano dalla cripta dorata dell'adolescenza. Il favoloso dell'età adulta è proprio lo squallore, l'umiliazione, la pochezza e la bruttezza. Venite filosofi, venite a confutarmi. E ve ne dovrete tornare in mezzo alle gambe delle madri. Sotto sotto al marciapiede. Come l'indigente dignitoso la domenica alle tre del pomeriggio. Perché io dico la verità. Dico l'essenza, anche se è sconcia ed indicibile. Anche se vi deprime lo stato d'animo.

Ma non lo vedete il politicastro sessantacinquenne che sbava per la consulenza o il sottosegretariato? Ma vi pare favoloso, questo? Ma non lo vedete il salumiere che imbroglia sull'ettogrammo di prosciutto? Gli è andata bene. E allora? Ha mica toccato il favoloso? O il benessere? O la gioia? O la felicità? O la beatitudine? Ma di cosa stiamo parlando?

Lontano dall'adolescenza, ci s'inventa una vita logora, tremenda.

Ciascuno lì a piazzare la sua tesserina del domino. Dimenticandosi di andare a vedere l'acqua e la montagna avvolta nel freddo, beatificate dal colore limpido, preistorico. La trasparenza.

Invece, in prevalenza, uno strappo muscolare del gesto e del pensiero, corrotto dal piccolo potere che c'illude. Poi sono andato a mare e ho visto quel ragazzo che si spogliava mentre correva. Gli ridevano pure i denti. Anelava il tuffo nell'acqua gelida. Lo ha fatto. È ha goduto con tutto se stesso. Schizzava nel nulla, come un ossesso della vita veramente. Aggrediva il territorio. Spadroneggiare accantonando qualsiasi forma d'arroganza. Un'altra storia, l'adolescenza. Lo dicevo prima. Un'altra storia. Una roba che, a distanza di tempo, ti perfora le pupille con le lacrime acide. Lacrime a tenaglia.

Con gli anni poi, i sensi s'indeboliscono. Scivolano a piedi uniti nel torpore così triste, ma così triste che la malinconia rimane a piedi, senza trovare posto. Il tatto non apprezza, l'udito s'imbottisce di rumori sgradevoli, la vista si dibatte nella monotonia del già visto, l'olfatto si rattrappisce, violentato dalle sigarette e dai raffreddori della noia. L'uomo è salpato e ha lasciato l'adolescente a terra fino a farlo sbiadire dietro il faro. Sei salito a bordo della nave. Però, ti guardi attorno e la nave non è una nave. È un traghetto mezzo scassato. Con la puzza della nafta che non guarisce. È la nafta che ti dice: basta cozze, ventri piatti, vongole, petti glabri e taratufi. Che mo' vogliono pure proibire per legge. Questi nazisti con l'ossessione dell'igiene. Basta baci dolci per strada.

Ora solo fotocopie di baci. Basta mustacciuoli addentati con molari indistruttibili. E invece trapani di dolore nelle gengive. Basta la delusione che ti strazia il cuore. Non la si vive più fino in fondo, la delusione, perché l'adulto ti condanna alla soluzione rapida, in un modo o nell'altro. È iniziato il conto alla rovescia, per finire da nessuna parte. Tutta questa concretezza, oggi come oggi, a me mi fa un poco male. Mi fa galleggiare nell'insensato. Altra storia se l'insensatezza mi facesse nuotare. Invece faccio il morto a galla.

Che vergogna! È un repertorio infinito di pene, l'età adulta. Una lenta cascata di inesorabili distruzioni. Palline di vecchiaia che rotolano nel corpo umano. Veloci come le biglie sulla spiaggia coi ciclisti disegnati da dentro. Si potrebbe andare avanti fino al proprio funerale. E anche lì rendersi conto, sì, che è stata poca roba, ma ne valeva comunque la pena. Per una semplice ragione. Non ci sono alternative.

O la vita o la vita.

E l'idea della saggezza, dell'esperienza, solo invenzioni. Alibi traballanti. Una misura tampone gonfia d'aria. Un condono dell'esistenza. Tutte bugie. Prima giocavi da titolare, ora devi stare sempre in panchina, ma con gli occhi bendati, neanche guardare ti fanno. Quest'è.

Per questo, gira gira, gli adulti evitano accuratamente i giovani. Non vogliono ricordare, giustamente. E quando non li evitano, ci cascano dentro come provoloni. Si fanno male. Perché ricordano. Ma il ricordo non è la vita vera. È deludente il ricordo.

È opaco. Sbiadito. È un frammento di merda. E allora si crolla nel dormiveglia pomeridiano. Lì qualcosa si risveglia, il ricordo assume contorni più definiti. Sono istanti. Quando pensi di acchiapparli, stanno già bussando al tuo citofono altri adulti carichi di sofferenze e di routine. Da qualche parte, c'è sempre l'invito di qualcuno a scrollarteli di dosso, i ricordi. Un complotto mostruoso per abbreviare la dilatazione.

Volevamo la poesia, abbiamo raccattato i malanni.

Volevamo l'emozione, siamo stati ripagati a forza di palinsesti televisivi. Orrendi come delitti preparati alla buona.

Sbracati come i loro padri pieni di livore e diffidenza. È tutto un fallire.

Sudaticcio e forforoso, l'adulto scappa e finisce quasi sempre spappolato dentro una mondanità di quart'ordine. Non che quella di prim'ordine sia migliore, intendiamoci. Solo una corazza di accessori più costosi e un'affettazione insopportabile nella voce. Quest'è. Eppure li abbiamo visti, agli angoli della strada, i pensionati moribondi che parlottano con la passione e l'accanimento di un tempo che era. Sembrano vivi. Scrutano, con eccitazione maniacale, i lavori in corso all'angolo della strada. Sollevano occhi liquidi di stupore dinanzi alla scavatrice meccanica. Trovano i miracoli dappertutto. Allora sono vivi. Allora non sappiamo proprio tutto. C'è dell'altro. Chi cazzo è che ci nasconde le cose come stanno? C'è dell'altro che non riguarda noi. C'è la superficialità di chi ritiene che tutta la vita durerà. Non è così. L'entusiasmo, questa parolaccia. Mi abbrutisce. L'entusiasmo mi lascia senza forze. Mi fa morire al meriggio, quando apro l'occhio e ostento il vitalismo. Vi prego, non la chiamate depressione. Non vi appiattite sul sentito dire, sulla rivista col sondaggio annesso, non sprofondate dentro tabelle professionali da centocinquantamila lire all'ora. Non andate a cazzo perché così vi hanno suggerito. Non sottovalutate la mia, la vostra unicità, che sfugge alle teste di cazzo con la laurea che gli pende dietro la scrivania come una ghigliottina. Ho sempre diffidato della preparazione universitaria da quando ho capito che il docente universitario era antipatico, frustrato, vigliacco. Il docente universitario è sempre vigliacco. I libri la sua trincea. La pubblicazione il suo moschetto. Ma dietro non c'è niente. Salvo una moglie brutta e fetente o un marito che schiaccia le puzzette sul cuscino della poltrona a casa senza farsene accorgere. È così, ve lo giuro. L'ho visto coi miei occhi e non mi sono lasciato ingannare. C'è puzza dappertutto a bordo del professore universitario. Il suo essere snob è direttamente proporzionale all'incomprensione dell'esistenza. Sono tanto snob. Il problema sta lì, sotto i loro occhi, ma obnubilati dalla pagina scritta, tutto gli sfugge. La vita che si srotola anarchica ovunque tranne che, ironia della sorte, sul loro foglio. Vogliono comprendere. E si dimenticano di vivere. Pompano nozioni. Si fanno limitrofi all'esistenza. È lì che si annida il problema. Spalle alla vita, rincorrono la scrivania. Vi si ancorano a colpi di seghe andate a male. Un'eiaculazione così precoce con una forza d'acciaio da durare una vita intera. C'è da diffidare. E per bene.

Sifilitici dell'intelletto, dubitano della giustezza dell'ironia perché essa possiede tutta la duttilità che li atterrisce, che li rende superati, liquidabili col nitore della risata. È un cobra, la risata. Non si sa da dove esce. Arriva da sotto alla mattonella e ti rende goffo e inerme. Spalancato e indifeso. L'ironia semplifica la presunta complessità del professore universitario. L'ironia si fa sempre stravaganza intollerabile, per loro. Allora, schiavi del disagio, s'incazzano, si trincerano dietro lo scaffale, alzano la voce, ma gli manca lo strumento. La voce. Lasciatelo dire da me stesso, che di voce ne possiedo a quantità industriali, da poterla vendere all'ingrosso.

A colpi di deduzioni, dimenticano le divagazioni che poi sono il segreto della bella giornata. Puntano alla complessità dell'elenco e omettono la sfumatura che, per grazia del signore, è tutta la vita che sfugge alla catalogazione, come un latitante ben protetto.

Questo li rende superflui.

Diventati superflui, però, ne constatiamo addolorati la nostalgia. Perché si facevano sentinelle bacchettone della nostra produzione d'ironia e sfumature. C'invitavano allegramente alla battaglia. Ora che sono scomparsi, gli intellettuali, finiamo per combattere contro le nostre stesse parole o contro mezze calzette che fanno dell'ignoranza totale il loro credo inesausto. Vacuità per vacuità, meglio quella supportata da un minimo di preparazione.

Ma poi, all'improvviso ma neanche tanto, un'altra marcia su Roma, ecco l'esercito dei nuovi intelligentoni, gioventù baldanzosa con la calvizie incipiente, una fanfara di luoghi vecchi e comuni.

Retorici, vittime, eroi. Tutto un calendario che non si può proprio tollerare. Ma che ha un suo pubblico sciattissimo. Che abbocca spudorato, spensierato, incosciente. Da quando esiste, pare che il mondo non riesca a fare a meno dei retori. L'incantano, come il mago Silvan alle prime performance. E la vittima, che scatena questa brutta bestia della solidarietà. Indomabile. Se mi chiedessero che cosa vuoi eliminare dalla stronza vita, non ci penserei su due volte: la solidarietà. Una roba così astratta che consola solo i morti che camminano. E l'eroe, un tempo tronfio e gradasso, ha lasciato il posto al timido e dimesso, un'altra vittima. Questo va cercando la popolazione. Questo gli danno in pasto i furbi. Comodi concetti bell'e pronti come la pizza surgelata. Li rassicurano nell'intimo. Tutto ciò che li destabilizza, una volta li faceva riflettere, ora gli fa semplicemente schifo. Invitate il ladro a casa, ma lasciate fuori il provocatore, questo ci vanno dicendo. Un degrado. Un rotolamento verso un'infinita pianura padana di stronzate. Ma quest'è. Tutto ciò che chiamano progresso continua a sembrare, solo a pochi, o forse solo a me, una fantastica, sconcertante delusione.


Su suggerimento di mio cugino sono andato a chiederle scusa a quella lobotomizzata di Rita Formisano. Ma, stabiliamolo subito, aveva ragione lui. Era quello che si doveva fare. Hai voglia a fare strategie, lui mi diceva, vedrai che è la cosa migliore, vedrai che ti devi dare un pizzicotto sulla pancia gonfia ma è la maniera per non andare a finire a perdere il tempo in tribunale.

"L'Italia è un'orgia di transazioni" mi ha detto quel sant'uomo dalla defecazione facile ed inaspettata.

Come alle volte accade, però, si è andati oltre. Mi stava aspettando, Rita. Non aspettava altro. Ero il suo Messia e la sua spalla. Aveva ragione mio cugino. Ma non solo questo. Siamo andati, a quattro gradini alla volta, io e Rita, dentro la confidenza autentica, dentro il reciproco supporto. Ci siamo abbracciati come reduci dopo la lunga separazione. Abbiamo pianto all'unisono. Alle volte i dolori si percepiscono tra di loro. Si cercano e si trovano e possono stare a piangersi addosso per giorni interi. Ci siamo voluti bene col candore degli adolescenti thailandesi. Che magica sorpresa! Uno pensa che nulla ci si può aspettare da Rita Formisano e, invece, tocchi le cordicelle e anche lei, come tutti, ti tempesta il corpo con una tonnellata di umanità che teneva sepolta sotto una quotidianità troppo uguale. Tutta pronta e tutta da amare, questa umanità. Se la si potesse comprare tutta questa umanità, mi sarei indebitato fino a farmi sparare dagli usurai. Lontano dal veicolo sessuale, mio abitacolo preferito, mi sono ritrovato lì con Rita a coltivare una specie d'amicizia con una donna. Ne avevo sentito parlare ma, naturalmente, obnubilato dalla dittatura del mio apparato genitale, feticista della mutanda quale sono, non l'avevo mai ritenuta una via percorribile. E invece ecco che accade e, in fondo in fondo, mi sono sentito più bello e più bravo. Uomo tra gli uomini. Il conformismo senza sforzi ti fa sentire migliore. Fai parte di un gruppo nutrito. Sei in compagnia. Ti tira fuori dalla responsabilità di motivare continuamente te stesso. E questo basta a tirare avanti ancora un altro po'. A colpi di distrazioni, ti aggrappi al tram della vecchiaia. E chi si è visto si è visto.

Mi ha aperto la porta con gli occhi carichi di lacrime dolorose e gelidi al contempo. Refrattari alla tregua, quegli occhi, ma eravamo nel mondo delle apparenze pronte a svelarsi per quello che non sono. Ostentavo un silenzio luttuoso, frutto dell'indottrinamento di mio cugino. Poi, il sorpresone.

Mi fa:

"Mi hai aperto gli occhi, Tony".

"Non mi sopravvalutare, Rituccia" ho detto io con una sincerità che mi ha fatto vergognare di me stesso.

"Da oggi, dopo le tue parole, voglio cambiare vita" ha proposto lei.

"Non ti sopravvalutare, Rituccia" ho detto io ritrovando me stesso e la mia recita infinita. E rintracciando finalmente, da vecchio canzoniere, un ritmo del dialogo che fa solo bene alla salute.

Ti allunga la vita.

Stava scendendo la sera e niente era più immacolato. Perché la sera finisce sempre per fare a pugni con gli spettri di domani, quest'è. Fottuta anticamera della sciagura successiva.

"Entra" mi ha intimato lei facendomi strada.

E, in corridoio, en passant, l'ha buttata lì come se fosse facile:

"Dobbiamo essere più buoni, Tony".

"E allora dobbiamo chiedere la grazia a sant'Antonio" ho detto io realistico.

Ottusa, mi ha replicato:

"Dobbiamo essere più buoni, Tony".

"Non credere che sia una strada percorribile con la buona volontà" ho detto io con cognizione di causa.

La buona volontà, un altro lampo nella notte. È già svanita mentre la intravedi. Volete resistere nell'intento? Bisogna nascere e perseverare nell'ottusità.

Come Gianni Miglio. Un mio collega.

La bontà? Cose per gente a corto di altre prospettive più accattivanti.

Il figlio di Rita sostava apatico sulla soglia col sussidiario in mano. Non ho resistito.

"Che stai studiando, Albertino?"

"I confini del Nicaragua" dice il piccolo.

"Pare che ci stanno un sacco di troie ai confini col Nicaragua."

Lo capite da soli che, come maestro elementare, avevo un futuro fulgido. Ci ho la didattica che scorre nelle vene, io.

E risale lungo le arterie.

Ha riso, Albertino. Ci si è messo pure lui a prendermi in contropiede. Non doveva ridere, porca puttana, doveva scandalizzarsi o al massimo guardarmi come un allocco.

E invece no, l'ha fatta sua, la lezione.

C'è un futuro in Albertino. Dobbiamo tenerlo d'occhio. Come il talent scout con Maradona. Per lui, quello che dice la maestra è una possibilità, non una certezza. E comunque, per lui, tutto quello che dice la maestra è incompleto. Me lo ha reso noto con quella risata.

E allora è evidente che c'è del talento in questo ragazzino. C'è un approccio alla vita. Non sono cose da poco, queste. Sono cose che ti danno un conforto, come il tè, come la marmellata nell'albergo.

Non pensate che sia inconsapevole del fatto che ci ho una certa tendenza, anche quando è superflua, a parlare di troie. Ma è semplice: sosta l'umanità cadente lì dentro, che mi fa specchiare. Che mi riporta incessantemente al mio argomento preferito: me stesso. Torneremo sopra sulle troie, in tutti i modi. Con un accanimento da terroristi. Torneremo sulle loro biografie, così dense di sfumature. Tutto il loro infinito tempo libero catalizza un concentrato di gradazioni sconosciute agli uomini impegnati.

Questo m'interessa.

Ho sconfinato nel soggiorno squallido e ho trovato già Rita assiepata al tavolo. Lo ostruiva col suo stato d'animo, il tavolo. C'era aria di discussione seria e le discussioni serie non si sono mai svolte nella comodità delle poltrone. Sempre sulla punta della sedia, a quarantacinque gradi, attorno al tavolo. Il confine tra i contendenti: un posacenere dell'amaro Averna condiviso da tutti e due.

Non lontano, sul mobile di palissandro scuro, Rita aveva dimenticato lo straccio della polvere. Non mi sfuggono questi dettagli, perché ho passato l'infanzia a contemplare mia madre che sbrigava le faccende di casa. E sapevo commuovermi, nel vederla così impegnata in quel tipo di lavoro che non lascia niente a terra, nessuna traccia.

Mi sono seduto e ho realizzato solo in quel momento la lunghezza di quella giornata che cominciava a trapanarmi le cosce sotto forma di una stanchezza ineluttabile. Ma bisognava resistere ancora un poco. Per non morire prima.

Tira un sospiro, Rita, che neanche un aspirapolvere, perché sta scegliendo le parole. Con la cura implacabile del pedante. Tutto avrei pensato tranne che le scegliesse bene, ci azzecca.

Perché, palese come la merda, mai sollecitare la stupidità della gente, ne esce fuori una logica inoppugnabile, intelligente, che ti mette nella merda alta. L'ineluttabilità dei passaggi elementari. Tutta una retorica assai imbarazzante.

Dunque, lei fa:

"Tutto giusto quello che mi hai urlato prima a me, Tony. Sono esattamente quel fallimento che hai descritto. Ma se tutto questo è vero, allora ti chiedo, perché picchiarmi? Perché picchiare un fallimento? Dove sta la pietà? Dove sta la compassione? Ma non ti sto rimproverando, non voglio scuse, non ti voglio mettere in difficoltà. Voglio solo capire. Ti espongo le mie debolezze perché ti voglio bene, perché sei un mio amico. E non è bello che vieni a ribadire a voce alta quelle debolezze che io ti sto già mettendo in mano di mio".

Voglio andare a studiare il Nicaragua con Albertino, ora, perché mi ha messo in difficoltà. Mi ha umiliato senza umiliarmi. Mi aspettavo che mi rinfacciasse tutto ed ero pronto a darci dentro come un guerrigliero irriducibile, ma quella ha scelto un'altra strada, meno prevedibile, che mi inchioda con le spalle vicino al frate Indovino. Che però è finto e non mi può aiutare. Allora prendo tempo, mi accendo una sigaretta, m'infilo gli occhiali azzurrati, distolgo lo sguardo che mi cade su un videoregistratore Betamax che mi piacerebbe avere. Mi devo ricordare di andarmelo a comprare. C'è un solo film sopra al videoregistratore, è *Innamorarsi*, con Robert De Niro e quell'arrapante pazzesca di Meryl Streep. Dicono che è brava. Sarà. A me pare bonissima. Tutto il repertorio dell'emaciata mi provoca pensieri sessuali complessi e articolati. L'ho visto quel film e, voi non ci crederete, perché siete in malafede, ma mi ha fatto piangere come il neonato nel cassonetto. Mi ha straziato a colpi di psicologie vacillanti. Ci ho la cazzo della sensibilità, io, quando si tratta di apprezzare i minimi spostamenti del sentimento. Anche se non sembra, alle volte. Rita mi guarda e io ancora non rispondo, mentre fisso la custodia del film. Ma perché non rispondo? Ho un'illuminazione che neanche Eduardo De Filippo all'apice. Capisco, adesso. Quando non hai le parole è perché l'umanità tua e di tutti gli altri ti sta chiedendo il gesto fisico. Chiaro e lampante come la Ferrarelle. Allora mi volto verso Rita. Appoggio la sigaretta nello sponsor Averna. E le prendo la mano. Si sta facendo marroncina, Rita. Marroncina d'amore. Perché è quello che le serviva. Le serviva la fisicità. Serve il calore umano quando le vite sono andate in malora, i fallimenti si sono stratificati e ci hai la morte dentro.

Ma non mi basta, perché non le basta.

Mi alzo, mi metto in ginocchio. E l'abbraccio con tutto il calore che vuole e che io voglio darle. Le voglio dare tutto il mio calore, adesso, a Rita. Le voglio dare tutto quello di cui ha bisogno perché so fin troppo bene che qualunque cosa le darò non sarà mai abbastanza per colmare i deserti che si alleva dentro da quando aveva diciannove anni. Da quando ha detto a se stessa: "Ciao vita".

E lei ricambia. Mi abbraccia e piange. Poi piange e mi abbraccia. E io chiudo gli occhi. Perché le voglio bene. Perché so fermarmi un attimo prima del disastro assoluto. Perché anche le cacche come me, di tanto in tanto, senza giustificazioni, rilasciano i profumi.

Ci ha addosso alla vestaglietta l'odore delle zucchine alla scapece, Rita. Mi sta venendo un poco fame. Vuoi vedere che dopo questo popò di gesto indimenticabile non mi offre due zucchine? Non ci credo neanche se lo vedo coi miei stessi occhi.

"Le vuoi due zucchine alla scapece?" mi chiede lei.

Che vi avevo detto? Non mi poteva deludere. Si è rimessa in riga con il mondo. Sta trovando i suoi equilibri, Rituccia bella. E in questo quadro rientra anche l'offerta delle zucchine.

"Solo i froci rifiuterebbero le zucchine alla scapece" rispondo io attraversato da un impeto democratico. Le scappa da ridere dentro le lacrime. Sta ritrovando una gaiezza che era scivolata nei tombini.

Ci trasferiamo in cucina mano nella mano. Ma non pensiate a preludi sessuali. Sta regnando l'amicizia. Forse è per questo che mi sento intontito e un poco a disagio. È una roba un poco nuova per me. Una donna che mi prende la mano e io che, per la prima volta, non gliela porto istantaneamente sul cazzo. Ma che ti sta succedendo, Tony? Màngiati le zucchine che se no mi diventi frocio pure tu, replico mentalmente a me stesso.

Seduto a un tavolino misero con la fòrmica che è sempre un bel problema, le gambe accavallate, mi produco sulla zucchina, intervallata da un bicchiere di vino rosso. Sta facendo le cose per bene, la nostra Rita. Poche storie.

Lei mi guarda appoggiata al lavello. E non mangia.

Spacco un silenzio trasgredito solo da un orologio a muro che le hanno dato in omaggio con la Postal Market. Quei cataloghi della Postal Market, le cui modelle avvolte in uno scandaloso intimo color carne, hanno contrassegnato l'onanismo infaticabile, assiduo, di almeno due generazioni.

E dico:

"È in gamba, Albertino".

"È strampalato" dice lei. "La settimana scorsa gli ho chiesto cosa vuole fare da grande e mi ha risposto che vuole mettere su una piccola fabbrichetta di segnali stradali. Ma che cazzo di desiderio è per uno di nove anni?"

Ridacchio. E aggiungo:

"È nato a Napoli per sbaglio. Ci ha l'animo di uno di Vicenza, tuo figlio. Conosce il significato a noi oscuro della parola laboriosità".

"Può essere, ma perché i segnali stradali?"

"Vuole mettere ordine" dico io.

"Ma quelli che vogliono mettere ordine, a nove anni, vogliono fare i poliziotti" ribatte giustamente lei.

"Tra industriale e poliziotto c'è una disparità di reddito che non puoi sottovalutare. Te l'ho detto che ci ha l'animo vicentino, quello lì."

"In effetti" dice lei pensierosa, come se ci fosse dell'altro.

"In effetti, cosa?" chiedo io.

"In effetti non sono sicura che Albertino sia figlio del mio ex marito. In quel periodo me la intendevo anche con due viaggiatori di commercio del Nord Italia."

Fermi tutti. Ora non mi disturbate. Le mie gambe riprendono la vita. Posso smettere di farmi di cocaina, adesso. Basto a me stesso. 'Fanculo la zucchina. Sto mettendo in moto un cuore vispo. Ma guarda che ti tira fuori questa Rituccia che pare una morta in vacanza che, con quella vestaglietta beigiolina e i capelli con la ricrescita di mezzo metro non arraperebbe neanche un vescovo ligio dell'Ecuador. Ma tu guarda un po' quante rivelazioni che riesco a estrarre dagli individui col mio modo di fare eterodosso e iconoclasta.

Mi guarda e sorride furba. Mi sta rivelando il suo segreto, la sua trasgressione. Si sta facendo femmina tutto d'un colpo. Ed è una vita che moriva dalla voglia di dirlo a qualcuno. Per dimostrare che sa stare al mondo. Proprio come me. Per stabilire, una volta e per tutte, che frate Indovino appeso dietro al ferro da stiro, non sta rivelando nessuna verità su di lei.

Ora non potrei mangiare neanche le ostriche più costose, mi si è chiuso lo stomaco, perché si è aperta una curiosità sconfinata e morbosa su un concetto preciso. Ha detto "due" viaggiatori. Avesse detto uno, avrei continuato a mangiarmi la zucchina. Invece ha detto due. E sto morendo dalla curiosità di ottenere un'informazione semplicissima: due scaglionati o due insieme contemporaneamente? Non è un dettaglio secondario, credetemi, soprattutto perché Rituccia, come vi dicevo, è l'essere più lontano dalla formulazione di un elementare desiderio sessuale e, per una banale logica degli opposti, questo fatto altera in maniera originale lo stato sessuale delle cose mie.

Ma lo ha capito tutto questo, altro che. Con quel sorrisetto che non se ne vuole andare dal suo viso mi sta comunicando che non aspetta altro. Aspetta esattamente quella domanda. E se non gliela faccio ci rimane male. Dunque, gliela appongo.

"Due insieme o separati?" chiedo, mentre constato che ho la voce rotta e leggermente balbettante, perché sono emozionato marcio.

Sapete cosa commette, adesso, questa padreterna della sessualità, questa professoressa dell'erotismo a tutto campo? Fa una cosa, per quanto mi riguarda, indimenticabile. Va a chiudere la porta della cucina. Questo fa. Credetemi, non siate superficiali e frettolosi: qua stiamo parlando di un gesto memorabile, che si dovrebbe studiare dentro alle scuole, che se Alberoni lo sapesse forse non scriverebbe tutte quelle puttanate nei suoi libri che non ho letto perché non ho tempo e già so che mi fanno cacare.

Chiudendo la porta, Rita Formisano ha concretizzato tre risultati di inestimabile ordine:

1) Ha escluso i figli da qualsiasi conoscenza dei suoi segreti. Dunque, persevera in un mondo adulto.

2) Ha creato un'intimità con me densa, inesorabile e avvenente.

3) Ha messo in moto una suspense della madonna che neanche Dario Argento quando sta lucido con l'intelletto.

Mi tremano le ginocchia dalla curiosità e dall'emozione. I miei genitali si sono rimpiccioliti fino a diventare puntini nell'universo. Succede, quando l'emozione ha la meglio sull'eccitazione.

Uno a zero per l'emozione.

Torna lenta al lavello. Si è presa la scena. E non mi sogno neanche lontanamente di togliergliela. È tutta tua, Rita. Sono i suoi dieci minuti. Se li sta vivendo come se ci fossero le telecamere accese. La telecamera sono io. Mi stai facendo morire, Rita. Parla, troia. Ma lei non parla. Mi tiene come un fessacchiotto sullo zerbino metaforico, con la collanina che le oscilla sordida tra le dita, e sfoglia la margherita come se recitasse un rosario: "Ti faccio entrare, non ti faccio entrare, ti faccio entrare, non ti faccio entrare".

Poi sussurra torrida, come prima di un colpo di stato nella notte:

"Ma non so se è il caso che ti dica questa cosa".

Non sa se vuole farmi entrare. E non sta giocando. Sta facendo sul serio.

Questa stratega della madonna. Ma che è? Cleopatra? La Garbo? Eva? Mi sta spedendo dritto dritto al manicomio. Tiene la scena sempre meglio. Ma da dove l'ha tirata fuori tutta questa femminilità? Ma quante risorse possiede l'essere umano quando ci si applica? Questo mi chiedo senza trovare risposta. E vuole farsi implorare un po'. Ma è talmente credibile, in questo gioco, che ora mi si sviluppa il pensiero che devo stare attento, se sbaglio le parole, questa non va avanti, non mi dice un bel niente. Vuole giocare seriamente. Contempla il diniego. Non dà nulla per scontato.

Non posso farmi trovare impreparato. Devo essere un giaguaro raffinato e penetrante. È iniziata una schermaglia di parole.

Ma che meraviglia quando la vita diventa una battaglia di questo tenore. Sai che stai morendo per una giusta causa. Li capisci, poi, Attila e Napoleone. Volevano conquistare terreno. Lo stesso che voglio fare io adesso.

Dentro questa cazzo di cucina, forse si sta annidando il favoloso.

"Se non me lo dici, m'incazzo più di quanto abbia fatto oggi pomeriggio." Me la sono giocata così. Tra il serio e il faceto. Speriamo bene. Mi scruta con un mezzo sorriso sapiente, le si è attaccata addosso una patina di sesso vivido tutto bello caldo addosso. Si è messa alla testa dell'esercito e sta decidendo se posso essere un suo soldato. Ma è lei che decide. Che stabilisce. Io pendo dalla sua vestaglietta. Come il neonato dalla zizza. E indugia in abissi di silenzio che mi stanno logorando dentro, in profondità. Sotto il ciuffo di mogano lo so tale e quale che sto sudando e lei, non so come, lo capisce da sola, perché non lo può vedere.

"Stai sudando, Tony."

"Sì, sto sudando dalla curiosità."

Mi tiene per le palle. Se mi dicesse di ballare il tip tap, lo farei immediatamente. Sto agonizzando e lo sa, 'sta bastarda. E se la gode. Ci ha il potere ai massimi livelli, in questo momento. E quel tipo di potere lì è una vertigine raccapricciante e felice dalla quale non vuoi più uscire così facilmente. Ma sa anche che, per indole, sono spesso avvolto in un'impazienza pericolosa che può diventare altro, gioco sconclusionato e cattivo, e allora comincia a porsi il problema di stringere i tempi. Senza, tuttavia, lasciare che la fretta smorzi la tensione. E tuona con un sussurro:

"Mi chiavavano a turno, tutte le volte che lo volevano".

Ecco come si può fermare il mondo.

Legatemi alla sedia, quanto è vero la madonna, altrimenti mi metto a fare una strage. Chiamate Albertino e ditegli di venire qua a ripassarsi la geografia con me, perché io così, solo con questa qua, non ce la faccio. Mi devo distrarre.

Ma ricapitoliamo.

Politeista disinvolto quale sono, non ho esitato a strusciarmi nella vita lunga su buddiste, cattoliche, anglicane, induiste e via dicendo.

Mi sono rotolato in settemila letti, ho sedotto ovunque e comunque, come l'aeroplano che lancia le bombe a grappolo, ho baciato modelle nude e statuarie nei vicoletti di Capri, con la gente che poteva scoprirci da un momento all'altro, ho fatto la pipì addosso a due gemelle tedesche in una frazione di Hannover, ho scopato nel cesso sporco della stazione con Mafalda d'Amburgo, una delle nobildonne più snob, raffinate e inaccessibili che siano mai esistite, ho posseduto hostess americane in fondo all'aereo nella notte transoceanica che non si toglievano neanche il cappellino della divisa mentre si producevano in plastiche posizioni e che poi riattaccavano come se nulla fosse a servire Martini dry, ho visto e pianto l'immensità di Beatrice da tutte le angolazioni dell'universo sessuale e sentimentale, ho violato con abili aggettivi e tesi inoppugnabili la crisi religiosa di una novizia che se la faceva al santuario della santissima Addolorata di Monterotondo, ho preso da dietro sulla sua scrivania la mia commercialista mentre inventariava un negozio di stoffe orientali, ho tirato fuori dalla camicetta il morbido seno dell'assistente della mia avvocatessa la prima volta che sono andato in carcere, mi sono fatto una fan in camerino nel giorno stesso del suo matrimonio con lo sposo che l'aspettava fuori dal camerino, ignaro e felice mentre si fumava una Kim e sognava la spiaggia e l'acqua tiepida delle Maldive, mi sono fatto la proprietaria di un lussuoso appartamento in ristrutturazione ai Parioli sotto gli occhi sospesi e grigiastri di quattro operai più il capomastro, ho avuto vergini e ninfomani spappolate da troppi uomini, ci ho dato dentro per quattro ore e mezza con una che non aveva un orgasmo dal 1963, non crederete certo che glielo abbia fatto avere io? Mi applico, è vero, ma so fallire con stile e sincerità, ho accarezzato furtivamente il culo abnorme di una proprietaria terriera nel preciso istante in cui firmava il suo testamento davanti ad un notaio sereno ma intransigente, ho avuto una lillipuziana che si era ritirata in Provenza dopo faticosi anni circensi, ho attraversato l'arco immenso e sconvolgente che parte dalla perfezione disumana delle linee del corpo di una cantante lirica della Florida fino ad arrivare a un'orfana bulgara solcata da diciotto profonde cicatrici che, nella sua nudità, ricordava la carta stradale di Los Angeles, ho elargito ditalini violenti o delicati a seconda delle circostanze ad un numero indefinito di donne con la stessa disinvoltura e noncuranza delle maschere anziane che staccano i biglietti al cinema. Ho scopato sott'acqua con almeno sedici esseri femminili, ci ho dato dentro nei gommoni col mare forza sei, ho avuto mantenute, commesse, puttane, scrittrici di seconda fascia, lesbiche, frotte di studentesse di ragioneria, qualcuna del classico, armate rosse di cameriere d'albergo, una ginnasta cecoslovacca, alcune contadine danesi, madri in cassa integrazione disintegrate dalla noia del far niente, farmaciste dedite alla cocaina, vegetariane che mettevano a dura prova la mia erezione con orde d'incenso disseminato nella casa, ho avuto le mogli di tutti gli altri e pure una volgarissima pilotessa di elicotteri, due maestre dell'asilo insieme durante la ricreazione, e sto snocciolando solo un sedicesimo del repertorio, ebbene, nonostante tutta questa Treccani di emozioni io non sono mai stato così impressionato, colpito, tramortito, demolito, eccitato come in questo momento per le parole appena pronunciate da Rita Formisano. Ma perché?

Perché non ero io uno di quei due viaggiatori di commercio del Nord Italia. È l'esperienza di altri. Che è sempre meglio della nostra, perché galleggia dentro una lente deformata di sogno e migliorie. Sogno e migliorie. Ma non è neanche questo. È l'enigma che ti fa a polpette. E l'enigma è Rita Formisano. Non sai da che parte prenderla. Ti sfugge come il capitone vivo e ti lascia sgomento. Ti mette a terra e ti lascia senza vita. Ottura il mondo con la femminilità. Nella guerra dei rapporti con gli individui, succede. Insegui l'imprevedibilità altrui e non hai più tempo di coltivare la tua, diventi accessorio e strumento, ti senti superfluo e inferiore, ma intanto non puoi fare a meno di inseguire la presunta bellezza d'animo altrui. È così che nascono amori e matrimoni, imperi e dittature. È così che la segretaria fedele invecchia all'ombra del suo capo. Conduce una vita straziata e dimenticabile, ma non può farne a meno. Si fa parassita involontario. Ma parassita. Insegui, come il gabbiano con il pesce, l'altrui, misteriosa ambiguità. Sottovalutando l'ipotesi che tu stesso potresti essere fonte d'ambiguità misteriosa. E allora te ne vai a coltivare il tuo orticello di superiorità altrove, con altri disposti a farti luccicare un po', ma poi lo sai che è un ripiego, che domani dovrai saltare la siepe e porti di nuovo in ombra. E così nascono anche le classi. E i redditi diversi e tutte le disuguaglianze del mondo. C'è chi luccica e chi rimane invischiato in una coltre opaca di sottovalutazione e ottocentomila lire di stipendio. Non stiamo a raccontarci bugie. Il mondo è violento, spietato e sperequato ovunque, anche nei rapporti pacifici e consolidati, anche laddove regna la calma e l'armonia. Ma non c'è l'armonia, c'è solo l'invidia e la crisi perenne con se stessi. Quest'è. Ma, per riaffermare l'unicità di se stessi, si sono inventati la terapia psicoanalitica. Un altro modo per ribadire che a luccicare sarà lo psicoanalista e mai il paziente. Ma a me non m'intrappolate. È una vita che sudo per schierarmi dalla parte di quelli che luccicano, non vi verrò incontro proprio adesso. Posso lasciare spazi di generosità estemporanea agli altri come con Rita Formisano, ma è solo un intermezzo che nutrirà ossessivamente ancor di più il mio io vasto ed oblungo.

Al che Rituccia, sormontata da un'aura di depravazione casalinga, compie due passi nella mia direzione. La vestaglietta si fa vestito scollato. Scopre le spalle grassocce e dice una cosa dentro una cornice erotica.

"Come vedi, non sono quella che pensi."

E sbaglia.

Ha detto la frase sbagliata che mi ammoscia come un palloncino. Sempre lo stesso errore: si è giudicata. Togliendomi il sogno. Che errore madornale! È questo che fotte milioni di donne. Vogliono avere il controllo di se stesse. Sempre. Duellano col realismo continuamente. Sono io che devo giudicare. Un giudizio filtrato da una fantasia realistica. Volevo farti condurre il gioco e va bene, ma è un po' come coi ragazzi col gioco da tavolo. Tu non vedi l'ora di giocare e invece c'è sempre qualcuno che ti vuole spiegare pedante tutte le regole. Tu finisci per esserti annoiato ancor prima di cominciare il gioco. Qui è lo stesso. Vuole dettare tutte le regole della partita, non vuole solo condurla. Vuole che io mi faccia di lei l'idea che lei stessa ha di sé. Questo è noioso. Mi opprime la mente. Vuole una sincronia d'intenti e armi pari. Vuole abbattere i rapporti di forza e di sogno. Sta scadendo nella routine. Come dicevo, il favoloso sfugge come la lucertola dentro la cazzo dell'età adulta. Se m'invitate a stare nella realtà, allora la mia realtà è pesante ed invadente. Avete smesso d'invitarmi al gioco della fantasia. E a me mi ricompare tutto il mondo nella sua invalicabile insignificanza. L'orologio della Postal Market, la vestaglietta, la zucchina che alberga nel piattino, la fetta di pane d'accompagnamento. Stavo viaggiando insieme alle ombre sataniche ed eccitate dei viaggiatori di commercio del Nord Italia e mi riportate coi piedi nel fango. Vedevo ansimi e pini avvolti nella brina umidissima e mi ricordate che c'è mia moglie a casa incazzata. Mi distraete dal sogno e dal ricordo che non c'è stato, ma che avrebbe voluto esserci, e mi fate male. Rita mi stai facendo male. Come me ne esco adesso? Ora che lei stessa, smuovendo i suoi tumulati ricordi, ha portato la sua stessa fessa ad un'ebollizione incontenibile. Come la schivo? Ora che, a meno che un terremoto non faccia cadere il palazzo, questa violenterebbe pure un dobermann. Qui ci vuole un'astuzia consolidata. Qui ci vuole il repertorio. Funzionerà. Ha avuto le sue divagazioni, Rituccia, ma poi ha rigato dritto dritto nell'inettitudine, non lo conosce affatto il repertorio. Lei pensa che basti aprire le porte dell'intimità per far entrare cumuli d'amplessi. La fa facile. Vede la vita in modo lineare. Euclideo. Questo mi delude alla follia. Dove sta la Rita di qualche minuto fa? Torbida e sfaccettata? Se ne è andata. Io volevo che si perdesse nel ricordo di un umore sbilenco da sporcaccioni e scopro invece che ha solo adoperato demagogicamente le reminiscenze sfocate per perdersi in un rapporto sessuale con me. Ma cos'è un rapporto sessuale quando poco prima si sono messe in moto le mentalità? Niente, poca cosa. E io che invece ho riscoperto il valore dell'amicizia con lei. Ma che cazzo vai dicendo Tonino? Ma allora davvero mi stai diventando un omosessuale convinto? Non essere schematico, Tony, non è da te, mi ripeto come una poesia mandata a memoria dentro di me.

Riprendo a sudare, ma non più per l'emozione, ma perché ho paura di offenderla e questo non se lo merita. Non è facile stare dalla parte dell'assediato. Ora comprendo meglio le migliaia di donne che cercavano onestamente di divincolarsi dai miei assalti sessuali. Le mettevo in difficoltà. Non avevano più voglia di giocare e io che me ne fottevo. Giocavo io solo e non lo sapevo. Facevo il solitario con le carte napoletane, come le pensionate sfatte dal cavoletto lesso. Quante volte sono stato patetico, lo capisco solo adesso. Ora che sono passato, inaspettatamente, dall'altra parte della barricata.

Che stravaganza, per uno con la mia biografia, negarsi. Un atto d'egoismo indicibile e gigantesco. Eppure tutto quello che desidero in questo momento è negarmi e recuperare la strada. La libertà. Ma sono intrappolato dentro l'odore della zucchina alla scapece mischiata con altri odori di carattere ginecologico, dal momento che si è posizionata in piedi contro le mie narici squagliate da distese di cocaina. Mi sta offrendo se stessa come quella reliquia che il museo ha riportato alla luce dopo decenni e che finalmente offre in pasto al pubblico anelante. Solo che il pubblico anelante, io in questo caso, non ne vuole sapere di visitare il museo. L'ho già detto in altre occasioni: a me il museo mi fa venire il conato di vomito. Scavate, non troverete traccia di una mia sola visita a qualsivoglia museo, che sia il Louvre o il Prado, io preferisco starmene nel caffè a sbirciare il mondo. E dopo, nascondermi nell'androne del palazzo lasciato aperto, per sentire la puzza della quotidianità dello straniero. Studiare i cognomi sulla cassetta della posta e, alle volte, rubare la posta per provare ad impadronirsi di quelle vite una volta e per tutte. Altro che Gioconda del cazzo.

Questa è la vita secondo me. Punto e basta.

Dunque, mi opprime con le mutande a portata di naso. Io mi smarco sollevandomi in piedi. Ci ritroviamo i visi a pochi centimetri. Con l'indice grassoccio le smuovo una ciocca assassinata da una vecchia tintura fatta male. Le scruto il volto. È bellissima, adesso. Anche se non ha più la pelle e la vitalità dei trent'anni di quando scorrazzava in pensioncine malconce della pianura Padana.

Dritto da dentro, come se a parlare fosse un altro io, mi esce una cosa di un'autenticità che mentre la dico mi imbarazza. Perché la verità imbarazza costantemente.

Insomma, mi si scatena questa frase:

"Sei bellissima, Rita. Sei bellissima come mia madre".

Sussulta in un brivido lieve, breve e incontrollabile. Come se le avessi trapanato la coscienza.

Mentre la guardo, assediato da una tenerezza incongrua coi miei lineamenti, trema come un'innamorata, perché non l'aveva messa in conto questa folata di romanticismo.

Sta ritornando a quando aveva sedici anni, a quando ha baciato per la prima volta un imbranato coi libri sotto al braccio fuori la scuola vicino ad una salumeria che faceva una pizza salata che così buona poi non l'ha mangiata più.

La bacio dolcemente su una palpebra e vede sua madre che aveva l'età che adesso ha lei che la guarda con un occhio diverso e benevolo perché l'ha capito tale e quale che ha baciato un ragazzo per la prima volta. Sente l'odore del sugo buono perché è pronto a tavola. E c'è, in quel ricordo lontano da lei, nell'aria e nel suo cuore, un'atmosfera elettrizzante che non capiterà più.

Dalla depravazione all'innocenza il passo è così breve, alle volte.

Le accarezzo una guancia e vede la sua casa da ragazza trafitta da un sole pulito che filtra attraverso quelle tapparelle che un tempo si doveva riparare in continuazione la corda che le tirava su e che, nell'attesa dell'operaio, arrangiavi un nodo per non farla andare giù oppure ci infilavi nella fessura mezza molletta di legno per i panni. Sente il rumore della tapparella che, nonostante la molletta, va giù lentamente, con un cigolio morbido e rassicurante, che fa trapassare il giorno al pomeriggio con una disinvoltura ed una naturalezza che mai più ci sarà. Vede un tempo dilatatissimo, infinito. Dei pomeriggi estenuanti di gioia e di benessere.

Le passo una mano sulla nuca e porto lento e dolce il suo viso sul mio petto. Allora chiude gli occhi e rivede suo padre che sbuca in casa alle sette di sera con un grande pacco. Le ha comprato scontatissimi, all'ingrosso, sulla circonvallazione vicino Casoria, degli stivali sospesi tra il rosso e l'amaranto che lei desiderava più di un figlio.

E realizza, dopo pochi istanti, che quegli stivali sono il primo e ultimo regalo che il padre le farà. Le fanno male i palmi delle mani, leggermente escoriati, perché quelle corde delle tapparelle erano durissime e fatte di un tessuto che ti tagliava le mani e si litigava coi fratelli a chi doveva tirarle su perché nessuno lo voleva fare. Perché ti facevi sempre male le mani.

Le sfioro i capelli con una delicatezza che non credevo di possedere e lei rivede se stessa abbracciata al padre dopo aver visto il regalo. Sfrigola la sua guancia contro quella ruvida del padre e tutta in un istante cresce e diventa donna perché ha scoperto l'odore del dopobarba acqua velva che andava per la maggiore ma lei non lo sapeva. Vede coi suoi occhi, limpido, come se tutto fosse dinanzi a lei, gli ultimi fuochi della bella emozione, dell'armonia interna di ragazza che si fa donna, completata dalla famiglia che funziona e lavora. Funziona e lavora. E poi, dopo il benessere, vede il dolore successivo. Perché le due cose non si disgiungono mai. Neanche fortuitamente. Infatti, vede gli occhi seri del padre, gli occhi, per la prima volta, di un uomo. Gli occhi del padre che stanno prendendo una decisione dolorosissima e senza ritorno. Come in una commedia vista tante volte, vede il padre che lascia la famiglia in mezzo ai pianti perché ha conosciuto un'altra donna. E allora, per scadente associazione mentale, come sempre scadenti sono le associazioni mentali, rivede gli occhi dell'imbranato che ha baciato al mattino e quel ragazzo, banalmente, inesorabilmente, non le piace più. E degli stivali non sa più cosa farsene, perché non ci saranno più occasioni svagate d'indossarli, perché deve consolare una madre che si abbandonerà ad alitare vicino ad una finestra in un'attesa disattesa del ritorno di un padre che è andato altrove ma che è più infelice di prima. Vede un padre che si batte il petto e batte la fronte contro un muro appena tinteggiato e piange. Piange, il padre, perché sa benissimo che in quella vecchia vita c'era una felicità sottovalutata che non può più ritrovare in questa nuova donna ma, al contempo, fedele ai dettami orgogliosi dell'acqua velva, ha deciso, con puntiglio, che non ritornerà alla vecchia vita.

Le sussurro:

"Rita".

E lei adesso piange così silenziosamente che neanche me ne accorgo che sta piangendo. Perché vede il seguito. Il seguito della sua adolescenza che si è fagocitato la spensieratezza a forza di calci, pugni e morsi atroci. Vede un fratello che si fa capro espiatorio. Si fa fragile. E catalizza l'attenzione di tutti, quando a soli diciannove anni comincia a bere massicciamente fino a farsi liquidare su due piedi, in un ospedale cadente e malfunzionante, da una cirrosi epatica che non conosce il significato della parola perdono.

Che peccato, che la malattia non tiene mai conto dell'oggettività sfortunata dei fatti. Che svista imperdonabile, da parte del creatore. Quel padreterno tutto ha messo in collegamento e si è dimenticato di una cosa così elementare. È riottoso al fatalismo. Ma la distrazione fotte tutti, anche i più avveduti come Gesù Cristo.

Ma una lacrima di Rita mi sgorga giù lungo i peli del petto e allora comprendo il suo pianto. Allora la stringo più forte a me. Allora adesso, credetemi, sono davvero un uomo buonissimo. Allora adesso la stringo ancora più forte a me. Allora adesso la sto amando tantissimo anche se nessuno di quelli che stanno in circolazione ci ha capito bene questa faccenda di cosa significa amare. O meglio, amare è un sacco di cose, così tante, che le definizioni definitive e sintetiche sfuggono da tutte le parti come fanno i topi quando i tombini sono inondati dall'acqua.

Io che chiudo gli occhi.

Lei che chiude gli occhi.

Noi che chiudiamo gli occhi. E quasi insieme, io e Rita, che vediamo il funerale del fratello alcolizzato. Ma è un accadimento confuso, caotico, le lacrime che opprimono la visuale. Una momentanea miopia cimiteriale. Invece Rita vede ancora più avanti. Vede il dopo.

Se stessa sdraiata sul suo lettino singolo da ragazza. Lucida, raggelata supina con un occhio fisso e sdoppiato ad un lampadario di design navale, con una lampadina accesa che emana una luce piatta e orrenda perché le tapparelle sono abbassate a lutto come le saracinesche dei negozi la domenica pomeriggio. E vede quello che successe. Prende una decisione imbarazzante proprio nel giorno del funerale del fratello. Apre l'armadio con gli occhi ancora rigati gialli di pianto, afferra quei cazzo di stivali sospesi tra il rosso e l'amaranto. Se li infila sopra una minigonna cortissima. Ha belle gambe, pensa, lo sa. Prende una borsa e duemila lire ed esce di casa. C'è ancora quel sole, sempre lo stesso. Quando la primavera era la primavera. Piena di promesse che non ha saputo mantenere. Cammina a testa alta, i ragazzi si voltano a guardarla, ma lei li ignora, neanche se ne accorge. Ha un altro obiettivo: il tabaccaio. Vi entra spavalda, come una maggiorenne. E infatti quello neanche si sogna di chiederle l'età. E lei dice quattro parole che le cambieranno per sempre il ritmo delle giornate.

Dice:

"Un pacchetto di Marlboro".

Poi, come in una spirale, non smetterà mai più di fumare.

Se allungo l'occhio sul tavolo oltre la zucchina ecco che le vedo, stanno ancora là, le Marlboro, tanti decenni dopo. Coadiuvate da un accendino bic immerso in un involucro insulso di finta pelle. Un vezzo da dimenticare immediatamente.

Ma prima di rompere i coglioni alla gente col problema del fumo dovreste provare l'autenticità del dolore. Fatevi morire la casa dentro la casa e la famiglia dentro la casa e poi ne riparliamo delle vostre teorie del cazzo su come smettere di fumare.

Poi ci siamo staccati. Qualsiasi desiderio sessuale o perverso era svanito dovunque, è ovvio. Io l'ho guardata dal corridoio bianco a Rita.

"Salutami quel genio di Albertino" le ho detto.

Ha annuito con un sorriso. Ci siamo guardati ancora una volta. Impavidi. Avvinghiati nel vissuto e nell'esperienza che non collabora.

E ci siamo regalati un paio di sorrisi meravigliosi e folli, come folle era stato tutto quello che era accaduto quel giorno.

Avevamo guadato la tragedia per poi uscirne risollevati, questo rappresentavano i nostri sorrisi.

Ho aperto la porta, la stanchezza aveva ripreso ad aggredirmi le cosce. Ho pensato che per le scale mi sarei fatto un paio di tiri.

Ma prima le ho mandato un bacio antico mentre lei, con un gesto espertissimo, si è accesa la milionesima Marlboro.

E quest'è.
Ma non è tutto.

# 9.

*Come un diamante in mezzo al cuore.*
MIA MARTINI

Eravamo proprio giovani. Con le pezze al culo e l'olfatto nell'avvenire.

Eravamo io e Dimitri.

La penisola che cercava di agganciare il trenino lento della modernità.

Un via vai di frigoriferi e lavatrici. Gli anni cinquanta.

L'uscita luminosa dal pozzo della fame. Della carestia. Dei morti e dei dispersi al freddo vero.

Si piangeva del passato. Si rideva del futuro. Dovunque.

Sgominate le mezze tinte, ecco la vita.

Ma della vita, sapevamo solo che ci aspettava. Ad ogni angolo di strada. Nient'altro. Si fluttuava a tentoni. Come a mosca cieca con le ragazze. Elemosinando lo sfioramento casuale di un seno. Non sapevamo niente. Eravamo proprio ragazzi. L'erotismo era la tenerezza. Il sesso un'oscurità che nessuno svelava.

Io e Dimitri. Vergini e bambini con la barba.

Io buttavo giù canzonette. Troneggiavano, sul foglio, fiorellini e prati lunghi. Scuotevo picnic, una novità, credendo di agganciare le trasgressioni del futuro. Figuriamoci. Raccontavo di sorelle grandi, le mie, che sbattevano le porte di fronte ad una serie ininterrotta di rifiuti paterni. Il massimo del dolore che percepivo.

Deliravo sugli amori sfocati. Perché non ne sapevo nulla. Portavo questi testi al sommo Repetto. Non li leggeva neanche. Come se li avesse letti. Aveva tutta la ragione del mondo.

Mi diceva:

"Ti devi fare".

Poi, bellissimo e meraviglioso, si riagganciava al telefono, la sigaretta penzoloni nella bocca, e stabiliva date di concerti in luoghi che mi sembrava si dovesse varcare l'oceano per raggiungerli. E invece bastavano tre ore scarse di automobile.

Di fronte a misteriose richieste telefoniche, menefreghista e superiore, inanellava una lunga, atonale catena di no mentre la cenere gli cadeva sulla bianca camicia inamidata. O a terra. La lasciava lì. Nessuno aveva il potere di fargliela spazzar via.

Poi si passava con noncuranza una mano nei capelli e biascicava:

"Mi hanno proprio scocciato".

Chi lo aveva scocciato, non era dato sapere a uno come me.

Era dio. Travestito da cantante.

Io e Dimitri ci affacciavamo su via Caracciolo. Era la nostra finestra. Proni sulla balaustra, le mani intrecciate, il mento posato sopra, uno di fianco all'altro, amici e sfortunati, fissavamo la sagoma sdraiata di Capri. Lontana come la luna. Mitologica come la depravazione, nelle nostre speculazioni, Capri, nella nostra colletta di mezze frasi rubate agli adulti nei bar, nei tavolini, nelle auto parcheggiate davanti agli chalet, coi finestrini abbassati e le coppie fatte che attendevano il cameriere coi primi Martini.

"Ma tu lo sai veramente come si scopa?" spossato, imploravo Dimitri.

E lui, deluso dall'inesperienza:

"No, ma ho qualche sospetto".

Allora ridevamo per venti minuti. Per poi dissolverci in un silenzio faticoso. Fatto di un'attesa straziante. E un pensiero: quando è che ci diranno veramente le cose come stanno?

Non riuscivamo neanche a immaginare lontanamente di poterle vivere, quelle esperienze. Ci sarebbe bastata l'informazione.

E poi, quieti, supini sugli scogli, le mani ad accarezzare le alghe lisce, avremmo atteso il nostro turno. Con una pazienza da immortali. Così ci si sente da ragazzi. Immortali.

E pieni di una voglia senza direzioni precise. Ma una voglia smodata, famelica.

Abbiamo trascorso tutta la giovinezza con le bocche aperte. Ad aspettare qualcuno che ci imboccasse col cucchiaino della vita vera.


Finalmente, dopo aver consumato centinaia di gomiti di camicie sulle balaustre di via Caracciolo, si presentò quel cucchiaino.

Si chiamava Eleonora Fonseca, baronessa, vedova, cinquantasei anni in evidente soprappeso.

L'agganciò Dimitri. Tramite un'amica della cugina di una nipote della sorella di una comare di sua madre.

Dunque, ecco a voi la baronessa Eleonora. Alias il cucchiaino.

Alloggiava, come un'imperatrice, nel rione Sirignano, il minuscolo quartiere dei nobili ricchi. In una casa che io, la prima volta, scambiai per un museo, tanto che chiesi:

"Scusi signora, dov'è la sua casa?".

Lei non mi rispose. Esperì solo una leggera torsione della nuca striata dal rossore di rughe oblique che, tradotta, voleva significare: questa è la casa, deficiente.

Ma per capire perché prendemmo a frequentare con straordinaria intensità casa Fonseca bisogna per forza prima capire chi era, chi è, chi sempre sarà Dimitri. Il Magnifico.


Profilo da statua greca, alto, fisiologicamente tonico, elegante come Porfirio Rubirosa, attraversato da varchi improvvisi di goffaggine che stonavano con la sua oggettiva bellezza, di una curiosità onnivora e impressionante, Dimitri ha sempre perseguito con un accanimento instancabile una cosa sola nella vita: non lavorare.

Per quanto remota come ipotesi, tuttavia lo spettro di un eventuale impiego faceva ammalare Dimitri. Proprio una somatizzazione istantanea e sconcertante. Conati di vomito, nausee, pallore, macchie rosse sulla pelle, psoriasi sul viso e sulle orecchie, inappetenza, mutismo e depressione. Non sto scherzando. Perché non c'era da scherzare. Anche i suoi genitori lo sapevano ed evitavano il discorso per paura di perderlo e di doversi ritrovare a piangere al camposanto un figlio nel fiore degli anni. Guai a dire in presenza di Dimitri che qualche figlio di parenti faceva un concorso per entrare in banca o all'Isveimer. Ma per carità. A casa di Dimitri erano cose che si raccontavano sottovoce, con l'accortezza di andarle a dire in un'altra stanza. Ci si chiudeva a chiave in bagno con un'aria da complotto brigatista, si apriva l'acqua per non far sentire, si tirava lo sciacquone per fare altro rumore e poi la madre, in preda a una pena che l'avvicinava a grandi falcate alla morte, sussurrava al padre:

"Ma lo sai che quel cretino di Gigino, il figlio del portiere, è entrato al Banco di Napoli! E Dimitri che farà?".

E il padre, un uomo buono come i primi cocomeri dell'estate, sentenziava pacato e ostaggio del destino:

"Anche lui troverà la sua strada".

Non ha trovato la sua strada, Dimitri.

Appassionato di qualsiasi cosa, refrattario alla routine per più di tre giorni, discontinuo e umorale come Marilyn Monroe, ha tentato tutte le imprese più stravaganti che gli consentissero, in una sola settimana, di accumulare quel miliardo che gli doveva bastare per vivere di rendita e scorrazzare a cicli continui per Capri, come una regina.

Dunque, per raggiungere questo obiettivo irraggiungibile, ha provato a mettere su un'impresa che vendeva bombole da sub di nuova concezione, ha provato a vendere le Alfa Romeo agli arabi, ha impegnato capitali altrui in una casa editrice che doveva pubblicare rigorosamente letteratura erotica, possibilmente con una prevalenza di scene di carattere anale.

"La gente va cercando 'o tabù, Tony" mi diceva convinto assai. Poi ha fatto il manager di un'attrice danese bella e fredda come una stalattite, ha importato tappeti obbrobriosi da un paesello del Tibet, ha progettato un leggio per quando si sta seduti al gabinetto, ha brevettato e commercializzato un cioccolatino col ripieno di provola affumicata, ha organizzato finti pellegrinaggi a Lourdes ingannando vecchi e malati, si è spacciato per un sapiente valutatore di diamanti, mandando sul lastrico gente che aveva risparmiato per quattro generazioni, ha finto di saper disegnare complicati giardini all'inglese per gli arricchiti della Brianza e altre migliaia di imprese di cui non riesco più a tenere il conto. Ha sempre, dico sempre, fallito. Non è riuscito, da una qualsiasi a vostro piacere di queste attività, a guadagnare neanche duemila lire.

E lo sapete come è andata a finire?

Vive a Capri, scorrazza tutto l'anno come una regina, tramortisce i cuori di duemila femmine a stagione, veste come Porfirio e lo sapete come fa? Lo aiutiamo noi, i suoi amici di gioventù. Io, Peppino di Capri, Aldo e Patrizio. E poi dicono che non sono un uomo buono. Ma questo e altro per Dimitri il Magnifico. Ci tassiamo tutti i mesi, facciamo la colletta e gli facciamo trovare i soldi, fingendo, per non umiliarlo, che sono i proventi dei diritti di due sigle televisive che propose molti anni fa, senza ottenere risposta, a Corrado Mantoni. Dato che detesta la televisione e non la guarda mai, è convinto che Corrado usi ancora quelle quattro note insulse per i suoi programmi. E se ne vanta al bar in piazzetta raccogliendo smarriti mutismi d'incomprensione.

Peppino, invece, gli ha praticamente regalato la dépendance della sua villa. Mentre Dimitri, scrupoloso, annota e somma da vent'anni il canone mensile che non gli ha mai dato una sola volta che sia una a Peppino.

Ogni mese Dimitri gli dice candido:

"Puoi pazientare per questo mese, Peppino?".

E quello, cercando di trattenersi dal ridere, assume i contorni della serietà e dà sempre la stessa risposta:

"Sì, Dimitri, posso pazientare. Ma che non diventi un'abitudine".

L'abitudine dura da vent'anni, dicevo, e durerà fino alla morte di uno dei due.


Ma torniamo alla nostra gioventù. E a casa Fonseca.

In quel momento, Dimitri perseguiva con sciatta perseveranza un progetto che mi pareva avere un suo senso: scrivere una guida agli hotel più esclusivi del globo. E la strada maestra per raggiungere questo obiettivo, secondo lui, era Eleonora Fonseca. Meditava, innanzitutto, di farsi dire da lei, donna di mondo e di avventure, quali fossero questi benedetti hotel esclusivi, dal momento che non ci eravamo mossi da Napoli neanche per sbaglio. E, cosa ben più ardua, ambiva a farsi finanziare dalla Fonseca per poter andare a verificare di persona tutti questi alberghi scintillanti. Ovviamente insieme a me. Che gli avrei dovuto fare un po' da factotum. Sbrigargli le incombenze più volgari mentre lui avrebbe scritto con l'alacrità di un Proust. Fantasticavamo, come due dementi, di ben quattro anni in giro per il mondo, spaparanzati dentro suite infinite e fresche lenzuola di lino beige e fiori freschi e champagne mai sentiti nominare e cameriere frivole e disponibili e cocktail frizzantini e cenette a lume di candela con stuoli di donne flessuose e preparate sulla vita e sull'amore. Sì, proprio così. Non avevamo fatto i conti con la Fonseca, la cui avarizia era leggendaria in tutto il Centro Sud. Ma noi eravamo ignoranti pure sulle leggende.

La baronessa Eleonora era una che quando andavi a casa sua non ti offriva neanche un bicchiere d'acqua. E se tu glielo chiedevi, dopo quei sei piani a piedi che dovevi compiere per approdare al suo museo, lei si apriva in un bel sorriso e, materna, ti apostrofava con scuse che lasciavano trasparire una fantasia degna di un grande drammaturgo.

Una volta disse serena:

"Carissimo, te lo darei volentieri il bicchiere d'acqua, ma sono due giorni che esce dal rubinetto tutta marrone, e non ti voglio sulla coscienza. Potresti morire".

Per lei, tutti possedevano un solo nome di battesimo: carissimo.

Allora io lesto:

"E lei come sta facendo, baronessa?".

Lei, aggredita in contropiede, ma senza perdere un aplomb paludato fin nei piedi che risaliva ai trisavoli:

"Io? Io non bevo".

Anche questo era la baronessa. Ma non solo. Non ci avrebbe finanziato neanche un biglietto del tram, ma ci ha insegnato i rudimenti della vita. Sulle parole belle e giuste, non lesinava nulla. Regalava a mani basse.

Ci faceva accomodare a me e a Dimitri in poltroncine rosse sormontate da oro massiccio e diceva, fingendo di dire una cosa qualsiasi:

"Io sono una donna seria e il mio cervello ha un indirizzo filosofico. L'ho mutuata da Čechov. Lo conoscete Čechov, no?".

Non lo conoscevamo. Lei ce lo raccontava. Citava altri passi decisivi. Ci scioccava con le cose belle.

Poi, al rientro, Dimitri ululava dalla gioia, mi saltava sulle spalle e mi diceva:

"Ho capito tutto, Tony, sarò uno scrittore, come Čechov. I soldi a palate mi devono dare".

Abbassava immediatamente l'arte somma in partita doppia, ma due ore dopo aveva abbandonato il proposito nel suo insieme.

Io, come un fessacchiotto, me ne rammaricavo e lo aggredivo:

"Ma come? Non vuoi essere più come Čechov?".

E lui, distratto, pensando già a chissà cos'altro, mi liquidava:

"Tony, ma siamo realisti, ma mi vedi a me a scrivere romanzi? L'indirizzo filosofico! Ma io non so neanche che significa!".

Non gli si poteva certo dare torto.

La baronessa Eleonora non ti offriva neanche un po' di pane duro, ma se l'andavi a trovare senza portare il suo pezzo forte si risentiva assai. Il pezzo forte che divorava in ventiquattro secondi senza offrirne neanche uno erano le marrons glacés.

Rubavamo a mamma e papà per raccattare i soldi e gliele portavamo sistematicamente e lei faceva sempre la stessa, identica manfrina:

"Ma che cari che siete, ragazzi. Non come quei mascalzoni dei miei figli che non mi danno neanche il bacio della buonanotte e vogliono solo portarmi via il patrimonio. Voi no, voi siete disinteressati e vi occupate di questa povera baronessa anziana, acciaccata, e le portate sempre le marrons glacés".

Poi si buttava su un divanetto rigido come un triclinio, noi sempre nelle poltroncine scomode e, con la castagna incastrata nei denti, buttava lì cose memorabili:

"La coscienza occidentale è vaga".

Ma l'avremmo capito anni dopo che diceva cose meravigliose, perché allora la facevamo sproloquiare solo per trovare il momento giusto per prospettarle il nostro progetto e chiederle i soldi per viaggiare.

Oppure amava ripetere:

"Oggi la nobiltà non conta più nulla e Napoli è in mano a una borghesia volgare e tracagnotta. Anche i vostri genitori sono volgari e tracagnotti. Perché non sono nobili".

Ma non lo diceva per offenderci. Lo diceva perché quella era la sua verità incontrovertibile, lapalissiana. Poi rispondeva svogliata al telefono. Si arrivava a sentire, dall'altro capo, qualche amico suo che le sciorinava via cavo un lungo discorso concitato e poi, quando finalmente toccava a lei prendere la parola, la baronessa rispondeva con frasi ricorrenti del tipo:

"Ma caro, tu lo sai, io sono sempre stata favorevole a me stessa".

Così diceva tutte le volte che le volevano offrire la presidenza di un circolo, di un'associazione benefica, di un teatrino per sfaccendati. Accettava di tutto. Ma poi non muoveva un dito manco si che.

Era pigra come i messicani.

E si annoiava presto. Attraversava, proprio, deserti di

noia. Alle volte, l'unica cosa al mondo che avrebbe potuto farla divertire era commettere un omicidio.

Oppure, scaraventandoci sconfortati nelle sabbie mobili della poesia e del parlar bene che a noi ragazzi sembrava roba da giornaletto di fantascienza, alitava morbida:

"Carissimo, tra me e il mondo c'è una patina di equivoci".

Ma perlopiù, ci lasciava ore incastrati nelle nostre poltroncine perché si produceva in lunghissime telefonate con amiche sue di pari grado nobiliare dove l'oggetto di conversazione era un misto tra il pettegolezzo alto e complicatissime gerarchie nobiliari. Noi ci annoiavamo fino alle lacrime, ma se provavamo ad alzarci e a fare un giretto per la stanza ci fulminava con occhiate che parevano coltellate. Aveva paura a immaginarci a noi soli in giro per la dimora. Aveva paura che rubassimo. Era convinta che tutti rubassero nel mondo, tranne lei. Il concetto di onestà iniziava e terminava con lei. Le cameriere le licenziava a ritmi sostenutissimi. Quando non le licenziava erano loro che se ne andavano perché venivano pagate veramente una miseria.

Intrappolati nelle poltroncine, boccheggiavamo dentro l'ascolto di lunghissimi sermoni telefonici che la baronessa recitava più o meno con questo tenore:

"Isabella è stata scorbutica l'altra sera con me perché ritiene che una contessa può gualcire una baronessa ogni volta che lo desidera. La mancanza di stile è sempre stata dalla sua parte. Come la fortuna, del resto. Tu, Giovannella, mi devi ancora restituire quello scialle che ti prestai qui un novembre di dodici anni fa quando giocavamo a carte e avevi freddo. Ti ricordi? Come non ti ricordi? Quello verdino. Verdino pino di Bardonecchia. Ti prego di riportarmelo al più presto. Ci tengo. È un ricordo di mia zia, la principessa".

Bluffava vigorosamente, non aveva mai avuto una zia principessa.

Poi continuava infaticabile:

"Serenella sta esagerando col marito. È un fessacchiotto e siamo d'accordo, ma è pur sempre un uomo da un milione e due al mese, non scherziamo, sono faccende serie queste, le garantisce un tenore di vita che altrimenti Serenella si sarebbe potuta procurare solo facendo la donnaccia".

A queste parole ci riavevamo. Ci drizzavamo sulla spina dorsale. La parola donnaccia ci procurava un'eccitazione immediata. Sbirciavamo la baronessa, pedinavamo il suo viso, allora, in cerca del seguito e di espressioni lascive. Che non arrivavano.

Attraverso la sua vecchiaia, scoprivamo, per folate imprevedibili, la vita vera. La vita giovane.

Qua e là, dentro la noia, ci lasciava intravedere il mondo com'era, che non conoscevamo e che desideravamo con tutte le forze apprendere. Allora quando tornava a noi dalla lunga telefonata, Dimitri non lasciava cadere e, sognante come Leopardi di fronte a Silvia nuda e sbracata, implorava la nobildonna:

"Baronessa, la prego, ci parli dell'amore".

Lei sussultava di pochissimo. Gli occhi le si riempivano di lacrime nere. Pensava al marito morto. Sospirava come la Duse e diceva:

"Ah l'amore! Esiste solo un tipo d'amore. L'amore nudo. Un'altra catastrofe".

Noi avremmo voluto sentir parlare di un altro tipo d'amore, ma ci accontentavamo di quel "nudo" che era uscito dalla sua bocca educatissima per poterci crogiolare successivamente la sera sotto le coperte di casa. Non era bella la baronessa. Oltre a non essere giovane. Ma era comunque l'unica donna che frequentavamo in quel periodo decisivo, ormonale della nostra esistenza.

Dunque, era la donna.

"Ti devi fare" continuava a ripetermi il grande Mimmo Repetto. E io non capivo cosa cazzo volesse dire.

Dimitri, arrapatissimo, non mollava e la incalzava senza darle respiro, cercando goffamente di adeguarsi al linguaggio aulico di lei:

"Baronessa, io e Antonio non abbiamo ancora avuto il privilegio di innamorarci e, non vorrei sembrare ardito, dunque non abbiamo ancora potuto vivere la nostra prima notte d'amore. Ma com'è? Ci dica, la preghiamo".

Lei non si scomponeva. In fondo, dentro di lei, sono sicuro che stesse ridendo come una matta. Ma, altera e distante galassie da tutto il mondo prosaico per status, ci accontentava:

"La fretta dell'amore, miei cari giovanotti, è il primo chiaro indizio che siete ancora lontani dall'amore. Le donne non vogliono vedere come andrà a finire. Perché non vorrebbero finire mai".

E ci guardava vagamente ammiccante. Lontanamente complice. Ma noi non ci avevamo capito un cazzo. E su questa frase sibillina che ci disse quella volta io e Dimitri ci stemmo a riflettere e a ipotizzare fino alle cinque del mattino. Senza venirne a capo di nessuna maniera. Le donne non vogliono vedere come andrà a finire perché non vorrebbero finire mai. Roba da inibirti il respiro e il ragionamento. Ma che cazzo significava esattamente? Era un'affermazione superiore al nostro livello di scarse conoscenze.

Comunque.

Alle volte leggeva Il Mattino ad alta voce, per istruirci. Noi, demoliti dalla noia, col pensiero e il cuore volavamo fuori dalla sua finestra, dritti a quel mare pulito che si vedeva da tutti i suoi salotti incastrati uno dentro l'altro senza corridoi.

Riteneva, la baronessa, che le case moderne coi corridoi fossero uno dei più evidenti segnali di decadenza del mondo insieme alla tendenza scandalosa, ormai consolidata, da parte degli uomini, di non portare più il cappello in strada.

Una cosa che non la faceva dormire la notte.

Guai poi se sul giornale le capitava a tiro una foto di De Gasperi o di Togliatti. Allora perdeva il senno, la voce le si impennava.

Urlava:

"Si sentono i padroni dell'umanità, questi farabutti".

Poi, giacché si trovava già col volume alto, ne approfittava per chiamare Marcello, il suo maggiordomo di settantanove anni e, facendo trapassare un vocione da baritono attraverso diciannove vani, ordinava:

"Marcello, per cena voglio un po' di pesce".

A queste parole, io e Dimitri, all'unisono, senza alcuna necessità di toccarsi, eiaculavamo dritti dritti nelle mutande. Ci aggrappavamo al più becero dei doppi sensi, pur di intravedere il sesso vivo da qualche parte. Stavamo impazzendo. Lo so.

La verginità ci stava soffocando come un cuscino ben stretto.

Marcello approdava per miracolo nella sala dove eravamo e propinava tutti i giorni la stessa protesta:

"Baronessa, fa freddo in questa casa. Dobbiamo comprare delle stufe. Se non le compriamo, io mi congedo".

Lei non batteva ciglio. Paziente, dava sempre la stessa risposta.

Questa:

"Solo sul letto di coltelli il fachiro vive. La comodità è sempre indice di mediocrità".

Poi, voltava pagina, incappava in una foto di uno dei Savoia. Allora si apriva in un sorriso luminoso. Aveva bei denti per una della sua età. E commentava:

"Toh, un Savoia. Finalmente. Sono antipatici, i Savoia. Per questo mi sono simpatici".

Subito dopo, di colpo, sempre la stessa storia. Chiudeva di scatto il giornale. Innalzava lo sguardo verso il soffitto. Si faceva sinistra come Bette Davis e, a bassa voce, ci chiedeva sempre la stessa cosa:

"Le sentite le biciclette?".

In un baleno, precipitavamo dalla sessualità alla paura. Scuotevamo il capo in segno di diniego. Ma lei non demordeva.

"Le biciclette. Sul tetto, i fantasmi vanno in bicicletta. Tutti i giorni alla stessa ora. Ho paura. Sono una donna sola. Ma come è possibile che voi non le sentite?"

Allora non so se era suggestione o la realtà, ma cominciavamo a sentirlo anche noi un prolungato, tenebroso, sciamare di ruote e catene. Sentivamo le biciclette sopra le nostre teste.

In numero imprecisato, ma le sentivamo.

Lei, gli occhi iniettati di una paura mista ad un'eccitazione primordiale, perché questa dei fantasmi era una delle poche cose che la stanavano dalla noia, stabiliva:

"Andiamo a controllare".

Io e Dimitri, mortificati dal panico, la seguivamo. Lei ci faceva strada lungo una scalinata stretta, umida, buia, sconnessa. Che faceva ancora più paura dei fantasmi se li avessimo visti veramente. Ci precedeva. Eravamo madidi e prossimi alla cacca sotto che scongiuravamo concentrandoci nella vista del suo culo in testa sulle scale, unica distrazione in quello scenario da vampiri demoniaci.

Quando finalmente approdavamo sul tetto inondato dal sole bello, tutto era tranquillo. Nessuna bicicletta. Nessun fantasma. Solo i panni bianchi stesi e asciutti e il mare a tutto spiano. Non facevamo in tempo a tirar un sospiro di sollievo che lei ci incatenava:

"Ecco. Avevo ragione. Eccoli i fantasmi".

Dimitri si irritava un pochettino e osava:

"Ma come baronessa? Non vede che non c'è nessuno?".

E lei:

"Certo. Se li vedi, che fantasmi sono?".

Allora io opponevo una lucida razionalità:

"D'accordo, baronessa, i fantasmi non si vedono, ma le biciclette le dovremmo vedere".

Allora lei cambiava discorso. Si accarezzava le braccia e chiosava:

"Fa un po' freddo. Torniamo giù che ho bisogno di un tè. Poi vi racconto di un albergo di Londra che potrebbe essere utile per la vostra guida".

Noi ci galvanizzavamo nuovamente, credendo che si stessero finalmente palesando i presupposti per chiederle del danaro.

Com'era diverso il mondo. Lontano centinaia di chilometri da quello che sarebbe diventato. Tutta un'ingenuità e una freschezza che è andata a farsi fottere. E quando rivedo me stesso in quella casa della baronessa è come se vedessi un altro. Un'altra era.

Poi, un giorno, la novità assoluta.

Scaliamo il suo palazzo, entriamo disidratati a casa sua e lei dice a bruciapelo:

"Domani mi accompagnereste a fare una gita al mare?".

Io e Dimitri, con la gola secca, rapidi come i puma:

"Capri, baronessa? Subito".

Ci guarda come se avesse visto due grossi topi. Schifatissima.

E intima:

"Ma che tasso di volgarità devo udire! Capri! Buona per quegli sciagurati dei miei figli. Terra di lascivia e perdizione. E poi, soprattutto, volgare, volgare, volgare ed esibizionista. Invece vi farò scoprire quello che nessuno ancora conosce".

Eravamo appesi alla sua bocca, perché speravamo almeno in Ischia e invece lei tuona nell'ingresso, raggiante come una fata a cui è riuscito l'incantesimo:

"Ventotene".

Io e Dimitri ci guardiamo. Giuro che era la prima volta che sentivamo questo nome. Per noi poteva anche trovarsi in Spagna.

La sera ci chiniamo sulla carta geografica e localizziamo questo luogo esotico al largo del Lazio mentre le sorelle mie e di Dimitri, molto gentilmente, raccoglievano il danaro per consentire di andarci, visto che, ci si poteva mettere la mano negli escrementi, la baronessa non ci avrebbe pagato il biglietto del battello neanche se avessimo minacciato di affogarla.


Altro che gitarella. Si sfida un mare forza sette. Che neanche al largo del Pacifico. Il battello esce ed entra dalle onde a intermittenze irregolari. La terraferma appare come un sogno e poi scompare dietro i muraglioni d'acqua nera e infida. Il vento non è un vento. Sono colpi di fucile, ininterrotti, cattivi, urticanti.

Dio non ci aveva visti. Gli eravamo sfuggiti, quel giorno.

Siamo gli unici tre stronzi sul battello. Gli unici che non sapevano che non era proprio il caso, oggi, di andare per mare.

Eleonora ha dimenticato in un istante tutto il pedigree nobiliare che la assilla da quattro secoli. Finalmente libera, vomita producendo suoni sconosciuti agli umani, agli studiosi di queste cose, ai medici, agli animali più selvaggi della giungla. Io e Dimitri ci diamo il turno a chi le deve mantenere la fronte. Si sforza talmente tanto che un paio di volte rischia di finire giù dalla balaustra dritta nei cavalloni.

Ha già regalato al mare un'insalatina e quel po' di merluzzetto della sera prima. Ora gli elargisce residui di bile giallastra. Sono due ore che vomita. Noi siamo esausti. Come se avessimo spostato i mobili.

Però, ad un tratto, l'incredibile, a meno di un miglio da Ventotene il mare si placa. Diventa un lago. Si torna alla vita. E Ventotene, vista dal mare, appare come un'abbazia appena terminata. Mai toccata da nessuno. Ci sentiamo dei pionieri.

Scendiamo a terra. Non c'è niente e nessuno. Solo capanne di pescatori. Attraverso cumuli di nubi spunta un sole caldo. Ci inerpichiamo lungo una salita. Sbuchiamo in una bella piazza. Con una chiesa semplice, essenziale. Ci piace. Non è Capri, ma ci piace. Io e Dimitri ci guardiamo, contenti. A ripensarci, ci sarebbe piaciuta qualsiasi cosa. Perché era un'avventura. Ed era la prima volta. Appaiono, deliberatamente incuranti dello straniero, tre contadine che stanno guadagnando qualche campo poco distante. C'è un bar, ma è chiuso. C'è una imitazione di una trattoria, ma è chiusa. L'isola sembra svenuta. È mezzogiorno. La baronessa sta riprendendo colorito. E ha fame. Ma non si può mangiare nulla. Mentre vaghiamo a caso, io e Dimitri estraiamo due panini col salame che ci avevano preparato la sera prima quelle sante delle nostre sorelle. Eleonora lancia delle occhiate sordide alle nostre merende. Io elaboro un pensiero netto e preciso: quanto è vero la madonna oggi ho l'occasione per vendicarmi di tutti i bicchieri d'acqua che questa maledetta non ci ha mai dato.

Dimitri mi umilia. Candido si rivolge ad Eleonora:

"Baronessa, facciamo a metà".

E strappa un pezzo di pane e glielo allunga. Lei ringrazia sorridendo coi bei denti.

Io, per non sfigurare, faccio lo stesso.

Risultato, la baronessa, facendo le somme, si mangia un panino intero. Io e Dimitri due metà.

Spuntiamo in alto, di fronte all'isolotto di Santo Stefano, sormontato da un carcere tetro e tufaceo. C'è un silenzio arcaico. Il mare è calmissimo e non produce nessun rumore. Se si allunga l'orecchio, si arrivano a sentire i rumori della quotidianità dei carcerati. Il vociare, le posate che tintinnano, qualche pallone che rimbalza. È un coacervo di rumori rassicuranti che ti dicono che c'è vita là dentro mentre qui, a Ventotene, dove c'è la libertà, il mondo si è assentato. Lavora nelle campagne. Occulto. Come il massone.

Io, Dimitri e la baronessa siamo gli unici tre turisti. Procediamo stentati lungo una discesa intrisa di ciottoli e polvere. Rischiamo di cadere. Barcolliamo come gondole nel mare. Poi, emancipati come i passerotti, ci ritroviamo dentro un magnifico spettacolo. La spiaggia. Tutta per noi. Si assapora la libertà. Si frequenta con discrezione un'altra sfumatura della nostra già ampia spensieratezza. Ci lasciamo cadere sulla sabbia. La baronessa si mette a leggere il giornale. Io e Dimitri non ci pensiamo su due volte. Ci togliamo i vestiti, il costume lo abbiamo messo sotto a Napoli. Corriamo come due cretini e via col tuffo scomposto. E gli schizzi. L'acqua è fredda. E limpida come quella del rubinetto della baronessa che però non abbiamo mai avuto la fortuna di vedere. I pesci che ti sfiorano. Una roba che finirà presto. Urliamo e sbraitiamo come scemi. Liberi. Liberi. Liberi di che non si sa. La baronessa ci guarda. Sorride. Noi le sorridiamo e la salutiamo platealmente, come in un finto addio.

Poi all'improvviso, da dietro la punta, appare una barchetta bianca a motore. Si avvicina alla spiaggia. Alla guida c'è un uomo sulla trentina. Spegne dolcemente il motore e scivola senza soluzione di continuità sul bagnasciuga. Con un salto energico è giù dalla barca, la cima in mano. Attorciglia la corda vicino a un masso. Dimitri mi tocca con insistenza un braccio. Non capisco cosa vuole. Mi volto. Con lo sguardo mi invita a guardare meglio. Io guardo meglio e non ci credo. L'aitante trentenne è completamente nudo. Non riesce a durare a lungo il mio stupore di diciassettenne, perché ne deve subire uno ancora più violento. Lancinante. Come un boa che esce dall'otre, si solleva dalla barca una ragazza della cui esistenza non eravamo a conoscenza un istante prima.

È completamente nuda anche lei.

È l'apocalisse.

Non so la penisola, ma io e Dimitri avemmo una sensazione chiara e netta di fronte a quella visione: ci sembrava di esserci agganciati, in un colpo solo, al mito della modernità. E ci piaceva assai.

Le avevamo viste solo sui giornali, ma ora ce la avevamo in diretta la percezione sicura che quella ragazza era una mannequin. Perfetta. Una suggestione dell'altro mondo. Era Ventotene negli anni cinquanta e a noi sembrò di ritrovarci, che so, a Malibu, a Saint-Tropez, luoghi impossibili da raggiungere anche con i soldi e la buona volontà. Restiamo paralizzati. Non riusciamo a distogliere lo sguardo. Siamo pietre, adesso. Siamo morti, con le pacche nell'acqua e il costume bagnato. Dimitri si fa pipì sotto.

I due nudisti neanche si accorgono che esistiamo. Disinvolti e rilassati, si lasciano andare distesi sulla spiaggia. Si prendono il sole a trecentosessanta gradi. È talmente abbacinante e utopistica la visione di quella ragazza completamente nuda che non siamo attraversati da nessun impulso sessuale. Almeno per il momento. Troviamo la forza d'animo per distogliere lo sguardo da quello spettacolo e lo volgiamo timidamente alla baronessa. Anche lei si è accorta della coppia ma, contrariamente a quello che ci aspettavamo, non è turbata, non è indignata, non è sconvolta. Solo, semplicemente, sta guardando anche lei una cosa che fino allora non si era mai vista e forse neanche immaginata: un uomo e una donna nudi in pubblico. Poi, la baronessa riprende a leggere il giornale.

Noi, muti, vaghiamo molli lungo l'acqua. Come cavallucci marini. Gli sguardi bassi. Meditabondi, concentrati come Platone, ma senza elaborare nessun pensiero, solo parole interrotte nella mente. Spaesati. E tristi. La vita cambiava in diretta, sotto i nostri occhi. Si evolveva. E noi ancora maledettamente vergini. Eravamo rimasti indietro. Immaginavamo la fine della giornata di quei due, caldi e abbronzati sul letto di una stanza col balcone. E tutto un repertorio sfocato di affari sessuali che non ci riguardava. Allora ci mettemmo a soffrire. In una maniera così dolorosa che non abbiamo mai più sofferto come quel giorno a Ventotene.

Sbirciavamo quelle nudità intonse, scure di melanina, ormai addormentate, in preda alla languidezza e passeggiavamo lungo la riva, guadagnando metri preziosi per scrutare meglio i peli neri e sabbiosi di quella beltà. Erano proprio peli, per dio. Un pensiero che non riusciva a finire di stupirci. E facendo su e giù per due ore non ci rendemmo conto che eravamo diventati tizzoni ardenti. Rossi come il vestito di carnevale del diavolo.


Tornammo a Napoli il giorno stesso.

All'esterno, sul battello, lungo un mare lacustre, immobile, finto. Tutti e tre seduti affiancati. Muti e sconvolti, fissavamo il nulla davanti. Pochi cazzi. Le cose stavano per cambiare per la prima volta. Era nell'aria. Niente sarebbe rimasto più come prima. Lo si percepiva. L'innocenza, da qualche parte, ci stava per salutare, o ci aveva già salutati. A noi e alla baronessa. Le magliette, a causa del calore dei nostri corpi scottati, si erano attaccate addosso, come colla. Così come si era attaccata la vita vera. L'avevamo così desiderata, ma così tanto, che ora che era arrivata, non sapevamo esattamente cosa farcene.

Ci sentivamo soli. Morti. Responsabili. Adulti.

C'è da ridere, nel rivederlo prospetticamente oggi. Perché, osservato dal pulpito dell'odierno, era successo poco e niente.

Cercai di scuotere quell'immobilismo nel quale eravamo finiti. Mi alzai, lento e imbambolato andai alla balaustra.

Guardai di sotto, il mare in movimento. C'era uno spettacolo sconvolgente. Un tappeto di meduse. Miliardi di miliardi. Tutte attaccate tra di loro, come naufraghi impauriti e sopravvissuti. Scintillavano attraverso la gelatina trasparente. Non chiamai né la baronessa, né Dimitri. Lo volli tenere tutto per me quello spettacolo. Per ricordarmi per sempre di quel giorno incantato. Che però non era ancora finito. Perché quando le ciambelle vengono col buco, puoi mangiare tutto il pacchetto.

Dunque, sentite qua.


Sto finalmente sdraiato a casa nel letto dopo la gita a Ventotene. Sotto le coperte. È tarda sera. In preda a un'insolazione fulminante che mi fa veleggiare, ritengo, verso un irreale trentanove di febbre. Mi tormento il pisello rimpicciolito dalla temperatura alta e dunque non mieto successi. Con l'immagine stampata in testa, come un quadro sulla parete, di quella mannequin nuda sulla spiaggia di Ventotene, quando mia madre approda nella stanza e verbalizza con gentilezza:

"C'è quel cretino dell'amico tuo Dimitri al telefono".

Mi trascino controvoglia nel corridoio. Sono sicuro che ha ripreso i sensi e vuole commentare all'infinito lo spettacolo, mentre io preferirei replicarmelo in testa con me unico spettatore.

Afferro la cornetta e invece lui fa:

"Dobbiamo andare dalla baronessa, adesso".

"E perché?"

"Le è entrato un pappagallo in casa che vola impazzito e lei sta per morire dalla paura."

Io sbuffo e impreco in sei modi diversi.

Lui prima di chiudere dice:

"Vediamoci al museo tra mezz'ora".

Do un calcio al battiscopa. Mi hanno interrotto il film al momento del colpo di scena. Il colpo di scena è la mia sacrosanta eiaculazione.

È mezzanotte. Arrivo al rione Sirignano. Busso alla porta della baronessa. Mi apre Marcello il maggiordomo, con un candelabro che ospita tre candele striminzite. Sembra Dracula.

Io dico:

"Che? È andata via la luce?".

Lui:

"No, risparmiamo".

Non sono mai stato di sera a casa della baronessa. Tutta un'altra storia. Altri panorami. Una tenebra. Mi irrigidisco e ho paura. Penso ai fantasmi in bicicletta.

Balbetto:

"Dimitri è arrivato?".

E Marcello:

"Ha chiamato. Dice che non viene. Che sta stanco. Ha detto pensaci tu al pappagallo".

Scelgo mentalmente l'arma più efficace e che mi fa meno impressione con la quale uccidere l'indomani Dimitri.

Rientro nella realtà e dico:

"E dove sta il pappagallo?".

"Pare, nella biblioteca."

"Andiamo insieme."

"Ho paura."

"Perché io no Marcello? O ti pensavi che ho familiarità coi pappagalli che fanno le violazioni di domicilio?"

"Va bene, ma vai avanti tu."

"E perché?"

"Perché tu sei giovane. Io no."

Il ragionamento non fa una piega. Ci appropinquiamo. Io e il vecchio Marcello. In preda ad un terrore di marmo. Valichiamo un numero imprecisato di stanze, illuminate fiocamente da quel candelabro. Si esaurisce il mozzicone di una delle tre candele. Si vede ancora meno di prima. Tutto fa paura, pure i divani e l'argenteria sui tavolini.

Chiedo, poiché il silenzio mi terrorizza:

"E la baronessa dove sta?".

"Si è chiusa nella sua stanza da letto. Ha paura."

Io lo intrattengo e mi intrattengo:

"Ma avete lasciato qualche finestra aperta?".

"Qua le finestre non si aprono da un paio d'anni."

"Ma da dove cacchio è entrato 'sto pappagallo?"

"Mistero" dice lui "come molte cose di questa casa."

"Così non mi aiuti, Marcello. Se continui su questa linea di risposta prendo e me ne vado" dico in preda a una paura pura, limpida e cristallina.

Poi commetto un errore gigantesco. Imperdonabile. Domando:

"Si sono sentite oggi le biciclette sul tetto?".

E lui, con una semplicità disarmante:

"Certo che si sono sentite. Si sentono tutti i giorni".

Sto per morire. Mi sono cacciato in un dialogo senza uscita.

Imploro:

"Vabbè, però si sentono di giorno, mica di sera?".

Lui non lascia cadere, insegue la precisazione e si fa solerte:

"No, no, alle volte si sentono pure di sera".

Ho la lingua avvolta in un jeans. Dico con la tonalità dell'ischemico di fresco:

"Stasera no, però?".

Lui, implacabile:

"Mi pare di sì, invece".

Mi faccio definitivo:

"Marcello, mi sto fottendo dalla paura, io accendo la luce".

Non me la conta giusta, perché, serafico, consiglia:

"Sì, sì, accendi pure. Te la sei portata la lampadina?".

"Che significa?"

"Significa che la baronessa le ha tolte tutte da mezzo le lampadine, perché le cameriere accendevano di nascosto."

Rifletto lucidamente e mi dico mentalmente: stasera strangolo la baronessa, domani Dimitri. E lo penso seriamente, mica scherzo.

Nel frattempo, la febbre da insolazione mi è svanita dentro.

Finalmente approdiamo alla lugubre biblioteca. Siamo

oppressi da librerie di legno scurissimo che contengono enormi volumi scurissimi. Insomma, una bara di settanta metri quadrati. A terra, meravigliose piastrelle a scacchi bianche e nere. Ma con questa luce, anche le mattonelle bianche sembrano nere. Un mausoleo.

Io e Marcello siamo sospesi come due barche senza bussola in mezzo alla stanza quando un sibilo ci sfiora le orecchie facendoci gustare il sapore di ciò che accade subito prima dell'ictus.

È passato vicinissimo, veloce come un condor, il pappagallo. Poi, un rumorino sordo ci lascia intuire che è rimbalzato contro il vetro della finestra.

Silenzio.

Lungo.

Macabro.

Mi faccio ottimista:

"Sarà morto. Hai sentito che botta?".

Marcello si fa pessimista:

"Non ci scommetterei".

Naturalmente scopro l'acqua calda quando dico che in questa vita i pessimisti hanno sempre ragione e gli ottimisti sempre torto.

Infatti non solo non è morto, ma non è neanche un pappagallo.

È qualcosa che io non auguro di incontrare neanche a Dimitri o a Mussolini se fosse ancora vivo.

Perché è un pipistrello. Impazzito. Selvaggio.

E ora ha il radar malandato che sta dando i numeri, perché percepisce ostacoli e pareti dappertutto e gli suona nel cervello ogni mezzo secondo. Dunque, l'animale si palesa nuovamente e prende a volteggiare e a sbattere dovunque, lasciandoci morire lentamente a tutti e due dalla paura. Io e Marcello ci accovacciamo all'unisono, come in una gara a chi si fa il bidet più velocemente. Ma anche accosciati percepiamo un pericolo troppo imminente. Cosicché, scomposti, repentini, improvvisi, ci sdraiamo letteralmente per terra. Ma nel compiere questa operazione Marcello commette un errore che mi fa venire voglia di piangere.

Si lascia cadere da mano il candelabro e le due candele si spengono.

Ora, buio totale. E quell'essere maledetto che continua a volteggiare come Satana. Come cazzo si fa adesso? Non ci può salvare nessuno. Neanche il fantasma in bicicletta saprebbe come cavarsela.

"Che facciamo?" ululo io con un piede nella fossa.

Marcello, nell'oscurità, mi dà una risposta che poi, semplicemente, diventerà una delle poche barzellette non sconce, ma molto in voga.

Mi dice serio:

"Dobbiamo aspettare che muore di vecchiaia".

Non rido.

Ma quello, il pipistrello, ha altri progetti piuttosto che morire di vecchiaia. Opta per un'altra scelta. Si lascia andare in picchiata e si ferma direttamente nei miei capelli. Si è impigliato. Lui non sa come uscirne. Io non so come uscirne. Vedo il coma nei paraggi, tanto è il terrore che mi sta avviluppando. Mi scalmano, come un tarantolato. Piango veramente, adesso. La breve vita che ho vissuto mi si srotola davanti agli occhi in pochi istanti, culmina nella bella immagine della bellezza nuda di Ventotene e muoio. Ma invece non sono morto. Sono solo svenuto.

E allora si ristabiliscono degli equilibri. Perché non si diventa maggiordomi per caso. Si diventa maggiordomi perché si è in grado di risolvere una pletora di problemi piccoli e grandi. E allora quando riprendo i sensi, riprendo anche a tornare a vivere normalmente. Scorgo dal pavimento Marcello seduto all'indiana. Illuminato dal candelabro che ha ripristinato. E piange. Io sono smarrito. Piange come un bambino e si guarda le mani. Guardo pure io. Tra le mani ha il pipistrello. Morto. Mi dice con una partecipazione commovente:

"Tony, ma non ti fa una grande pena?".

"Molta" dico io permeato di una felicità che mi risplende di nuovo in tutto il corpo.

Ci solleviamo, puntiamo la spazzatura in cucina per buttarci dentro il cadavere del pipistrello quando un vocione baritonale tuona come dall'aldilà e dice:

"Carissimo". Con otto "s" strascicate.

Marcello mi guarda e dice professionale:

"La baronessa ti vuole ringraziare. Vai. Tieniti il candelabro, che io me ne vado a dormire".

In un attimo, non c'è più. Sono solo. Nel silenzio fermo di questa casa che sembra un museo coi sarcofaghi egizi. Vorrei morire, o più semplicemente andare a casa. Ma ero tanto giovane, la cappa della buona educazione incombeva ancora su di me. Solo più tardi scoprirò le mille risorse della maleducazione come sistematico stile di vita. Dunque, devo raggiungere la baronessa nella sua stanza da letto. Naturalmente, l'ultima stanza della casa. Attraverso l'appartamento maestoso. È un viaggio, talmente che è grande. Infatti i figli, quando vivevano con lei, lo giravano tutti in bicicletta.

Stremato dalla paura, finalmente arrivo alla sua stanza.

"Vieni dentro" dice lei.

Mi rincuoro un pochettino. Un altro essere umano. Entro. Appoggio il mio candelabro su un trumeau e quella è l'unica fonte di luce.

"Siediti sul letto" mi dice lei, adagiata mastodontica al centro del baldacchino, coperta per metà dalla trapunta, inguainata in una camicia da notte marrone e pesante, attraversata da arabeschi incomprensibili per uno come me.

Mi siedo sulla punta, compunto come un impresario di pompe funebri.

"L'avete catturato?" chiede lei.

"Alla fine sì" dico io.

"La fine? Ma è solo l'inizio" dice lei.

Io non capisco. Apro la bocca per chiedere delucidazioni ma lei mi anticipa intimandomi:

"Mi hai portato le marrons glacés?".

Guarda cosa si mette a pensare questa scalmanata. Noi vicini alla morte durante il safari e lei ad aspettare le castagne con lo zucchero da sopra, come se niente fosse. Ma resisto con l'arte della diplomazia e dico:

"I negozi erano chiusi".

Non ci crede. La golosità le ottunde il cervello. Ha smarrito qualsiasi senso della priorità.

Con rassegnazione capricciosa, flauta:

"Il Gambrinus resta aperto fino a tardi. Il Gambrinus le teneva le marrons glacés".

Provo a nascondere tutta la mia irritazione:

"Non ce n'è stato il tempo. C'era il problema del pappagallo".

"Ah già" dice lei.

Poi vira sull'inaspettato:

"Prendimi la spazzola dal comò".

Eseguo. Mi avvicino a lei. Le porgo la spazzola. Lei non la prende. Si tira a sedere in mezzo al letto. Solleva le mani e si scioglie i capelli che io ho sempre visto raccolti. Rivela una chioma liscia e lunga che le arriva fin giù al culo. La novità mi riempie di una strana meraviglia. La meraviglia di quando l'intimità si frappone repentinamente in mezzo alle persone abituate da tempo ai rapporti formali. Mi sorride con i bei denti e ordina:

"Spazzolami".

Mi tremano le cosce, ma ora non per la paura.

La circumnavigo. Mi siedo dietro di lei. Lei si china in avanti per porgermi i capelli. Intravedo, attraverso la camicia da notte, l'attaccatura di un seno grande. Nel piegarsi leggermente in avanti, i seni le si adagiano sulla pancia. Confondendosi tutto insieme: seno e pancia. Rotondità contro altre rotondità.

Il mio pene assume le sembianze e la consistenza del martello. In un secondo.

Attacco, impacciato, a spazzolarle i capelli infiniti. La mia coscia urta a tratti contro il suo coccige. Spazzolo per molti minuti, tanto che mi fa male il braccio. È una ginnastica.

Lei non dice niente. Non fa niente. Non lascia trapelare niente. In nessuna direzione.

Io ho il cervello che va a tremila. Formulo tutti i pensieri e tutti i loro contrari. Mi faccio illusioni di natura sessuale per poi, un istante dopo, deludermi da solo. Mi dico, ma sei pazzo, sei un visionario, una vittima della tua fantasia, figurati se la baronessa... una nobildonna... una persona vicina ai sessanta, una madre, una nonna, un'intellettuale, una donna con una reputazione che se ne parla fino a Vienna, ma dove ti avvii, Tony Pagoda?

Insomma sto riprendendo contatto con la realtà e mi convinco che sono lì unicamente perché la baronessa aveva voglia che qualcuno le spazzolasse i capelli.

Infatti lei mi dà conferme e dice neutra:

"Bene così, bravo carissimo, può bastare".

Ecco. Mi alzo in piedi. Poso la spazzola sul comodino e penso solamente che ora mi tocca attraversare a ritroso quel corridoio gravido di tenebrosità. Mi consolo mentalmente con l'idea che questa volta lo attraverserò di corsa, quando lei interrompe i miei pensieri con questa frase:

"Ora Tony, prendi di nuovo la spazzola e pettinami i peli della spaccatura".

Io la guardo con la stessa guisa con la quale si guardano, se non siete meccanici, i motori delle automobili quando si rompono. Cioè con mistero. Proprio il mistero crudo e semplice. Ma cosa significa spaccatura? Ha per caso una feritoia sul capo della quale non mi sono accorto prima? Glielo domando:

"Cosa intende, baronessa, per spaccatura?".

Lei mi guarda con un sorriso nascosto. Si lascia andare all'indietro alla spalliera. Tira su la camicia da notte di poco e lentamente. Spalanca le cosce grasse. Non ha le mutande. Io fisso al centro un imbuto nero e grande come la sua biblioteca. Una cloaca buia, ha in mezzo alle gambe. Sento, all'istante, provenire da dentro di lei, l'odore inconfondibile delle Isole Pontine. Poi lei, con un dito occluso da un diamante regalatole dal marito per le nozze d'argento, mi indica la superfessa e abbandona qualsiasi preambolo o metafora dicendo:

"Questa, è la spaccatura".

Dio esiste.

E gli sono tornato in mente.

Il martello pulsa. Ritmico. In quattro quarti. Come un cuore.

Di colpo, scopro di possedere un certo sangue freddo che mi accompagnerà poi nella vita nelle cose di sesso. Perché, senza fare una piega, senza essere vittima delle emozioni, semplicemente prendo la spazzola dal comodino, mi adagio in mezzo alle sue gambe e, con un'attenzione artigianale, inizio dolcemente a separarle a destra e a sinistra i suoi peli, lunghi come linguine al nero di seppia.

La sento che gode. Emette dei versi a volume più contenuto, ma identici a quelli che faceva sul battello quando vomitava.

Naturalmente, immagino che stia godendo perché a me e a Dimitri nessuno ce lo ha spiegato cosa è il godimento femminile.

Ridacchio nell'intimo. Ripenso a quel deficiente di Dimitri che si sta perdendo lo spettacolo che attendevamo da anni. Uno spettacolo che non delude.

Io spazzolo. In attesa di nuove istruzioni.

Poi sento il diamante che mi picchietta sulla testa. E poi tutta la sua manona che me la prende la testa e me la spinge in quel burrone nero che è la sua vagina. Ci ha ancora il sapore del mare di Ventotene. Anzi, le deve essere rimasta addosso proprio l'acqua del mare, penso dall'alto dell'esperienza dei miei diciassette anni dell'epoca, perché mi sto bagnando tutto il viso. Si contorce, ed è come assistere a una nave da crociera che fa manovra nel porto. Ulula sconnessa e, in mezzo ai versi rochi, mi pare di udire un nome. Sì. È proprio un nome.

"Vittorino" dice.

È il nome del marito.

"Vittorino, finalmente sei tornato" ribadisce.

Poi mi afferra per un braccio e mi tira su di sé. Mi consente, così, di respirare nuovamente come gli altri esseri viventi. La candela lancia una luce che cozza e riflette contro il suo diamante illuminandola un poco di più. Sono adesso a un centimetro dal suo viso.

La realtà. In tutta la sua cattiveria. Perché ora realizzo

chiaramente che è una donna brutta. Lei se ne accorge di tutti questi miei pensieri perché mi viene in aiuto con una frase che mi prolunga l'erezione:

"Non pensare che sia io. Pensa che sono quella ragazza di oggi sulla spiaggia".

Anni dopo, da adulto, ripenserò a questa frase. Con una tenerezza inaudita. Una instancabile commozione.

Invece, con quella frase, una cosa l'ho capita subito, fin dalla prima volta: solo le donne sanno cosa è il sesso. Gli uomini si arrabattano. Goffi e perennemente imbranati, anche quando hanno posseduto settemila donne. Nelle cose di sesso, gli uomini restano eterni dilettanti.

È così che stanno le cose.

Ma sempre con quella stessa frase, la baronessa mi fece comprendere quante pene e quante umiliazioni sanno infliggersi gli esseri umani per ottenere un barlume di piacere, un sollievo. Un violentissimo omicidio della propria dignità, quelle parole della baronessa. Stavo capendo un sacco di cose in una volta sola.

Poi scivolo nella grande fessa. Lei mi dà il ritmo con la sua mano. Il diamante mi affonda nella pelle. Mi sta regalando la lezione numero due: come si fa all'amore. Mi muovo per sei secondi, durante i quali mi è parso di sentire le biciclette che si muovevano sul tetto e poi vengo come, da solo, non ero mai venuto. Mi spalmo su di lei ed è come stendersi su un letto che sta sopra un altro letto, quello vero. Sono esausto e felice. Perché mi sono liberato dell'incubo della verginità, in sei secondi.

Questo è quanto. È la baronessa Eleonora Fonseca che mi ha messo al mondo a me. Che mi ha consegnato alla vita adulta.

Io, esanime sulla sua vastità, ritrovo un respiro regolare, quando lei mi prende dolcemente per il collo, come un pipistrello, per liberarsi del mio ingombro sul suo corpo. Mi invita dunque a starmene affianco a lei. Ora mi vuole insegnare anche come si gestisce il dopo. Ed è la terza lezione, e forse è addirittura più sorprendente, a ripensarci, della inaspettata, improbabile attività sessuale alla quale abbiamo dato vita. Perché si allunga nel buio verso il comodino, dandomi le spalle, e riappare nella luce fioca con un piatto. Io sono commosso, penso che per la prima volta da quando la conosco sta per offrirmi qualcosa di rifocillante. Che so, un mandarino, un caffè, una fettina di torta. Invece sono deluso, perché il piattino è vuoto. No. Fermi tutti. Guardiamo bene. Non è vuoto. C'è della roba bianca. Io penso, ma certo, come ho fatto a non capirlo prima, dopo le fatiche dell'amore ci vogliono gli zuccheri per riprendersi. Durante questo pensiero ebete, lei si è procurata chissà dove una cannuccia d'oro e se l'è infilata in una narice. Poi si china sul piatto e fa scomparire una parte della roba bianca. Mi passa la cannuccia. Io non vedo l'ora di imitarla. Sono così ingenuo che arrivo addirittura a pensare che mica lo sapevo che lo zucchero si può prendere anche per vie nasali.

Mi chino sulla polvere bianca e lei mi anticipa:

"Carissimo, non fare lo sbaglio che fanno tutti la prima volta. Non devi soffiare. Devi tirare".

Non sbaglio. Apprendo subito in cose di cocaina, come ben sapete.

Si rilassa. Chiude gli occhi. Faccio lo stesso. Poi mi parla:

"Se tutto questo lo racconti a qualcuno, io ti faccio uccidere dai fantasmi con la bicicletta".

Ora sono definitivamente adulto. Perché non mi ha insegnato solo il sesso, ma anche un'altra cosa fondamentale: il segreto.


La sera stessa, con il petto farcito di orgoglio, mi precipito sudato e trafelato a casa di Mimmo Repetto. Sono le due di notte. Busso alla sua porta. Mi apre. Indossa lo smoking. Dal salone sento voci di amici suoi che si trattengono amabilmente. Non mi fa entrare. Si lascia cadere la cenere da una sigaretta organica alla sua bocca. Mi guarda in faccia. Mi legge dentro, tanto per cambiare. Mi sorride come un padre e mi dice:

"Sì, ho capito, finalmente sei un uomo fatto. D'accordo,

ti farò scrivere qualche canzone per me. Ma mo' non ti atteggiare. Non ti credere di aver capito chissà cosa con mezza chiavata. Ci vuole la morte negli zigomi per capire veramente le cose. Hai capito, Pagodina? Ricordatelo! La morte negli zigomi!".

Questo era Mimmo Repetto.

Gli altri erano una coppia di nudisti di Ventotene, Marcello il maggiordomo, la baronessa Eleonora Fonseca, Dimitri il Magnifico. Quell'altro, là in fondo, nella foto sbiadita, ero io, quando ero ancora felice.

# 10.

*Piove*
*si squarcia il cielo*
*e cade il mare.*

RICCARDO COCCIANTE

Ad un certo punto, del tutto improvviso, dopo una vita fissata a terra col cemento, avverti senza motivi fondati, che si sta abbattendo la fine di un periodo. Dagli e dagli, poi lo capisci, che il gesto si fa meccanico, la battaglia stanca. Gli uomini limitrofi alla tua esistenza, amici e conoscenti, prima erano uomini, ora sono comparse diafane. Li attraversi come se si fendesse l'aria. Sono trasparenti.

Hanno perso, ai tuoi occhi, motivo.

Le esperienze, che un tempo ti portavano una gioia, ora si fanno noia e delusione. L'esistenza ti sfugge di mano per il semplice motivo che l'hai vissuta già tutta quanta. Allo stesso tempo, però, ti butti davanti allo specchio e vedi che sei ancora vivo, non hai ancora cent'anni, ma avverti un peso totalitario di come se ne avessi cinquecento di anni. Non sai cosa fare. È una brutta febbre. Ci vorrebbero intelletti lucidi e sorvegliati, allora, per operar decisioni. Ma vi state rivolgendo alla persona sbagliata. Ci ho il luna park in testa come nella domenica all'ora di punta, miliardi di bambini vivacissimi che mi fanno casino nella testa e residui a quintali di coca assunta senza pause che non sono riuscito a smaltire di nessuna maniera. Neanche col lavaggio del sangue che mi feci a Losanna spendendo una cifra inaudita che se ci penso, anche se è notorio che non sono un tirchio, non posso non rammentare come uno degli episodi più dolorosi della mia vita. Forse mi tradì il gioco delle aspettative. Credevo che dopo il lavaggio del sangue avrei potuto, allegro e spensierato come Heidi, ricominciare come dalla prima volta che mi feci i primi quattro grammi tutti insieme. Avevo venti anni ed ero uno splendore di giovanotto. Invece manco col cazzo che era così. D'altronde, il medico svizzero me lo aveva detto senza giri di parole e termini scientifici. Con una sincerità elvetica sospetta, mi aveva puntato un indice longilineo assistito dalle seguenti:

"Amico mio, voi vi dovete dare una calmata vera. Voi state messo peggio di tutte le rock band inglesi messe insieme che vengono qui un mese sì e un mese no". Questo mi disse, dandomi sinistramente del voi. Ma io pensai che si trattasse del consueto allarmismo pessimistico della medicina occidentale. Prevenzione esagerata e terroristica, mi raccontai.

Col cazzo. Aveva ragione lui. Uscii da lì che mi sentivo tale e quale a prima. Forse pure un poco peggio. Cioè una pezza col Vim liquido da sopra. Pesante, duro e spossato come la mozzarella andata a male. Il sangue, anche se fondamentale, ha poco a che fare con il tuo stato d'animo. Lavorano in reparti separati.

Insomma, alla luce del quadro clinico e psicologico del sottoscritto, come pretendere un'organizzazione razionale dei fatti e del pensiero da me. Follia o ambizione smodata. Siamo d'accordo almeno su questo? Eppure lo sento, sta venendo su proprio come uno di quei mal di denti che la prendono alla lontanissima prima di dirti: ti farò lentamente un culo di dolore così, grande come una villa, insomma lo sento che sta venendo su lentamente questa sensazione che qualcosa sta finendo. Sono al capolinea di qualcosa. Intendiamoci, non sto facendo il tragico, non parlo di morte e malattie. Parlo più terra terra. Ma persiste un'aria di fine. Una linea di malinconia mi sta anche attraversando dopo così tanto tempo che non può passare inosservata. La malinconia mi sta informando di qualcosa, ma non so di che.


Tutto questo lo imbastisco mentre faccio ritorno a piedi da Rituccia a casa. Sono le dieci, non fa freddo. La città esiste per gli altri sicuramente ma non per me. Anche questa è un'avvisaglia. Luoghi che conosco in tutti i loro battiti che, di colpo, mi sono estranei o, peggio, indifferenti. Ma che cazzo sta succedendo, Tony? Ho un po' di paura, adesso, ma una paura leggera, che non mi agita. Una paura decorosa e sopportabile. Che svolazza. Una di quelle paure che, questo lo so, se la prendi per il verso giusto si può tramutare in una riscoperta della vita. Un volano nuovo.

Un parcheggio ricolmo di tassisti. Mi riconoscono tutti. Si sbracciano, mi elargiscono sorrisi e icastiche battute attraverso dentature discutibili, pronti ad offrirmi il passaggio anche gratuitamente. Dico no senza cattiveria, voglio continuare a stare sui miei piedi. Voglio l'appuntamento pacato coi miei pensieri lenti. Come uno qualsiasi. Sì, come uno qualsiasi. Svuotato e trascinato. Quei due tiri sulle scale non mi hanno fatto nulla, mi hanno lasciato anestetizzata la mandibola, ma tutto qua.

Fino a dieci minuti fa non volevo soltanto la mia vita, ma anche quella di tutti gli altri. Un'ingordigia solenne, per immergermi fino in fondo, nel dolore e nel piacere, nell'ordine e nella confusione. Volevo la vita di tutti gli altri, un paguro che deve fare punteggio. Adesso si barcolla in una mediocrità che, però, non riesco più a disprezzare. Ora sono ridotto al lumicino di me stesso. Ma sono ancora vivo. Che non è poco.

Napoli, le urla, i miei simili, odiati e amati fino a pochi istanti fa, tutto mi appare distante. Come un acquario che il proprietario non pulisce da anni. Sto perdendo qualcosa di naturale, qualcosa che non ti insegna nessuno, ma che semplicemente si produce, sto perdendo il senso dell'appartenenza. Ecco cosa cazzo sta succedendo. Finalmente mi si schiarisce qualcosa sotto gli altipiani di polvere bianca che tengo in testa. Ho individuato il problema e nel preciso momento in cui l'ho messo a fuoco mi attraversa una vertigine sensazionale. Un mondo nuovo. Si dischiudono, di colpo, oceani di prospettive. Non c'è ansia in questa vertigine, non c'è preoccupazione. Le cose si fanno, come poche volte nella stronza mia esistenza, elementari. Una successione logica pullula adesso. Hai perso il senso d'appartenenza con tutto ciò che era decisivo? Benissimo, è ora di trovarne un altro. Un altro luogo, altre facce, un'altra vita. Quattro lire da parte ci sono. Le avevo messe in banca per rifarmi i denti e un lifting. Pazienza, ponti e capsule aspetteranno ancora un poco. Non spaccheremo più le noci coi gusci e guarderemo circospetti tutto il torrone che mi piace tanto. Che cosa sono i denti nuovi e un viso liscio rispetto alla possibilità chiara ed esaltante di puntare un dito sul mappamondo e dire: vaffanculo il prima, ora me ne vado proprio qui. E tutto sarà una cosa nuova. Gesù, mi sta assalendo un'eccitazione infantile, come quando mio zio mi portò a pesca la prima volta sul canale di Procida insieme agli amici suoi che me li ricordo tale e quale che qualunque cosa dicessero era una cosa che aveva il sapore della simpatia e della risata. Un bambino non ha mai chiesto niente di più di una risata insieme agli adulti. Ti senti un altro. Ti senti compiuto. Questo vuole il bambino. La compiutezza prima del previsto. Vantaggio asciutto sugli altri bambini. Le gare dei bambini disconoscono la tregua. Sono a cicli continui, come i turni in ospedale.

Sì, Tony vostro aveva bisogno di una pausa e non l'aveva capito.

Come nella matematica, perdi il senso d'appartenenza e guadagni il risultato alla fine dell'esercizio. Un risultato chiamato libertà.

Replichi la sceneggiata del vitalismo fino alla nausea e poi la nausea della mediocrità ti aggredisce pori e cosce e te lo ricorda senza misteri: sei come tutti gli altri, né più né meno, hai voglia a sbatterti. Hai voglia ad ostentare i comportamenti atipici. Menala di qua e menala di là, le biografie diverse non ti hanno mai autorizzato ad essere diverso. Questo maledetto comunismo del corpo umano. Cambiano i numeri di anni che vivi, le modalità e i dialetti, ma c'è quel punto alla fine dell'imbuto nel quale confluiscono tutti. L'imbuto che spernacchiando ti dice: ma chi ti credevi di essere, grandissima faccia di cazzo! Vale per me, per noi, per voi, per loro, per Gesù Cristo e tutti gli apostoli.

Costeggio il rione Sirignano. E mi sfugge un'occhiata

languida a quel palazzo monumentale. Da mo' che è morta la baronessa Fonseca. Da mo' che è morta quella Napoli rattoppata degli anni cinquanta. Da mo' che è morto Pagodina, il ragazzetto che ero, tutto proteso, educato e pieno d'intensità. Sì. Sì. Da mo' che ci sarebbero gli estremi per cominciare un grande pianto di rimpianti e nostalgie e poi non finire più. Mai più. Calmo calmo Tony, non ti scuotere troppo, che pare che c'è ancora il tempo a disposizione.

Stiamo a vedere.

Scavalco piazza Sannazaro, uno slalom di automobili. Le nuvole si abbassano, senza preavviso, all'altezza del secondo piano dei palazzi. Come se stessimo sulla montagna alta. Un vento di mare a folate irregolari innalza carte oleose di arancini pieni d'olio e fa rotolare milioni di lattine di Coca-Cola e Fanta che poi, col tempo, avrà meno successo, ma nel frattempo quello che ha inventato la Fanta se ne sta col culo nella Jacuzzi. Non pensate a un miliardario texano. Quello che ha inventato la Fanta è napoletano. Io l'ho conosciuto una volta, volle che cantassi al battesimo del figlio. A tavola c'erano altre bevande, costose e inarrivabili. Ci ha i miliardi pure sotto ai rubinetti del bidet, l'aveva chiamata Fantasia, la cazzo della bibita, subito dopo la guerra. Poi trasformata in Fanta dagli americani che se la sono comprata. Sai che cazzo gliene fotte che gli hanno cambiato il nome. Lui ha inventato la ricetta e il copyright e intasca nevicate di banconote come un jukebox che non si rompe mai. Ma comunque.

Tutto rotola. Il vento interrompe la pigrizia degli alberi che ora si agitano come una compagnia di balletto, liberando nell'aria odori d'inverno che surclassano i tubi di scappamento. Mi faccio di smog e pollini. Il mondo si avvicina di nuovo a me e non lo conoscevo così. Qualunque cosa mi sta succedendo, comincia a piacermi. Ve lo giuro su Albertino, su mia figlia, ve lo giuro su chiunque, passeggio, sento il vento e gli odori degli alberi, e forse sta cominciando a piovere e io ho la netta, nettissima sensazione che mi sta piovendo addosso un nuovo senso della vita. Una folgorazione. Una tempesta di semplicità, proprio quello che mi ci voleva. Come mia madre. Un'altra folgorazione. Ammanettatemi. Quando dico mia madre, io lo so, sono schiavo. Ammanettatemi, se dovessi sfociare nella retorica più prevedibile, nel sentimentalismo più rosa e stucchevole.

Sono al riparo di niente. Io lo so. Perché mia madre. Perché, ancora, e ancora, mia madre. Insomma, l'amore non se lo sono certo inventati i cantautori. Poi lo hanno trasferito con sapienza commerciale sulla coppia moderna perché esso produceva un fatturato molteplice, agguantava il contingente, ma si stava parlando d'altro. Si stava parlando di tutte le nostre madri, in quelle canzonette. L'unico amore riconoscibile, che tocchi con tutto il corpo perché ci stai tutto dentro nella pancia. L'amore contenibile. L'unico amore che non è intercambiabile. Ecco qua. Quest'è.

Ma quando è successo? Quando, precisamente, si è consumata la spaccatura insanabile? Non possiamo continuare a far finta di niente e a non domandarcelo. Perché è successa una cosa enorme e dolorosa. Perché, quando riguardo quelle sette foto di mia madre, provo una nostalgia così mostruosa che vorrei morire di morte naturale lì lì senza troppi grilli per la testa? Vedo quelle sette foto dove io non ci sono. Non è una nostalgia prevedibile, diciamolo subito. Non è mancanza d'affetto di una madre che non esiste più. Non sono le recriminazioni sentimentali di un figlio a parlare. Non è questo. È altro. È il contenuto di quelle foto che mi sconvolge i sensi. Che sconvolge anche i sensi vostri perché anche voi ce le avete quelle foto, uguali sebbene diverse. Io, per quanto riguarda me stesso, lo so cos'è. Lo so cosa mi fa piangere sempre, ininterrottamente, anche mentre vado a comprarmi le sigarette o fingo di ridere alle battute di un amico. Lo so. È che in quelle foto alberga una cosa che poi a noi non è più appartenuta. La semplicità. In quelle cazzo di foto c'è, in tutto e per tutto, un concetto di vita semplice che a noi è sfuggito totalmente. Rendendoci l'esistenza un groviglio artificioso così scadente, ma così scadente.

C'è, nelle foto delle nostre madri, il piacere genuino e purificato della vita. Un godimento continuo quando le cose stanno così. Tutta la semplicità che rende la vita accettabile.

Accettabile, un sinonimo di felicità. Perché semplice non vuol dire elementare. Eh no cazzo, non confondiamo i concetti simili ma diversi anni luce tra di loro. È come se tutto ad un tratto, come in un complotto silenzioso ordito da noi stessi, ci fossimo messi a pensare che semplice volesse dire banale. Frantumando, in pochi istanti, uno stile di vita decente e vincente.

Che danni inenarrabili siamo stati in grado di eseguire.

E lì il Quartetto Cetra che ce lo ricordava con ritornelli dementi e noi a mandarli a fare in culo, a non crederci, a sputtanarli come precoci propaggini di senilità. E poi non abbiamo creduto neanche ai Ricchi e Poveri che urlavano mangiare, bere e divertirsi un po' e noi sordi, beffardi, ci prendevamo gioco di loro, ruttavamo sulle loro rime e sulle loro origini, lì a schiaffeggiare bonari i loro culi vispi, riconoscendo poi decenni più tardi che avevano ragione proprio loro, quelli che ci sembravano, semplicemente, scemi.

Non avevano l'autorevolezza per convincerci, solo dentature smaglianti. Pubblicitarie.

Bisognava credere ai caroselli, invece ci siamo fatti fottere il cervello dalle frustrazioni dei pensatori e noi, testardi e indefessi come api, abbiamo voluto farle a tutti i costi cose nostre, senza neanche capirle poi bene fino in fondo. Creando così un pastrocchio, uno di quei liquidi sughetti arrangiati scopiazzando la ricetta del grande chef. Che deficienti siamo stati. Ad un certo punto ci hanno detto che avevamo gli strumenti per risolvere noi stessi. Una bugia così mostruosa da produrre tossicomani a volontà e centinaia di aspiranti miliardari. Si volevano arricchire per accedere alla contentezza, i cazzoni, e hanno trovato galere ad ogni angolo di strada. Ascessi di solitudini riversate nelle griglie indistruttibili della mente. Ed invece erano proprio coloro senza autorevolezza che conoscevano il segreto. Ma è beffardo l'essere umano, alle volte. Si complica l'esistenza perché non ci crede che le cose possano essere lisce e scorrevoli. Perché, in quale momento preciso, abbiamo commesso questo errore di valutazione così grossolano? Chissà perché, mi domando senza trovare una risposta semplice che è quella che vorrei.

Le speculazioni complesse, in questo caso, mi sono del tutto non esaurienti. Sarebbe esauriente solo una risposta semplice, che però non arriva mai da nessuna parte. Morti i semplici, ci siamo affacciati noi, torvi, sinistri, finto tenebrosi del segreto della vita. Credevamo di essere diventati complessi, ma eravamo ruzzolati solo nell'essere complicati. Che è tutta un'altra storia, triste assai. Avevamo ancora un piede nelle risate delle corse al sacco delle nostre madri, una volta, ma ce ne siamo liberati per impigliarci altrove. Ci siamo impigliati nei night club e nelle università, sui primi yacht e nelle fabbriche. Questioni d'estrazione sociale, di frequentazioni, di furbizia e fortuna. Senza trovare mai niente, solo un mastodontico, martellante, incomprensibile disagio. Un lungo frastuono. Questo è stato. Ma adesso basta. Ora mollo tutto. Lo giuro sul bambinello nella capanna davanti al bue e all'asinello.

C'è voluta tutta un'intensa guerra della domenica per liberarmi da quel comodino vuoto nella mia testa. Sto pieno di semplicità adesso. È come andare da bambini la domenica lungo via Caracciolo in mezzo a mamma e papà. Io devo solo guardare il mare, sniffarne l'afrore e mangiarmi il tarallo caldo. Al resto pensano loro e comunque hanno poco a cui pensare. Un caffè, una trattoria con due primi piatti e la vita si compie una volta e per tutte. Per il bambino fatemi due maccheroni al sugo. Il vino della casa. Per dolce ci sta la zuppa inglese oppure una cosa esotica, ermetica: il crème caramel.

"Ma che cazzo è?" chiede mio padre quasi incazzato, impaurito dalla vita che verrà.

"Il crème caramel?" dice il cameriere orgoglioso col tovagliolo sul braccio e le scarpe sfondate da duemila chilometri percorsi avanti e indietro dentro la trattoria e, ponendo l'accento sull'ultima "e" di caramel:

"Ma è la rivoluzione" aggiunge.

Perché si credeva che una roba francese fosse sempre una rivoluzione. In effetti, la decadenza del mondo non è forse cominciata a partire da quel cazzo di crème caramel? Poi saremmo precipitati nel risotto allo champagne, inghiottiti dalle pennette alla vodka, addirittura il maltagliato al profumo di rose, consegnandoci al fallimento lucido, lineare. Il mondo cambia a seconda dei menu e noi che non ce ne rendiamo conto. Ma papà mi salva in calcio d'angolo ancora per un poco, non sente ragioni:

"Mio figlio si prende la zuppa inglese" sentenzia con la stessa arroganza di un dittatore sudamericano.

Anche se a me mi faceva cacare la zuppa inglese e ci avrei messo volentieri i denti sopra alla rivoluzione.

Dopo pranzo, andiamo a guardare due barche sul molo traballante di legno. Senza invidia, gli piacerebbe avere un gozzetto a mio padre. Quest'estate ne affitterà uno per un paio di giorni. Perché ci ha il mito della pesca, anche se non sa nemmeno da dove si comincia. Prenderà solo un paio di pinterrè a fine giornata. Un pesce scemo da zuppetta. Ma sarà una delusione sopportabile, da riderci sopra. Questa era la vita, che a noi, in maniera avventata e catastrofica, ad un tratto, ci è parsa una morte. Che facce di cazzo che siamo stati! Che altro aggiungere? Solo grandissime facce di cazzo. Ma io, quanto è vero la madonna, mi riapproprierò di quella roba. Senza sforzo. Mi bastano un aereo, una spiaggia, una baracca e un paese arretrato. Voglio buttare una rete e ne uscirò soddisfatto solo quando da quella rete non uscirà semplicemente niente. Mangiare, bere e divertirsi un po'. Io voglio quello che hanno sempre voluto i Ricchi e Poveri. Voglio vivere come il Quartetto Cetra. Voglio le tendine alle finestre. Voglio placare tutto il casino solo con una camomilla. Nient'altro. Voglio i baci dietro al collo e una certa discrezione nel fare l'amore. Io rivoglio i pomeriggi infiniti. E piangere al tramonto come Riccardo Cocciante. Voglio tutta la tenerezza che facevo finta che non servisse perché indice di debolezza. Liquidare le questioni con una mano quando sono troppo complicate, senza andarci dentro a piedi uniti. Voglio infilare gli occhiali da vista e guardare la vecchiaia.

Guardare la vecchiaia.

Per tutte queste ragioni, quando ho infilato la chiave nella porta di casa mia ero calmo come un budda. E mia moglie Maria se ne è accorta subito che non ero più quello scalmanato di qualche tempo prima. Lei, invece, purtroppo, era sempre la stessa. Immutabile come un cardinale.

Ora alberga lì, immarcescibile, sulla punta del divano e sei bottiglie di lacrime versate vicino al tavolino di cristallo. Vuole ricominciare lì dove avevamo interrotto. Vuole che la aggredisca come di consuetudine altrimenti non ci crede che sta vivendo veramente. Invece si scontra con un camion di calma e di silenzio. E le manca il terreno sotto i piedi. Non mi riconosce, proprio nel giorno in cui io mi riconosco di più. C'è, nella donna moderna, una perseveranza nel litigio, che scuote anche gli animi più ripiegati. È una cimice, la donna moderna. Sale lentamente lungo tutto il corpo e succhia piccole dosi di sangue. Quando giunge al piede, ricomincia daccapo perché le vecchie bolle si sono ritirate. Nel litigio a tempo indeterminato trova un'intima vertigine di soddisfazione che non la fa desistere. Mai. Mai. Un avvoltoio della discussione prolungata. Con una convinzione ottusa che, dentro la schermaglia, si annidi la soluzione del problema. Ma dato che la soluzione è complessa secondo loro, allora, per definizione, il litigio deve possedere una sua lunghezza incredibile, estenuante. Se desiste dal conflitto, statene certi, è solo un'interruzione pubblicitaria. Una strategia di vendita del litigio. Una presa d'aria per ricominciare daccapo. Con nuovo vigore. Io, invece, di indole, pur di scongiurare un litigio, sarei pronto a vendere le enciclopedie porta a porta. Poi mi lascio fottere dal sangue al cervello che in me lavora alacre e allora deflagro nelle urla e nella cattiveria. Ma non adesso. Ora che ho altro a cui pensare. Ora che mi sono sintonizzato dopo venticinque anni di nuovo con la vita semplice.

Sbaglia l'attacco, Maria la monocorde. Sibila dall'oltretomba:

"Voglio il divorzio".

Ricomincia da dove aveva finito.

E crede di avere fornito l'incipit per quattro ore di guerra sotto il soffitto. Invece, ma lei non lo sa, è andata dritta dritta alla conclusione del problema perché io dico senza enfasi e con un tono sincero che lei non riconosce in me da quando ci siamo fidanzati:

"Accordato".

La vedo. È ferma, di pietra. Ma sta esattamente dentro a quelle brutte cadute sul fango quando vai per aria, perdi il senso dell'orientamento e non sai, per un frammento di secondo, come e dove cadrai. Ed è il panico.

Ma deve essere caduta e non si è fatta niente, perché ritrova il bandolo e fa marcia indietro con una frase significativa:

"E a tua figlia non ci pensi?".

"Sì, ci penso, ma ormai è grande, capirà, deve cominciare la sua vita finalmente. E le vite vere, spesse volte, cominciano con un grande dolore."

Mi è uscita dalla bocca una tale tempesta di buon senso che lei, incredula come il calamaro, inclina la testa di lato di quindici gradi. Con un'incredulità così ingorda, ma così ingorda che gli occhi le si spalancano come se avesse visto la Cappella Sistina.

Le palpebre le sbattono producendo un suono atonale.

Dischiude la bocca e solo adesso, per quei miracoli della volubilità del corpo umano, sono pronto a riconoscere che ha una bellissima bocca. Un pensiero che si era perso nella lontananza.

Distrutta dall'impotenza, si alza dal divano. Io mi avvicino a lei e l'abbraccio con una delicatezza, una premura che da me non ha mai conosciuto. Poi dico:

"Adesso mi faccio la valigia e me ne vado".

Nel momento preciso in cui la sto lasciando, ha trovato inaspettatamente l'uomo che ha sempre desiderato. Un uomo tenero. Un uomo comprensivo. Un uomo calmo.

Infine, un uomo affidabile.

Le sta crollando il mondo addosso. E lo sa. Mi seguirebbe in capo al mondo. Esattamente dove sto per andare. Ma senza di lei. Troppo spesso le vite non s'incontrano, per questo soffriamo tale e quale come i bambini del Centro Africa senza cibo né acqua. Ecco tutto. Ma mentre il problema dell'Africa, con un po' di buona volontà, si potrebbe pure risolvere, qua invece non c'è un cazzo da fare. È così.

Sono, le nostre, sofferenze insensibili alle cordate umanitarie.

Le tremano le ginocchia, le labbra le si fanno esili fili bianchi di fiordilatte, le pupille la abbandonano e sviene sul tappeto. Aveva bisogno della pausa pubblicitaria. L'ha trovata involontariamente. Il corpo le ha sconfitto il pensiero. È scivolata scomposta senza battere la testa. Questo è importante, perché ora posso andare a fare la valigia senza pronto soccorso e sensi di colpa. Ma non sono contento. Solo freddo. Cattivo senza volontà di esserlo. Sono, molto semplicemente, un uomo. Come gli altri.

In camera da letto, mi arrampico come un Tarzan in pensione agli scaffali alti. Ho delle idee così chiare e semplici che il mondo mi sembra inventato da me. Un vestito su misura. Per cui, scaravento giù solo camiciole estive e morbidi pantaloni di lino. Compongo una valigia piccola, mentre sento dalla cucina dei gemiti di dolore lancinante. Si è ripresa, Maria, e ha eletto la cucina a bara.

Afferro una foto di mia figlia di quando aveva due anni e poi chiudo il borsone. Attraverso il corridoio, come dentro l'ovatta calda. Sono pronto per un addio semplice e concreto. Sono un altro.

"Mi comporterò come un gentiluomo. Ti lascio tutto, casa, macchina, tutto, prendo solo qualche milione per affrontare gli inizi della nuova vita. Non avrete mai più notizie di me, ma state tranquilli, immaginatemi vivo e sereno. Mi farò vivo solo un'altra volta, da morto. Ma avrò provveduto io alle spese del mio funerale. E ora non piangere più, Maria. Tu piangi perché credi, sbagliando, che c'è una sola vita su questa terra. Invece ce ne sono almeno tre, forse quattro. Tieni a mente quello che ti sto dicendo. Perché da qui in poi, questo è l'unico concetto buono a tenere in vita sia te che me."

Per adesso, non mi ascolta. Vuole piangere a tutti i costi. Ma poi le torneranno in mente queste parole, perché sono autentiche.

E saranno parole di sollievo.

Mi giro e me ne vado senza dire altro, senza guardare la casa, senza guardare la città, senza salutare Samanta, il maestro Mimmo Repetto, nessuno. Non bisogna annusare niente, perché potrei sentire la puzza di nostalgia che inchioda. Un piccolo sforzo ancora, per essere fuori dal mondo fatiscente. E da quello che ero fino a una mezz'oretta prima.

Dentro al tassì che mi portava all'aeroporto, quello, tanto per cambiare, ci ha provato. Lo percepisco per la milionesima volta che mi scruta attraverso lo specchietto retrovisore e si sta spappolando dalla curiosità. Poi prende il coraggio, abbatte l'imbarazzo perché non è più un ragazzino e me lo chiede:

"Ma voi siete il cantante?".

Mi sta scorrendo nel finestrino, dalla tangenziale, una città sconosciuta che conosco da quando sono nato. Non mi volto verso di lui. Non smuovo me stesso, mentre gli occhi mi cascano sulle troppe antenne che massacrano dei tetti indimenticabili e dico con una voce roca e stanca:

"No, non sono io".

Non ci ha creduto. Però sa stare al mondo e ha capito che non volevo rotture di cazzo. Ha ripreso a guardare avanti e ha pagato il pedaggio.

Poi, ho elaborato un pensiero semplice: lui resta qua per sempre, io me ne vado per sempre. E già la vita nuova non mi sembrava più tanto nuova. Ma era uno scoramento momentaneo. Il classico avvilimento che ti prende prima di qualsiasi viaggio. Figuriamoci prima del viaggio che non prevede il biglietto di ritorno.

Quando mi sono voltato a vedere di nuovo la città questa non c'era più. Se ne era andata. C'era solo un muro sulla carreggiata e delle piante selvatiche. Roba da geometri frettolosi e approssimativi. Se ne era andata la città e se ne era andata pure quella folata di malinconia che mi aveva accompagnato la sera. Solo allora ho realizzato che ero solo. Come lo sono sempre stato.

Ma un po' più solo, adesso.

## 11

*Aprendo la porta*
*in quel grigio mattino*
*se n'erano andati,*
*in silenzio perfetto,*
*lasciando soltanto*
*i due corpi nel letto.*
GINO PAOLI

Poi, non sono stato più solo.

Eravamo diventati un milione.

Perché mi sono preso le piattole. Questo è il Brasile.

Per non sentirsi sole, le piattole hanno passato l'informazione a degli amici. I pidocchi. E mi sono preso pure quelli.

Cosa c'è di peggio del prurito? Altro prurito. Infinito. Sfiancante. Infaticabile.

Guardavo la bottiglia del Cruz Verde e mi commuovevo. Pensavo a quel chimico con gli occhiali che lo aveva inventato e avrei voluto ricoprirlo di baci. Di carezze. Di fiori. Il Nobel dev'essere tutta una farsa di poteri corrotti. Perché non è possibile che non glielo abbiano dato a questo genio di tali fattezze. Non sappiamo neanche il suo nome. Poi dicono che il successo ha le sue regole. Sì, ce le ha. Ma sono tutte sballate. Sappiamo il nome del cazzo del concorrente del quiz che risponde sui formaggi altoatesini e non quello del genio che ha capito come farti passare quell'incubo infernale e maledetto chiamato prurito. Ma veramente stiamo facendo? Datemi uno staterello che io ve lo faccio senatore a vita a quello che ha inventato il Cruz Verde, ve lo faccio ministro della Sanità una volta e per tutte. E poi che nome, cazzarola! Cruz Verde. Sembra un cocktail afrodisiaco, una bibita che rinfresca i cadaveri, un'invenzione da barman sofisticati: Cruz Verde, una poesia argentina! Una cantante rinomata di Cuba! Una troia esperta di Panama!

Ma prima che la poesia facesse effetto, me la sono vista brutta. Prima che la cantante di Cuba mi squagliasse le uova grandi come atomi ho dovuto comprendere un concetto fondamentale: due mani non sono un cazzo. Sono poche quando ti prudono all'unisono la testa e i testicoli, i gomiti e le ascelle. Devi stabilire delle priorità. Devi accontentare tutti i centimetri di pelle del tuo corpo, affamati di unghiate. La notte, sognavo gatti ammaestrati che mi venivano a dare sollievo con gli artigli nel corpo. Stavo impazzendo. Desideravo, con gli occhi aperti contro il ventilatore, un gheppardo che prima mi sbranasse e poi, dopo morto, mi alleviasse il prurito con quelle zampone appuntite. Tutto, anche una fine violenta, pur di non andare avanti in quella maniera scabrosa e scarnificata.

Ci sono volute le tonnellate di Cruz Verde. Me lo consegnavano all'albergo di Rio direttamente in confezioni da sei, come le birre.

E la sera, nel Teatro Lindo, quando mi dovevo esibire coi miei ragazzi, uno sperpetuo. Vi voglio vedere a voi a cantare dodici brani davanti alla gente assetata di me e io lì a srotolare la recita mentre la mia testa elaborava un unico, ossessivo desiderio: grattarsi.

E con la coda dell'occhio, certo che me ne accorgevo, li vedevo a quei mongoloidi di Gino, Titta, Lello e Rino che ridevano sotto ai baffi che non hanno. Sopprimevano attacchi irresistibili nel vedere me come una mangusta nella gabbia. Hanno riso ininterrottamente quei froci, con tutta la loro intimità. Mentre il mio manager Jenny Afrodite, assiepato vigile in prima fila, non rideva neanche per caso. Soffriva con me. Impettito e preoccupato, deteneva un comportamento che elargiva tutta la sua comprensione nei miei confronti. Perché Jenny, ma questo è solo un sospetto, poiché è noto che come essere umano ha una sua impenetrabilità, ha l'aria di conoscere le sofferenze umane in tutte le sue pieghe e dentro gli angoli più refrattari. Conosce i nascondigli del dolore. Ha, in una parola, la saggezza, sebbene abbia appena superato i trent'anni. L'autorevolezza del dolore che inibisce pure gli scienziati e i capi di stato.

Tutta colpa del sonno. Tutta colpa mia. La prima sera, col jet lag che si era impossessato di me, va da sé che non riuscivo a dormire manco per il cazzo. Allora sono calato soave nella spiaggia dell'albergo, mi sono situato libero su una pezza vecchia che stava appollaiata su un'amaca, quest'assassina. Me ne stavo lì disteso a spararmi undici Rothmans mentre, ma non lo sapevo, le piattole e i pidocchi, abbracciati come una comitiva in gita scolastica, si impadronivano del mio corpo tenero e flaccido. Mi avevano scambiato per il pullman. Poi, quel maledetto fuso orario, ha finito di scombussolarmi e io mi sono addormentato sull'amaca, tutti precipitati nella notte silenziosa, allora quelle si sono messe a chiavare o a depositare le uova, non so come funziona la sessualità dei non appartenenti al genere umano. E hanno fatto di me la loro casa. Ecco come è andata.

E ora, nudo e sbilanciato, combatto come uno scoiattolo sulla ruota, in mezzo alla stanza d'albergo col Cruz Verde e le lamette. Mi sono depilato sano sano, dovunque. Sembro il bambino più brutto del pianeta. Ma tutto pur di sconfiggere queste appassionate della vita a tutti i costi. È così facile morire per un uomo e così complesso per una bestia di mezzo millimetro e senza coscienza che mi chiedo proprio cosa teneva in testa nostro signore quando si è messo ad organizzare tutto questo progetto ambizioso. È evidente, l'universo era una cosa più grossa di lui, al di sopra delle sue possibilità e ha fatto casino, si è impicciato con le carte, come il burocrate al primo impiego, e l'uomo si scalmana da duecentomila secoli nel tentativo goffo e sperimentale di correre ai ripari. Non facciamo altro che riparare e inventare pezzi di ricambio ai miliardi di tamponamenti e incidenti mortali che quello faceva e fa tutti i santi giorni. Che presunzione senza patente che tiene Gesù Cristo, Gesù! Quanta pazienza che ci ha la gente con lui. È inenarrabile la quantità di pazienza che l'uomo riesce ad alloggiare nel suo corpo. Sono scorte inesauribili, che possono durare la vita intera e ulcere perforanti.

Comunque, ho portato a termine le otto serate consecutive di concerti al Lindo. Ma non ho potuto fare nient'altro. Ho cantato e ho grattato, cantato e grattato. Niente coca, niente ristoranti, niente brasiliane dal fondo schiena elevatissimo e stacchi di cosce taumaturgici. Niente. Un santo laico sono stato, che si scarnificava tutta la sozzura immonda del mio corpo accumulata nei decenni, non solo le piattole del momento, questo sono stato. Per uno come me, la redenzione non passa solo attraverso il bagno caldo e la mutazione intellettuale. C'è voluto altro. Come una ditta esperta di disinfestazioni. Mi sono dovuto togliere via tutto. E questa storia del prurito è caduta con la puntualità di un esattore delle tasse del Canton Ticino. Ho grattato via tutto. Metafora dietro metafora, a colpi di unghie teutoniche. Dalla finestra li potevo vedere, quei coglioni del mio gruppo musicale, stravaccati sulle sdraio della piscina, obnubilati da ettolitri di risate, galleggiavano nelle caipirinhe. Le risate erano tutte concentrate sul mio prurito.

Ero, per la prima volta ai loro occhi, fragile.

Questo, chissà perché, li faceva rotolare dentro un'ilarità abnorme e feroce. Ma è da qualche giorno che la parola perdono mi gironzola nella testa con un'insistenza sconosciuta. È un afflato del cazzo. Quando si cambia veramente, tutti gli opposti vengono a te. È una processione inesorabile. Dunque, non elaboro propositi di vendetta e anche l'invidia mi svanisce dentro. Li vedo, lì, i miei sedicenti musicisti, assediati dall'adipe e da smagliature profonde come canyon che hanno organizzato la loro comitiva con un nugolo di puttane di diciannove anni di bellezza rara e sproporzionata rispetto a loro eppure me ne fotto. Se le tengono in braccio come trofei e polpette che non scottano, e le palpano senza ritegno, con una passione tattile implacabile, vorace e morbosa, ma io non desidero essere da loro e non ho neanche organizzato quella equazione elementare che un tempo mi portava a dire che, qualunque diniego sessuale, è segnale di incipiente omosessualità. Non più.

Sto riformando me stesso, come uno stato moderno.

Ho rimosso tutta la burocrazia dalla mia testa e constato solo adesso, con uno sgomento che mi fa sussultare dal benessere che, senza rendermene conto, non solo sono otto giorni che non tiro cocaina, ma non ne sento neanche la necessità. Senza sforzo. Non era mai accaduto, eccezione fatta per gli anni scolastici e la prima infanzia. Ma poi la baronessa Fonseca mi mise al mondo e da allora io non mi sono più fermato.

Sarà per questo che qualcuno che gestisce gli uomini mi fa un premio come si deve: finalmente, il Cruz Verde ha agito perché adesso, sospeso con gli occhi davanti alla finestra dell'oceano, come per incanto, anche il prurito è svanito. Sto tornando alla vita quando dei gemiti sessuali dalla stanza a fianco mi tormentano la curiosità. Aggredisco il muro stendendo tutto il mio padiglione sull'intonaco e i gemiti stanno finendo per diventare voci e capisco dai timbri delle voci che lui è un adulto tedesco e lei una ragazzina brasiliana che non sfiora i dodici anni. Le pareti scadenti, che mi fanno arrivare a sentire finanche il fruscio osceno delle banconote e poi i loro borbottii interrotti dall'imbarazzo. Tutto un sesso di necessità, che non si giustifica. Non si può giustificare, il sesso, quando si dimentica il propellente dell'ironia e della leggerezza.

Ora dunque ho la conferma di me stesso. Non sono l'uomo più cattivo del mondo. Proprio no. Non lo sono mai stato. Ho ancora una possibilità, una vita, un futuro. Ho ancora tanto da dire e da provare. Mi sono rimesso al mondo e questo non ha più intenzione di deludermi. La piego io questa vita che non vuole piegare me. Diceva più o meno così la collega della quale non riesco a ricordare il nome adesso.


Tour terminato e c'è il ritorno in Italia. Io sono un uomo glabro e fresco. Sono una novità. Così, dentro al terminal tre dell'aeroporto di Rio arrivo risolto, ridanciano, conciliato, pasquale. Ma non sono queste caratteristiche che fanno sussultare i miei musicisti e il mio manager quando mi vedono arrivare all'appuntamento col check-in. È il mio abbigliamento che li sconvolge. Indosso disinvolto un costume a fiori, una canottiera bianca e due ciabatte. Nessun bagaglio. Loro mi guardano sudatissimi al di sopra dei carrelli oberati di valigie e strumenti musicali e non capiscono. Solo l'occhio di Jenny Afrodite è andato oltre. Ha già capito tutto. È intelligente, Afrodite.

E posso leggergli il labiale mentre avanzo. Dice sconsolato ai suoi, non senza un boccone d'ironia:

"Ragazzi, da oggi siete disoccupati".

Sì, Jenny Afrodite ha capito proprio tutto.

Perché io col cazzo che torno alla vita di prima. Col cazzo che torno a cantare, a buttarmi addosso a tutti i corpi che passano, a cercare grammi di cocaina nei bassifondi di tutti i luoghi dell'atlante. Col cazzo che torno a fare il marito, il padre, l'amante, il fidanzato, l'amico di chiunque. Io non voglio fare più un cazzo di niente. Io voglio le tendine alle finestre. E Jenny lo sa da solo perché si tratta esattamente di quello che vorrebbe fare lui e dunque conosce virtualmente in anticipo gli atteggiamenti di questa scelta. Sa la teoria e ora ha davanti a sé la pratica, che sono io. Però non se l'aspettavano proprio da me. Mi reputavano un ostaggio dei vizi e della superficialità. Ignorano che, liberatisi dal vizio della vita com'era, permane sì la superficialità, ma come risorsa, non come impoverimento. Per questo attaccano a distribuire a me stesso domande sovrapposte e caotiche, ingorde e sconnesse. Regna l'incredulità. Hanno i cuori trafitti dall'ignoranza. Non mi conoscono ancora.

Sintetizzo tutte le domande con un'unica risposta, questa:

"Ragazzi, la stanchezza. La stanchezza è la migliore amica della libertà. Uno passa la vita a credere che la volontà, l'applicazione, la determinazione di carattere ti possano avvicinare alla libertà. Manco per il cazzo. Solo la stanchezza ti porta in quella famosa stanza senza pareti, la libertà. Solo stanco di tutto puoi finalmente dire: no non vengo. Non partecipo. No, no e ancora no. La libertà è dire sempre no".

Questo dico, e credevo di essere stato esauriente e invece gli occhi di Titta si riempiono di lacrime. Commosso, ha tirato fuori un affetto nei miei confronti che mi fa traballare fisicamente proprio, perché tutto mi aspettavo dall'esistenza, tranne che questo potesse provare un sentimento disinteressato nei miei confronti.

Ma l'uomo, si sa, è come la Coca-Cola. Basta scuoterlo un po' e attacca a spruzzare di tutto. Sangue e sentimenti. Calore e risentimento. Tutto di fuori.

Così, con la voce spaccata, e il labbro inferiore che gli trema vistosamente, implora nel pianto aperto:

"Ma che cazzo ci fai tu da solo in Brasile per il resto della vita, Tony?".

Ci ho la risposta. Che vi credete? Ci ho la risposta, per dio.

"Faccio tutto quello che non ho fatto fino ad ora, Titta."

"E cioè?"

"Mi rilasso." L'ho detto già bello rilassato.

Mi credono. Stanno allontanando da loro stessi il dubbio, l'incredulità, la diffidenza, lo spettro dello scherzo e tutto il resto.

Aggiungo:

"È tutta la vita che volevo farlo, ragazzi. Volevo rilassarmi e non lo sapevo. Quando gli affetti più cari ti lasciano prematuramente sei a corto di pedagogia, rimani sguarnito di molte conoscenze fondamentali. Una di queste è il relax. E io sono in un credito mostruoso col relax".

Ma Rino Pappalardo non si vuole rassegnare. Piange pure lui. Mi vogliono bene tutti nel mondo e io non lo sapevo. Insiste sgomento:

"Tempo sei mesi ti rompi il cazzo e ci vieni a cercare un'altra volta".

"Vedremo" dico io. Ma lo dico in un modo così pacato, senza conflitto, così rilassato che lo capiscono un'altra volta che faccio veramente, tanto che Jenny si stacca e mi si avvicina per la prima volta e fa una cosa che non dimenticherò mai più: mi dà un caldo, lento bacio sulla fronte rasata.

Poi dice, per la prima volta distante chilometri dalla sua proverbiale ambiguità, con una franchezza che mette paura:

"Sei il mio idolo, Tony".

"Sono un poveruomo" dico io.

"Sì, ma sei il mio idolo" dice lui.

"Però mi devi togliere una curiosità, Jenny, ora che è tutto finito. E la devi togliere pure ai ragazzi. Perché sono anni che ci rotoliamo nel dubbio."

"Dici."

"Tu ti fai di eroina, Jenny?"

A questo punto, Jenny sorride con un candore inestimabile.

E con l'apice della semplicità di cui non lo ritenevamo capace, risponde:

"Ma potevate chiedermelo prima, ragazzi. Ve lo avrei detto subito. Certo che mi faccio di eroina e sapete perché?".

"No Jenny, non possiamo saperlo. È una roba estranea alla nostra generazione" chioso io con onestà.

"Perché la vita vera è faticosissima." E sorride come un bambino bello.

Che dire? Non mi ero sbagliato, nel senso che ci ha la saggezza dentro Jenny Afrodite. Indifendibile, ci ha la morte nel cuore.

L'aeroporto di Rio si ammutolisce tutto quanto per due secondi. Dico davvero. Succede alle volte, se ci fate caso. Uno sta nel posto più rumoroso del mondo e poi, per un complotto di assolute casualità, per uno spazio ridottissimo di tempo, incredibilmente, si presenta il silenzio inaspettato. Questa è una di quelle volte.

Gli do anch'io un lungo bacio sulla fronte a Jenny Afrodite, ma questa volta non ce l'ho la risposta pronta. Non sono mica un intellettuale, io.

Li bacio a uno a uno, mi volto e strascico piedi e ciabatte, come l'habitué di una sauna, lungo il pavimento lucido dell'aeroporto. Non mi volto a guardarli, perché lo so che ho le lacrime alle spalle. Esco dal terminal e vengo assalito da quel caldo tropicale perenne che non mi mollerà più. I problemi di circolazione, puf, svaniti, in un colpo solamente, dopo anni di attesa paziente e certosina. Il calore, il mio nuovo amico, ora che, liberatomi di piattole e pidocchi, sono di nuovo solo. In Brasile, però. Dove tutto è, senza contraddizioni, senza soluzione di continuità, possibile e impossibile.

Ma non tutto è così schematico, per carità. Mo' non ci mettiamo a credere veramente a tutte le cose che vi ho detto. Mo' non è che le cose stanno davvero così. La vita fluisce un po' facendosi i fatti suoi. La nuova vita. La vecchia vita. Sì, indubbiamente accadono degli spartiacque, ma mai così definitivi, limpidi, risolutivi come ci vogliono far credere o come vogliamo credere noi stessi con un po' di ragionamenti. Sì, l'impeto delle decisioni è quello, ma poi ci si trascina, ci si lascia vivere, si dà ascolto, talora, ad un istinto di abbandono. Io mi sono lasciato vivere in Brasile per vent'anni. Mi piacerebbe dirvi che ho mantenuto, ferreo e fermo, fede ai miei propositi. Un po' l'ho fatto per evoluzione naturale, ma mi sono concesso delle eccezioni. Qualche volta sono andato in un locale, qualche volta ho acquistato un grammetto, qualche volta mi sono caricato una bonona. Tutto così, senza fissazione. Un po' svogliato. Un po' per ricordare quello che ero. Ma era la verve che si era smarrita. Era per sentito dire di me stesso che mi concedevo delle incursioni nella vecchia vita, ma in bocca non avevo più il sapore del dentifricio. È quell'odore che ti rianima. Vent'anni sono lunghissimi e mantenere fede implacabilmente ai propri propositi è un'ottusità molto difficile, perché è difficile giustificare mentalmente le ottusità. Diciamo però che mi sono rilassato, ho condotto una vita diciamo normale. Ma una cosa non l'ho mai più fatta: non ho mai più cantato. Neanche sotto la doccia, neanche dopo una sega particolarmente ben riuscita. Niente. La canzone mi è stata estranea del tutto. In maniera completamente congenita. E poi, per non farmi sfottere dalla nostalgia, non ho mai, dico mai, telefonato in Italia. Solo un esile contatto postale con Jenny Afrodite per farmi dare il danaro dei diritti e vivere di rendita modesta. Il Brasile è bello e caro, le tendine alla finestra pure, la vita calma e ragionata anche, ma certe volte ci si può anche fracassare le palle di tutto questo. Però ero ancora stanco e sapevo che una telefonata a un amico, a mia moglie o a mia figlia avrebbe fatto crollare tutto il castelletto. I dubbi avrebbero potuto avvolgermi e in men che non si dica mi sarebbe toccato un aereo per ricominciare daccapo. Lo spettro della fatica dell'Europa mi faceva desistere. Meglio invece così, con quel leggero, prolungato autocompiacimento di vivere come nascosti. In questi vent'anni, in Italia, nessuno sapeva dov'ero andato a finire. Ero ufficialmente scomparso. Non saprei dirvi se si sono mai occupati di me pubblicamente, perché col tempo non ho più visto la televisione italiana, né comprato un giornale italiano.

Sì, sulle prime, è vero, non resistevo. Mi aggiravo attorno alle edicole fornite. Compravo qualche quotidiano. Era una tentazione irresistibile. È durato qualche tempo. Ma la commedia del belpaese mi sembrava sempre quella e io che non ne facevo più parte. Nomi nuovi che si affacciavano, ma gli arredi dietro la finestra sempre gli stessi. Nessuno, come gli italiani, sa organizzare così bene le tempeste dentro ai bicchieri d'acqua. Confondono in perpetuo l'eroina col caffè. La bomba con la scoreggia. E così, dopo un po', molto semplicemente, mi è passato di mente di comprare il giornale. Mi è parsa un'altra spesa inutile, anacronistica.

Ci si sente statuari quando capisci che la notizia non ti riguarda più. Tutte le notizie del mondo che non possono alterare quello che sei. Un uomo saltuario.

Però non ho mai smesso di fumare, perché lì, in qualche angolo remoto di quel luogo dove le cose umane funzionano e vengono determinate con chiarezza, luogo al quale c'illudiamo di avere accesso, ma che invece è sbarrato come un caveau svizzero, ci sta di sicuro quel dolore che t'impedisce di essere autenticamente rinnovato e purificato. Il marciume che sono stato si è sedato, ma io lo so, lo intuisco, che non è scomparso per sempre. Sta sulla porta, come un buttafuori, e quando la serata sta per finire e non ci sono più clienti quello non è detto che non entri e faccia un casino inenarrabile. Si può cambiare, certo, ma in un modo relativo.

È solo una questione di tempo, a meno che la morte non ci venga a prendere in anticipo.

I primi due anni in Brasile me ne sono stato col culo nell'acqua su una spiaggia. Ho preso centinaia di appuntamenti coi ricordi. La frenesia della mia vita mi aveva impedito di sedimentare la memoria. Anche il convulso vuole la sua fermata. La mia fermata si chiamava Natal, un bel luogo spalancato sulle acque scure, infide, popolatissime di pesci immangiabili dell'Oceano Atlantico. Per tutta la vita avevo desiderato una casa sul mare, ora che non costava un cazzo di niente di cruzeiros mi sono fatto questo regalo. Due stanze col terrazzino sull'oceano le ho pagate come un motorino usato.

Si può essere ricchissimi nell'altrove, ci vuole solo un po' di mobilità.

Le donne mi si avvicinavano con la stessa disinvoltura con la quale mi si avvicinarono le piattole a Rio, ma ho assaporato anche l'ebbrezza di essere un uomo misterioso che rifiuta elargizioni sessuali gratuite. Smentivo anche le illazioni omosessuali perché rifiutavo anche le avances maschili, che non scarseggiano mai dentro i cumuli di povertà. Ignoravano che ero semplicemente sfibrato. Fuori fuoco. Nel giro di due mesi avevo la fama di un uomo misterioso, un asceta. Uno che rinuncia al piacere nel paradiso del piacere che è il Brasile o è un pazzo o è un asceta. Dato che non avevo comportamenti da pazzo, sono stato automaticamente considerato una specie di dalai lama italico. Dunque, un ricettacolo di fiducia. Al punto che, in capo a quattro mesi, avevano preso pericolosamente ad avvicinarsi tutti i tipi di individui che volevano da me una sola cosa: consigli per le loro sofferenze. Ci vuole così poco, alle volte, per ingannare gli esseri umani. Anche quelli scaltri come i brasiliani. Ci vogliono giusto un po' di comportamenti serrati e rigorosi e la truffa è dietro l'angolo. Ero insolito e questo bastava loro a proiettarmi dentro una cornice mistica.

È una questione di matematiche. Se non rivolgete la parola a nessuno e avete un po' di pazienza vedrete che si avvicineranno loro, come grappoli d'uva cadenti, morenti dalla voglia di fare una sola cosa, mettervi sul piedistallo. La sudditanza è miliardi di volte più comoda del piglio decisionale, però è più noiosa, pochi dubbi su questo.

Mi sarebbe bastato dire che leggevo il futuro che ci avrebbero creduto. Così nascono i maghi, i ciarlatani e i finti chirurghi che dicono che operano manipolandovi la pancia. Dicono le cose esattamente come non stanno e la gente ci crede perché non ha più nulla da perdere. La gente, questa articolata organizzazione umana che crede sempre di sfilare sull'orlo di un precipizio senza ritorno, mentre si sta solo trascorrendo la vita. Confondono la monotonia col disastro. Un errore comune. Prima o poi ci cascano dentro a piedi uniti anche il monaco tibetano e il playboy di sicuro successo. Rifiuta l'uomo, e tutti gli ultimi del mondo ti si accoccoleranno attorno come in un falò a Forte dei Marmi di tanti anni fa.

Tu rinunci e quelli vogliono sapere da te come cazzo fai, ma non perché vogliono rinunciare anche loro, macché! Loro vogliono, vogliono, fortissimamente vogliono. Vogliono i figli che non possono avere, i soldi che non sanno guadagnare, gli uomini e le donne che non sanno sedurre, le rimozioni delle malattie che non sanno guarire, vogliono vedere spuntare fuori a cinquantasei anni arti sani menomati dal forcipe alla nascita e vogliono impadronirsi di doti imprevedibili e risolutive, vogliono una vita a colpi di scoop applicati su se stessi, e vogliono rincorrere l'altro e l'altrui a tutti i costi. Se non ci fosse questa voglia costante, fatta in ghisa, dell'imitazione, gli uomini si sgonfierebbero come i super santos sul balconcino. Ambiscono a spostarsi un po' più in là, scartando aprioristicamente e con raccapriccio l'ipotesi che là dove stanno poi, in fin dei conti, potrebbe pure andare bene. Macché, hanno grilli per la testa. Niente da fare. Si è perennemente snob con noi stessi. Sfogliano compulsivi le riviste patinate. Quindi allestiscono degli obiettivi, dei progetti. Questo li rende, ci rende assolutamente insopportabili. E patetici. Anziani mucchi di ossa che fanno propositi bellicosi di rimettersi al mondo come se avessero tutta la vita davanti, e si dimenticano di organizzare il loro catetere. Scrutano, con occhi acquosi di speranza, il loro futuro come se quello si fosse posizionato all'orizzonte e invece quello, il futuro, si è fatto la canadese direttamente nel tinello. Giovanotti che, sottovalutando gli effetti primitivi e irreversibili del decadimento, credono che quel vigore sia inossidabile per sempre. Poi, col passare degli anni, ci rimangono male. Per scendere dall'automobile impiegheranno quattordici secondi in più e capiranno. È la sciatica, questa mignotta di seconda fascia. E allora giù, scendono dalle montagne, come gli zampognari, armati di mancate fatture, eserciti di osteopati muscolosi e fisioterapisti pieni di vitalità. I nuovi stregoni. Raccontano un mare di cose e nessuno, neanche il padreterno, sa se sono veritiere. Ma non puoi fare altro che crederci, per continuare a sperare. Perché bisogna tirare avanti circondati da una tonnara di acciacchi.

Tra le stranezze minori, una donna che m'implorava di aiutare il suo cane, tormentato da un'emicrania lancinante. Come aveva fatto a diagnosticare il mal di testa alla bestia resta un enigma di prima qualità. Ma ci s'inventa un mare di pene strambe e articolate quando il tempo libero si situa in discesa col freno a mano tirato. Nessuno ci crede più al suo piccolo benessere, a meno che questo non si veste spavaldo come una troia o lancia proclami da dentro l'altoparlante. Ce lo devono urlare in faccia il benessere, come facevano gli stronzi al servizio militare per fare scena, altrimenti non ci pare vero. Ci sembra una truffa, uno scherzo del cazzo quando le troie ci deludono per andare a dormire spossate e resti solo tu e la sensazione che quel bel bicchiere d'acqua a prima mattina possa chiamarsi, per l'appunto, benessere.

Niente, non lo si crede possibile.

Tutti, piuttosto, vogliono pirotecnici fuochi a mare e chiavate indimenticabili e prolungate prima di poter dire: toh, il benessere. Questo è l'equivoco massiccio. Tutta la pedagogia di mezzo alla strada, dei compagni di scuola e di stronzate, ci confonde. E per recuperare una mezza verità, bisogna diventare moribondi con la prostata sfondata. Alla fine, il barlume anticipato lo afferra solo il cardiopatico, il diabetico, a volte l'infartuato. Hai voglia ad aprire bocca e acchiappare i consigli. Ancora niente da fare. Quando sei sano, covi speranze insane. Sproporzionate. Ci vogliono le martellate in testa. E sui testicoli. Per placarti.

Queste cosette cominciavo a capirle e dunque, senza rammarico, non c'era più l'avventura nella mia vita nuova, nel senso tradizionale del termine. Piuttosto un nuovo tipo d'avventura, fatta di una routine a me sconosciuta, una ripetitività inebriante dei gesti, uno spazio dilatato che veramente mi metteva in pace con l'universo e le cose circostanti che in Brasile hanno il pregio di essere poche. Niente ammennicoli a distrarti e a farti sentire uno sprovveduto, un uomo in affanno. Che la pace sia con voi, perché la pace era con me, in Brasile. A letto alle undici, lì a prender sonno subito, come un neonato buono. La colazione con peculiarità alberghiere alla mattina presto. È un'attrazione irresistibile la vita tranquilla, tutt'è lasciarsi avvolgere dentro la coperta della quotidianità e sentirsi sempre stanchi. È un costoso piumino danese la vita tranquilla. Sposta la tendina e ditti un'altra bella giornata, gli odori che ti schiaffeggiano ma senza farti male. Farò una passeggiata, poi mi mangio i calamari. Stasera mi mangio gli stessi calamari che sono avanzati. Meravigliarsi di se stessi in base al nulla che ti accade. Farsi il caffè e fissare il caffè che sale fino all'ultima goccia perché tanto dopo non hai niente da fare. Imbottirsi di rituali quotidiani. Lavarsi lentamente, ostentando davanti allo specchio il corpo cadente come un tempio di grande bellezza. Sono tutti morti gli architetti che avrebbero potuto ristrutturare i nostri corpi quando essi oltrepassavano i funambolismi della gioventù. Non si può andare ovunque oltre il proprio corpo e comunque non avrei avuto le risorse economiche necessarie. Innamorarsi delle proprie pieghe, degli incavi, scoprire porri e nei dimenticati, vaneggiare di poter partorire come una donna per non sentirsi più soli. Ma anche la solitudine poi è una compagna, una "partner", si diceva esoticamente un tempo per fare i brillantoni dentro i salotti di una Milano spettacolare e pericolosa. L'ho frequentata alla grande quella Milano e ci sarebbe spazio per sette romanzi solo facendo cenni rapidi di alcune tra le strazianti avventure in quella città.

Progettare, come fosse una rivoluzione, di andare a comprare una lente d'ingrandimento col solo obiettivo di guardare più da vicino i propri peli. Ecco, la lentezza delle giornate ti rimette a contatto con un corpo che possedevi solo in funzione di un utilizzo e che ora diventa semplicemente salvaguardia. Toccarsi la mano e dire con stupore: è una mano, non un utensile per toccare, catturare, infilare. No, la mano come mano. Un altro miracolo da rimirare.

E poi, gioia di tutte le gioie, apprezzare l'arrivo della febbre. Mentre prima era un fastidioso impedimento alla tua voracità di vita, ora la febbre si trasforma in un'amplificazione delle proprie debolezze e delle proprie forze. Da soli, la febbre fa piangere, ma sono singhiozzi liberatori, più potenti dell'aspirina.

Sentirsi come i gatti, che vivono beati perché non se ne fregano un cazzo di nessuno, badano solo alla ricerca della loro posizione perfetta e soddisfacente sul territorio. Per questo sono così odiosi i gatti. Hanno risolto il problema senza neanche conoscerlo. Un privilegio inaccessibile agli esseri umani.

Fissare per ore gli uomini molli oltre la finestra. Ai brasiliani è estraneo il concetto della fretta. È una caratteristica che alligna con facilità laddove è elevato il tasso di disoccupazione. In questo, il Brasile sa essere imbattibile. Impadronirsi dei gesti di questi uomini lenti fino al punto di credere che quei gesti sono tuoi. Acquattarsi sulla sdraio e studiare le manovre di avvicinamento dei ragazzi alle ragazze e delle ragazze ai ragazzi. E io lì a ridacchiare col mio sorriso carico del già visto. Un bonario sorriso di superiorità. Hanno il sesso in testa, quelli lì, giustamente. Però, attraverso la ginnastica più popolare della storia, sperano di innamorarsi, di godere, di ridere, di non sentirsi più soli. È sconvolgente la quantità di speranze che la gente giovane ripone nel sesso. Un'idea mal ripagata di panacea per tutti i malesseri, ma è solo adrenalina che pompa a tremila per sette minuti e ti accantona pure il raffreddore per quegli istanti, poi tutto riprecipita nel prima, un po' peggio di prima, visto che non hai l'autonomia necessaria per ricominciare immediatamente con la giostra.

Ma anche la spiaggia, alla lunga, ti intontisce come un anestetico di noia. Sulle prime te la godi, poi il rumore delle onde è sempre quello, diventa una ninna nanna che ti ferma il respiro, soprattutto se l'insonnia ti aggredisce. Anche lo spettacolo di osservare ragazzini di dodici anni, ingenui funamboli del pallone e futuri consapevoli dopati in Europa, all'inizio ti appare meraviglioso, poi diventa un circo triste. M'ingozzavo di frutti di mare mirabolanti e giganteschi come cocomeri. Anche quella vertigine lussuosa giunge alla frutta. Non si può trascorrere tutta la vita davanti al mare. Hai voglia a ingannare il prossimo, Loredana, con lo struggimento del mare d'inverno e i cavalloni giganteschi che ti riconciliano con le forze secche e brutali della natura, poi scorgi dietro il muretto le controindicazioni meteorologiche. D'inverno, a mare, butta un vento che ti deprime e ti spacca il fisico contemporaneamente. Poche storie. E sotto la pioggia che cade in orizzontale non c'è ombrello che tenga. Il cattivo tempo in Brasile è peggio che in Islanda. La sabbia si innalza senza contegno e ti chiude le palpebre e ti fa una sfinge di un metro e settanta. Si posiziona sotto le unghie e dentro i peli sotto le braccia. Ci ha i problemi del K2 il mare d'inverno. E l'oceano mette una paura ancestrale. Diventa un nemico da abbattere che non puoi abbattere, ci mancherebbe. Alla lunga, il mare è vuoto. Il bel panorama è un peso. Ho una dimestichezza limitata con le bellezze della natura. Devo stare, scava scava, dove gli uomini muoiono e faticano. Non necessariamente in quest'ordine. Ma non è neanche questo. È che io stanziale lo sono fino ad un certo punto. Ci ho il nomadismo al posto del deodorante sotto le ascelle, io. Alla fine, semplicemente, si cambia tanto per cambiare. Mica c'è da scomodare dio davanti ai gesti miserabili degli esseri umani.

Così mi sono trasferito a Manaus, il cittadone nel cuore dell'Amazzonia. Dove, tra l'altro, fattore non secondario, i charter degli italiani più volgari del mondo faticavano ancora ad atterrare, mentre Natal, invece, mi stava già diventando una succursale di Castelvolturno e di Bellaria Igea Marina.

Però ci ho messo poco, venendo a Manaus, a capire un fatto sempliciotto: che volevo complicarmi la vita.

Qui, gli uomini convivono patriarcali e democratici con gli scarafaggi. Enormi e puzzolenti. Sembrano cani patinati. Neri lucidi come la palla numero otto del biliardo. Inquietanti nella loro programmatica assenza di latrati, gli scarafaggi. Attraversano i marciapiedi guardando prima a destra e poi a sinistra per evitare di finire sotto le macchine. Sono operosi e hanno fretta. Schizzano in tutti i quartieri con una velocità olimpionica e non ti abitui mai alla loro presenza.

Mi mettevano paura il primo giorno che sono arrivato, mi hanno fatto la stessa identica paura fino all'ultimo giorno del diciottesimo anno di permanenza in Brasile.

Coabitano con te dietro al letto e si lavano nel tuo lavandino. Guardano il ddt e ridono beffardi come camorristi di punta. Se ne fottono del ddt, gli scarafaggi di Manaus. Se lo inalano come aperitivo senza noccioline a tutte le ore. È una guerra persa che, tra l'altro, combattevo solo io, perché gli indigeni, e in questo hanno la mia stima totale, si mostrano completamente indifferenti al problema. Ignorano gli scarafaggi, mantenendo saldo un complesso di superiorità che li porta ad una nobile, chic noncuranza della loro presenza. Come i monegaschi con i poveri.

Allora, dopo poche settimane e qualche domandina in giro, avevo imparato un mezzo trucchetto: sistemare sotto i piedi del letto quattro bacinelle piene d'acqua, per impedire loro l'accesso alla cassaforte del mio sonno. Ma quelli niente. Freddi e logici come una dotatissima équipe medica di Houston nel momento dell'emergenza, guardavano il problema, analizzavano il problema, risolvevano il problema. Impiegando, in termini di ragionamento, da uno a tre secondi. Mai una frazione in più. Una cosa sconvolgente che ti conduceva lentamente alle pesanti lacrime della sconfitta e dell'impotenza. Una roba che ti avrebbe anche fatto spalancare la bocca carica di meraviglia, che però poi si evitava di fare per la semplice ragione che c'era il rischio che lo scarafaggio ti saltasse dritto dritto tra le labbra come un popcorn.

Si tuffavano, andavano in apnea, nuotavano nella bacinella senza maschera e boccaglio e via ad arrampicarsi indefessi in verticale lungo il piede del letto. Preparati, atletici e testardi come i giovanotti del battaglione San Marco. Sanno fare tutto gli scarafaggi. Tutti gli sport e tutte le guerre. Ma che cazzo sono questi qui? Io non lo so. Campioni di decathlon. Il giorno che li inviteranno a partecipare alle Olimpiadi, i neri di Chicago avranno gli attacchi di panico.

Lo scarafaggio sa fare tutto. Lo scarafaggio di Manaus è dio. Senza iperboli.

Però devo essere sincero, quello che ti stupisce per tutta la vita, la considerazione perenne che ti poni, la cosa che non finisce mai di lasciarti come davanti a un ufo è la loro grandezza. Gli scarafaggi di Manaus sono monumentali. Travalicano la definizione di insetti per sfociare, pericolosamente, nella categoria dei felini. Più ti mettono paura per le loro dimensioni, più masochisticamente ti affascinano come la donna della tua vita. È come vivere tutti i giorni allo zoo. Non ci si abitua alla giraffa, manco per il cazzo. La giraffa è un mistero vivente pure per la giraffa stessa. Uguale con gli scarafaggi. Ti sorprendono sempre le stesse cose. E la loro rapidità di movimento ti emoziona come davanti al record del mondo dei cento metri. Tutti i giorni così, a tutte le ore.

Alle volte, di notte, poi, l'incontro fatale: lo scarafaggio è su di te. Ma non fai in tempo a saltare giù dal letto che quello ha già guadagnato il battiscopa. Veloce come un ghepardo, anzi di più. Si prende gioco di te e ti ricorda costantemente che non puoi sconfiggerlo. Non si vince mai la battaglia con la velocità. Tu ti meravigli nel cuore della notte sudaticcia di aver evitato l'ictus e quello, lesto come una stella cadente, sta già a casa della signora del piano di sopra. Allora poi lo cerchi dappertutto questo stronzo di merda preistorico, ma quello non c'è più. Finisci per mormorare terrorizzato, senza coscienza, antiche litanie lamentose che tua madre esternava invece per vezzo, tipo: "Anima di quei quattro, venite a quattro a quattro".

Metà degli anni trascorsi a Manaus sono stati occupati da un unico, insistente pensiero: dove sta lo scarafaggio?

Poi qualcuno riesci ad assassinarlo, ma è una soddisfazione gambizzata, perché sai benissimo che non hai risolto e mai risolverai il problema. Ne uccidi uno per ritrovartene cento. Non attecchisce il maoismo, in Amazzonia. Niente attecchisce, solo animali arcaici e mostruosi e piante rampicanti che ti fasciano gli avambracci. Quando dormi, si scatenano incubi e deliri, pensi che gli scarafaggi prenderanno il sopravvento, li scorgi al bar, attaccati alle birre, che brindano alla concessione di un leasing da parte di uno scarafaggio borghese che fa il concessionario di automobili, li spii al ristorante che flirtano, che pasteggiano col Veuve Clicquot, che fanno rifornimento alle pompe di benzina e tutti gli uomini, invece, a strisciare a quattro zampe, ma con una goffaggine che non fa ridere nessuno, neanche gli scarafaggi, ormai austeri e classisti proprietari del mondo.

Gli scarafaggi, a Manaus, ti tollerano. Non viceversa.

Sono operosi come le api, veloci come i ghepardi, furbi come le volpi, prudenti come le formiche, affamati come gli avvoltoi, assennati come gli scoiattoli e non dormono mai. Mai. Ve lo giuro. Non ho mai visto uno scarafaggio dormire. Non ne hanno il tempo, devono conquistare il mondo e hanno deciso che questa espansione irreversibile comincerà esattamente da dove vivo io adesso. Dal terzo piano di un appartamentino in un quartiere anonimo e qualsiasi leggermente periferico rispetto al centro di Manaus. È il loro quartier generale prima di una serie ininterrotta di colpi di stato in giro per il mondo. Vogliono passare alla storia, gli scarafaggi, ma senza strombazzarlo sui giornali e senza la vanità di andare in televisione. Come una loggia massonica. Gli scarafaggi non sono vanitosi, proprio come le iene e gli sciacalli. Quando hai un unico, immenso progetto nella vita non puoi contemplare la vanità.

È un orpello che intralcia.

L'altro orpello che intralcia ininterrottamente a Manaus è l'umidità.

Se parlate ad un locale della parola venticello questo vi guarda come in una fiaba senza finale. Vi prende per ET-telefono-casa. Non capisce. Non è mai esistito, neanche casualmente, il soffio d'aria a Manaus, circondata com'è da miliardi di alberi dell'Amazzonia alti trenta trentacinque metri. L'ossigeno è come sospeso in una pozzanghera vecchia. Galleggia immobile e finisci per respirare quello di miliardi di anni fa, sempre lo stesso. Inali la roba dei dinosauri e dei licheni. Esiste solo l'umidità, gli scarafaggi e le donne più belle del pianeta. Nel passato, orde di tedeschi in cerca di caucciù hanno cercato anche le brasiliane dando loro figlie mulatte con gli occhi azzurri. Queste sono oggi le donne di Manaus. Il più grande spettacolo meticcio del mondo. Ma solo lo sprovveduto ingenuo potrebbe pensare che si tratti di una gioia, di un sollievo, di una ricompensa a una vita affollata solo di scarafaggi e calore appiccicoso. Non è così. Perché, queste divinità umane non le puoi guardare per più di tre secondi che subito interpreti te stesso come un complesso d'inferiorità che deambula. A tonnellate, vagano incoscienti della loro bellezza in mezzo alla città. Uno spettacolo di successo di Broadway che si produce per ventiquattr'ore di seguito. Perché anche a notte fonda le trovi in giro, dal momento che l'umidità e gli scarafaggi non le fanno dormire. Se il concetto di perfezione esiste, ecco quello ha trovato la sua camera d'albergo proprio qua, in mezzo alle donne di Manaus. Sepolte vive in mezzo a una natura fatiscente e invalicabile. Ti tolgono il respiro per sempre, producendo un tale carico di bellezza da inibire il desiderio. Una bellezza di tale, inaudita potenza da paralizzarti. Nessuno desidera scopare con la Venere del Cranach. La guardi e basta, senza credere che sia potuto accadere veramente. È lo stesso con queste creature. Le guardi e basta. E quando ti lasciano capire che c'è spazio per accedere a loro, tu non sei pronto. Perché vuoi solo continuare a guardare. Non si violentano le opere d'arte, non s'infila il cazzo dentro i dipinti di Caravaggio. No, questo non si fa. Non si tocca la perfezione, mai. Potrebbe condurti dritto dritto al suicidio. Questo è come la penso io. E non ve l'aspettavate. Ma solo le teste di cazzo possono credere che la mia reticenza alla frequentazione del museo e della cultura in senso lato mi impedisca di conoscere e amare la Venere del Cranach. Tutti gli uomini sono sorprendenti. E io anche un po' di più. E la Fonseca ci aveva scandalizzato con l'istruzione a me e a Dimitri il Magnifico.

Bisogna stare accorti, comunque, a Manaus, con le donne e con gli scarafaggi e se fai la gita fuori porta mica ci sta la trattoria dei Castelli, macché, ci sono i piranha e le anaconda, le vedove nere e insetti mai catalogati da nessuno che, con un rutto, ti avvelenano una volta e per tutte.

I dintorni di Manaus sono la guerra di dio contro l'uomo. Un duello senza storia. Su quello si era cautelato a dovere l'amico, era stato accorto, e si era detto che se avesse voluto ci faceva morire tutti quanti in Amazzonia. Basta un colpo di coda del coccodrillo e puoi andarti a depositare disinvolto dentro una bara su misura.

E sperare che qualcuno si ricordi di chiuderla se no sono sicuro che già avete capito chi verrà a farvi compagnia dentro la cassa anche da morti. Ma certo! Sempre loro. Queste maledette cacche nere con le zampette.


È tutta l'ostilità di questa città unica al mondo che mi ha spinto da quasi subito a cercarmi un unico, grande amico. C'è da credermi, quando gli scarafaggi ti tolgono il sonno, l'umidità ti toglie il respiro, le donne ti tolgono il desiderio e ti ricordano costantemente la tua perfetta simbiosi con la bruttezza, allora hai bisogno di un conforto disinteressato.

Il mio conforto si è chiamato Alberto. Un italiano di Angri, la peggiore provincia del mondo, che vive qua da tantissimo e che, a differenza mia, si è voluto prendere il rischio di morire e si è sposato una di queste dee locali di un metro e settantacinque. Proprio lui, che è più brutto di Amintore Fanfani. E possiede piedi che sembrano dei rimorchiatori. Che possono spostare gli appartamenti senza sforzo.

L'ho conosciuto così. Ero in un bar a bere un caffè ad un

tavolino insieme a sei scarafaggi che nessuno aveva invitato quando questo tipo soprappeso e minuscolo, ma compatto come un blocchetto di cemento armato, mi vede e urla come se stesse ad un mio concerto:

"Porco cazzo, Tony P.".

Bene, devo dire che mi ha fatto piacere essere riconosciuto per la mia fama anche in mezzo alla giungla.

Si è voltato verso tutti i brasiliani che stavano là dentro e ha urlato come un invasato:

"Porco cazzo, negri, ma lo sapete chi è questo qua? Questo è una divinità. Questo quando canta se ne cadono gli alberi. Avete capito, stronzi?".

Quelli lo hanno guardato come si guarda il grande nulla. Non se ne potevano fregare di meno. Allora lui non pago, non consapevole del vuoto indifferente generalizzato che si era propagato, ha afferrato il braccio di un ragazzo e gli ha ordinato con un retaggio di violenza che poi avrei scoperto lo permeava da capo a piedi:

"Vallo ad omaggiare, a questo dio balordo che canta meglio di Sinatra". E allora il brasiliano si è veramente frantumato i coglioni e, con un movimento di una rapidità che può aver imparato solo dai bacherozzi, si è ritrovato con un coltello in mano. Lo ha puntato alla pancia pelosa e rotonda di Alberto.

Ora, poi ve lo spiego meglio, dovete sapere che Alberto non possiede più quattro dita, tre nella destra e una nella sinistra, perché come lavoro ha fatto anche la guida turistica nella foresta amazzonica e lì, sulle prime, quando non conosci tutte le caratteristiche degli animali, capita sovente di dover rinunciare ai polpastrelli.

Tuttavia, è proprio con la mano destra che Alberto, fottendosene del coltello che lo minacciava, col solo ausilio del palmo ha elargito al giovanotto uno schiaffo di una tale potenza che lo sventurato mi è terminato vicino ai piedi scivolando come certi sciatori sulla discesa ripida che quando cadono non si fermano più. Mi ha oltrepassato i piedi, era finito oltre il bosco innevato. Il pavimento sdrucciolevole di avanzi di birre della notte prima lo ha schizzato contro il battiscopa con un impatto identico a quello di un aereo che crolla al suolo. Il risvolto positivo è che il giovane, forse parliamo di record del mondo, ha eliminato in mezzo secondo sedici scarafaggi che bivaccavano in ottima salute. Il coltello, invece, ce l'aveva in mano Albertino. A quel punto preciso, si sono sollevati dai loro tavolini arrugginiti la bellezza di quattordici brasiliani assolutamente poco raccomandabili. Tutti amici dello sciatore di Manaus. Per poco raccomandabili intendo individui adusi a maneggiare il machete come io e voi la forchetta e il cucchiaino. E si sono messi a fissare Alberto con un'insistenza che tutto poteva essere tranne che rassicurante. Alberto ha buttato a terra il coltello, quasi schifato. Un gesto di una sicurezza spropositata, come a dire: sono uno contro quattordici, ma mica vi affronto col coltello, io!

Tutto, ma non la vigliaccheria in Alberto Ratto.

Poi ha sollevato le mani e, con sole sei dita a disposizione ha detto con una sicurezza che non avevo sentito in vita mia nemmeno dalla bocca dei boss più avveduti:

"Ora vi faccio un culo così a tutti e quattordici quanti ne siete".

Io, semplicemente, non potevo credere ai miei occhi e alle mie orecchie. È stato in quel momento che ho congiunto alcuni neuroni per allestire il seguente pensiero:

"A questo me lo devo fare amico assolutamente".

E mi sono acceso una Rothmans leggera per godermi lo show che stava per distruggere il bar.

Perché, chiaro come la merda, stava per nascere una rissa epocale. La rissa delle risse.

Non fate gli schizzinosi, amici cittadini, non cercate di forzare la natura, non fate gli evoluti del cazzo, non fate parlare i quattro libri noiosi e rilegati male che avete letto, la rissa è oggettivamente sempre una cosa meravigliosa, è meglio di una scopata con la Carrà all'apice della sua comunicativa sessuale, quando si proponeva da Trieste in giù. Chi dice il contrario, sul concetto di rissa, è un imbottito di psicoanalisi e progresso che non andrà molto lontano. Neanche se tiene Freud come medico della mutua.

La rissa è bella. La rissa è stupefacente. La rissa è la rissa.

Devo registrare, non senza stupore, che, alla minaccia di Alberto, quelli, sebbene uniti in numero di quattordici, hanno tutti tentennato un poco, si devono essere detti: ma vuoi vedere che non è il caso di mettersi contro a questo che se ne sta così tranquillo ed eccitato dalla prospettiva di fare a mazzate con una maggioranza apparentemente schiacciante. Questo hanno pensato, all'unisono, perché non gli tornavano più i conti aritmetici, ma era troppo tardi. Quando spingi le cose ad un certo punto, tornare indietro è molto difficile a meno che non vuoi produrti in una serie inenarrabile di epocali figure di merda e il brasiliano moderno, questo va detto, è piuttosto refrattario alla figura di merda. Dunque, i quattordici si erano impegolati in un vicoletto stretto stretto chiuso ad arte con transenne d'acciaio.

Io mi sono detto: le cose non possono stare come stanno, questo Alberto o tiene un mitra nelle mutande o tra due secondi arrivano cinquantasei amici suoi.

Mi sbagliavo. Era solo, lui e le sue sei dita.

Con l'intenzione, salda e serissima, di mandare tutti e quattordici a fare compagnia all'assassino di scarafaggi. Non l'avrebbe fermato neanche un muro, neanche il padreterno, neanche un foglio che gli spiegava che rischiava l'ergastolo. Non lo poteva fermare nessuno ad Alberto. Perché è un uomo che non ha nulla da perdere. E io ci ho un debole assoluto per gli uomini che non hanno nulla da perdere. Quando li incontro è come se mi iniettassero un etto di cocaina tutto nel corpicino. Mi galvanizzo. Mi mettono al tavolino del mondo attraverso di loro. Mi fanno ridere e piangere per la commozione.

Sono i nuovi bambini, pur di giocare un'altra mezz'oretta sarebbero pronti a vendersi la madre.

Eccedono, gli uomini che non hanno nulla da perdere, fino alla nausea. Ma la differenza tra me e il resto del mondo è che io, dentro allo stato di nausea, ci sto una meraviglia. Non la vivo come un problema, la nausea. Per questo sono inadatto al mondo. Per questo sono solo. Ma ora ho trovato finalmente chi mi tiene il passo. Anzi, meglio ancora, che sta un passo davanti a me. Questo demonio di Alberto Ratto, nativo di Angri. Un paese situato sull'esile confine dell'anello mancante tra lo scimpanzé e l'uomo, che ha partorito molti esseri del suo stampo. Che non se la prendano quelli di Angri. Per me questo è un pregio, mica un problema.

Poi, così, d'incanto, come nella più bella delle fiabe, è iniziata la rissa delle risse. Col senno di poi, se mi avessero detto che dovevo pagare diecimila dollari per vedere quello che avrei visto gratuitamente, senza indugio, avrei detto subito sì. Mi sarei indebitato pur di vedere Alberto Ratto all'opera.

La specificità delle persone nel fare le cose è un'attitudine che non finisce mai di strabiliare il prossimo, pochi cazzi.

Vedere il più grande giocatore del mondo di pallone che si produce, leggere il più grande scrittore del mondo, studiare i gesti precisi e millimetrici del più grande falegname del mondo, ascoltare deliranti i più grandi cantanti del mondo, tutto questo mi fa sempre venire le lacrime nelle pupille. Le stesse lacrime che ho ora, quattro secondi dopo l'inizio della rissa, perché è chiarissimo che qua, di fronte a me, per il mio ludibrio, si sta esibendo il più grande picchiatore di tutti i tempi. E se ci aggiungete la menomazione fisica che gli impedisce la presa di baveri, nasi, capelli e mani, capite da soli l'entità delle difficoltà che deve superare. Ma Alberto Ratto non ha difficoltà da superare, oggi. Sta dentro al suo habitat naturale. Non si può dire lo stesso per i quattordici brasiliani. Che avrebbero bisogno di una risorsa fondamentale: il tempo. Che nessuno ti regala, mai. Soprattutto Alberto Ratto. Eh no, lo sa troppo bene che non può regalare il tempo a questi qui, altrimenti soccombe per inferiorità numerica. Avrebbero bisogno, i quattordici, di qualche secondo in più per organizzare la difesa e invece non ce l'hanno.

Perché voi ora dovete immaginare come una grossa palla pesante che inizia a volteggiare per il bar, quasi a rimbalzare, ad una velocità inaudita, con una violenza strepitosa, e che rade al suolo tutto quello che incontra, tranne me, che mi sono dovuto raggomitolare a terra sotto un tavolino insieme ai soliti diciassette scarafaggi.

Questa palla vivente è, ovviamente, Alberto Ratto.

Scomposto, anarchico, privo di qualsiasi metodo, Ratto attraversa e distrugge, ignorando la differenza elementare che passa tra le persone e le cose. Sopprime ogni elemento scaraventando tutto il suo corpo addosso a quello che trova: uomini, tazze di caffè, bottiglie di birra, calendari appesi al muro, camerieri, una cassiera eterea, il proprietario, scarafaggi, una radio portatile, un vecchio registratore di cassa, moneta contante, secchi per lavare a terra, bottiglie di cachaça, sedie infrangibili, vetrate, bicchieri, lampadine smorte, il ventilatore che combatte vanamente da anni contro l'umidità. Tutto. Tutto. Tutto.

È un uragano un po' più potente dei comuni uragani, Ratto.

È una bomba orizzontale, Ratto.

Rade al suolo, nel giro di diciotto secondi, tutto. Ma proprio tutto, eccetto me, il suo nuovo amico. È una cosa irraccontabile, se poi si pensa che Ratto ha cinquant'anni, mica venticinque. E produce tutto questo vento di morte in un silenzio inconcepibile, assoluto. Non un insulto, non un grugnito, non un respiro affaticato. È il suo momento di serietà che intervalla un carattere altrimenti giocoso, ridanciano. È il suo momento di massima concentrazione in una vita fatta di miliardi di distrazioni e divagazioni. Non ora, non adesso. Un rullo compressore che ha poco tempo e tanta professionalità. E che, innanzitutto, vuole fare le cose per bene. Non vuole lasciare niente intatto, tutto quello che esisteva in questo bar non deve esistere più. È una questione di principio. Vuole che questo bar ricordi nei secoli che c'è stato un prima Ratto e un dopo Ratto. In fin dei conti, ciascuno a modo suo, vuole piantare la sua bandierina nella storia degli uomini. Albertino da Angri ha scelto questo luogo come capitolo che i ragazzi devono studiare a scuola su di lui.

Quando, finalmente, Alberto Ratto si ferma, nulla più ha conservato una posizione eretta. Tutto, uomini e cose, è sdraiato a terra. Al punto che, ora, il locale sembra molto più grande. Ne ha guadagnato in visuale. Come la casa vuota che compri e poi quando la riempi di stronzate di mobili la ritrovi piccola e deludente. Qui, avviene il processo inverso. E, sollevando lo sguardo su Alberto, gliela leggo negli occhi l'espressione di soddisfazione. Ha fatto tutto per bene, sebbene grondi sangue da tutte le parti, perché il suo cammino onnivoro è stato costellato da schegge di vetro che lo hanno trafitto dappertutto, come in un'agopuntura cinese estrema.

Ma non si cura del sangue colante che a me invece mi avrebbe allarmato fino allo svenimento. Macché! Ha ritrovato il suo caratterino allegretto e goliardico. Sorride. È ovvio. Ha terminato il lavoro e ora ha tanto tempo libero davanti a sé. Il minimo che posso fare, a questo punto, è di offrirmi di accompagnarlo all'ambulatorio per fermare il sangue. Come un ragazzino che può andare a casa dell'amico alla fine della scuola lo sapete che fa Alberto?

Mi dice con un sorriso indimenticabile, invaso di una tenerezza:

"Che bello che mi accompagni, grazie Tony".

Ha detto con una voce flessuosa e adolescenziale.

Non ci posso credere che ho avuto una vita così intensa, questo mi dico adesso. Soprattutto quando compie il gesto di prendermi sotto braccio come se fossimo amici da tutta la vita e, vispo come Teresella che andea pe' l'erbetta, mi guida lungo la strada puntellata da una scia di gocce di sangue che lui lascia a terra con la nonchalance di una baronessa.

È come se avesse già dimenticato, in un baleno, tutta la strage che ha commesso appena pochi istanti prima. È già passato oltre. Perché la vita non aspetta, è come se comunicasse questo. A differenza di qualsiasi altro essere umano in analoga circostanza, non torna sull'argomento della rissa, non rievoca, non commenta. Macché. È acqua passata per lui, nemmeno così memorabile, mentre invece io ne potrei parlare per anni, per lui al contrario è una routine dimenticabile, leggermente fastidiosa, forse un poco imbarazzante, che andava fatta, è stata fatta, ma ora andiamo avanti. Invece mi fa domande sui miei futuri progetti musicali, dimenticandosi di chiedere cosa cazzo ci faccio io a Manaus, come se fosse assolutamente normale incontrare uno come me in un bar della periferia della periferia del mondo.

Quando arriviamo all'ambulatorio le cose appaiono meno semplici di quello che ci eravamo prospettati durante la passeggiata. C'è una folla immane che attende l'unico medico a disposizione. Un calvario di bambini straziati, donne incinte, vecchi sull'orlo del congedo dalla valle.

Una situazione che neanche in Congo durante carestie e guerre civili.

Ma Alberto mi regala un siparo che, se ci ripenso, poche cose mi hanno fatto ridere di più in questa vita.

Punta un infermiere meditabondo e gli dice con una solennità imperiale:

"Sono inciampato in un arbusto spinoso e dunque ho la massima priorità".

Quello non trova le parole, perché, per la seconda volta nella giornata, Alberto non ha concesso al prossimo l'unica risorsa che ti consente di fronteggiare il mondo: il tempo.

Mentre quello sta ancora organizzando un concetto di risposta, Alberto, sempre sotto braccio al sottoscritto, ha già spalancato la porta e si è impadronito di un medico. Lo ha letteralmente sequestrato con le due dita della mano destra, anulare e pollice, e lo sta conducendo senza se e senza ma alla soluzione del suo problema: il sangue che gli cola da duecentodiciassette punti diversi del suo corpo.

Il medico lo fissa e gli dice allarmato:

"Facciamo presto, prima che lei muoia per emorragia".

Con una calma che non ha precedenti nella storia dell'uomo in posizione eretta, Alberto Ratto ribatte con modestia:

"Uno come me non muore di emorragia, dottore".

Non so perché, ma suona come una verità incontrovertibile questa sua risposta.

Allora io e il medico ci guardiamo dritti negli occhi e, sono sicuro come la morte, che formuliamo lo stesso, identico pensiero: "Uno come Alberto Ratto, semplicemente, non muore".

Questa è l'idea precisa che sta prendendo corpo. Dal

momento che il mio nuovo amico possiede una vitalità e una gioia di vivere ma così spontanea, senza artifici come nel mio caso, e così inevitabile che questa è l'unica supposizione intelligente che ci è concessa a me e al medico. Il quale, infatti, inizia a prendersela comoda e, con pazienza certosina, si mette lì ad estrarre di tutto dalla massa corporea dura come un carro armato di Alberto. Estrae e tampona, il dottore, mentre Alberto, lo vedo proprio coi miei stessi occhi, socchiude dolcemente le palpebre, come se fosse in procinto di partorire una riflessione profondissima e invece, ieratico come Pio IX, mi intima:

"Ora, Tony, parlami di te dettagliatamente".

Mi fa impazzire quest'uomo. Lo amo all'istante. Se non fosse già sposato con la quarta donna più bella di Manaus, quanto è vero la madonna, me lo sposerei io, fottendomene di tutte le mie idiote idiosincrasie verso gli omosessuali. Mi manda proprio al manicomio, ma nel senso buono però. Non mi ci fa raccapezzare. Non governo nulla, sono in balia sua. Ogni volta che provo a pensare adesso dirà così, adesso farà cosà, puntualmente mi spiazza. È un'orgia di novità, di frizzi, di lazzi. Ogni trenta secondi è una bottiglia diversa di champagne che viene stappata. Ha trovato un suo modo meraviglioso di stare al mondo e tutti quelli in cui incappa gli rimbalzano contro. Nessuno lo mette in difficoltà. E con quale naturalezza poi. La vita non possiede ostacoli per lui. Basta prenderla per il verso giusto. Fa niente che il suo verso giusto a te appare puntualmente un errore, un evento denso di pericoli. Niente, vieni continuamente smentito. Aveva ragione lui. Ottiene tutto quello che vuole senza sforzo e la cosa ancor più sbalorditiva è che non vuole ottenere chissà cosa. Non è ambizioso, non approfitta delle sue capacità, si lascia vivere, ma non si fa fottere da nessuno. Me lo voglio sposare, ve lo dico ancora una volta poi non ve lo dirò più.


Insomma, lo conobbi così, Alberto Ratto. Fu un inizio mirabolante che, per un attimo mi fece credere che se mi mettevo appresso a lui sarebbe ricominciata per me una spettacolare e speculare vita tipo quella che conducevo a Napoli. Ma Alberto era amico mio come di altri e io, per lui, rappresentavo il suo momento di calma, di decompressione. Non mi portava con sé nelle scorribande notturne, nelle peripezie ai limiti dell'arresto cardiocircolatorio e negli atti da pena di morte che lui conduceva trotterellando allegramente. No, aveva altri referenti per questa roba e io non ero più un ragazzo uso ad attraversare indenne la feroce notte brasiliana e sono stato contento così. Ho potuto continuare la mia vita morta e monotona, come la volevo io. Tuttavia, per ogni problema, per ogni chiacchierata o consiglio Ratto è là, pronto ad accogliermi tra le sue dita mancanti e a ricordarmi che in mezzo alla giungla c'è lui che mi vuole bene senza volere niente in cambio. Tutto questo non è poco, quando trascorri diciotto anni in un appartamentino esposto male e cullato da una penombra umida in Brasile. E gli scarafaggi che ti tendono imboscate come in una guerriglia vietnamita.

L'altra incommensurabile grandezza di Ratto è che lui tratta Manaus, questo agglomerato insensato che i più non sanno neanche dove si trova, come se fosse Parigi o New York. Lui non ne vede il limite oggettivo. Lui non ci crede alle differenze palesi. Ritiene che le differenze siano solo nelle mentalità degli umani. Uno pensa, questo è un fanatico, un pazzo. E lui ti sbatte con soavità col cervello contro il muro perché ha ragione lui.

Nelle sue mani, Manaus diventa una Parigi della belle époque, una New York degli anni trenta, una Roma della dolce vita. È un tale concentrato di energie, Ratto, ma ne ha così tante, che queste si propagano per emanazione, per esondazione fluviale, a tutta la cittadinanza circostante. E allora vedi di colpo, grazie a lui, gente che un attimo prima tirava la carretta, che si mette bella in ghingheri per compiacerlo. I tristi sfoderano sorrisi. I disincantati affittano la curiosità. Gli abitudinari, improvvisamente, saltellano e ululano:

"Dove si va? Cosa si fa? Cosa dice Ratto?".

Uno spettacolo.

Come quella volta al magnifico teatro dell'Opera di Manaus.

Mi piomba in casa come l'insetto che entra dalla finestra e, bardato come un ambasciatore, intima alla mia stanchezza:

"Andiamo Tony. Mettiti lo smoking. Ci muoviamo tra mezz'ora".

Io lo guardo in mezzo a una coltre di panni da lavare.

E borbotto senza convinzione perché poi lo so che mi farà fare tutto quello che vuole lui e dunque i combattimenti con lui portano la firma della sconfitta in anticipo.

Comunque ci provo:

"Di che parli, Alberto? Ce li ho a Napoli i miei sette smoking".

Ma lui non si demoralizzerebbe neanche se gli avessero detto che tra sette minuti muore. Si catapulta sul mio telefono mentre si accende due Marlboro. Mi allunga una delle due sigarette, compie un numero e dice in un portoghese ineccepibile:

"Carlos, portami una parata di smoking a casa di Tony. Cerca di essere qui tra una decina di minuti".

In quel "cerca" è contenuto, sotto traccia, un ordine perentorio di fare prima di dieci minuti.

Benissimo.

Carlos, un suo aiutante della giungla, un indio senza un braccio, approda in sei minuti a casa mia con undici smoking. Naturalmente, come è caratteristica precipua di Ratto, non ho il tempo di pensare che lui è già avanti di sei sette passaggi. Come con il compito di matematica a scuola. Tu stavi ancora a leggere il testo e quello bravo vicino a te stava già ricopiando in bella. Destandoti un'ammirazione che non se ne andrà mai più dalla testa. Ratto è uguale. È sempre situato con le sue gambe tracagnotte nel futuro, ma senza sforzo e senza stress.

Tuttavia.

Alberto raccoglie gli smoking. Dà un bacio sincero sulla tempia di Carlos e lo congeda. Carlos sorride in preda ad una felicità arcaica per quel bacio di Ratto.

Ratto si volta verso di me con una finta da grande ala di rugby e mi dice:

"Provati questo smoking mentre ti spiego due tre cose fondamentali sugli indios".

Ha una fretta boia ma gli è estranea l'idea di concentrare il suo tempo unicamente sul concetto della fretta. È un animale raffinatissimo, Ratto. Cedo, perché non esistono alternative e m'infilo uno smoking che mi scende lungo mentre lui mi spiega:

"Vedi Tony, se ti girano le palle nella vita puoi mancare di rispetto a tutti quelli che vuoi tu, anche a me naturalmente, io posso capire perfettamente. Ma c'è una categoria di persone con le quali questo errore non si deve mai commettere. Mai. Mai. E questi sono gli indios che se la fanno nella giungla. Non è una questione culturale o razziale o di rispetto delle minoranze. Me ne fotto io delle questioni culturali e del rispetto per le minoranze in via d'estinzione. No. La questione è più semplice. Gli indios possiedono una forza fisica che noi ce la sogniamo. E dato che non abbiamo gli eserciti e le nazioni alle spalle allora bisogna fare somma attenzione. Tu credi che io sia un buon picchiatore, ma ti assicuro che Carlos, con un braccio solo, ma anche senza tutte e due le braccia, se vuole, se gli acchiappano i cinque minuti, mi lascia a terra come una pezza dopo che hai lavato a terra. Quando cresci gestendo le rapide e le anaconde, gli uomini diventano formiche. Gli indios sono in grado di schiacciarci con i calli durissimi dei loro piedi perennemente scalzi. Mentre noi ci esercitavamo nella palestra fredda col quadro svedese questi stavano a volteggiare sulle liane sopra tappeti di coccodrilli gourmet. Mi segui?".

Io lo seguo, ma non capisco perché mi parla accovacciato vicino ai miei piedi e con una voce contratta. Poi guardo meglio e allora capisco. Mentre mi sta raccontando tutto questo suo concetto, veloce e silenzioso come un serpente, senza che me ne accorgessi, mi sta prendendo le misure per farmi le pieghe ai pantaloni dello smoking che mi vanno lunghi. E parla con voce contratta perché in bocca ha sei spilli che non riesco proprio a immaginare dove abbia potuto prendere. Il tempo, si diceva. Lui sta avanti e tu non lo sai. Tanto che, in passato, alle volte, io pensavo che la serata fosse appena cominciata e lui invece ci comunicava candido e sorridente che era finita, si andava a dormire.

Terminata la lezione sugli indios, rimbalza in piedi e stabilisce:

"Togliti i pantaloni che ti faccio la piega".

Eseguo e imploro:

"Ma dove dobbiamo andare?".

E lui, stupito assai, come se io fossi l'unico al mondo che non lo sa:

"Gesù, Tony! Dobbiamo andare al teatro dell'Opera. Canta per l'ultima volta nella sua carriera quel pazzo di Karl Hermann Schumann. Lo conosci no?".

"Ma non faceva l'attore?"

"Quante cazzo di lacune che hai tu? Ci hai proprio dei fossati di mancanze, Tony. Mo' ti riassumo."

Mi dice così mentre se ne sta già chino su una seggiola con ago e filo a farmi le pieghe ai pantaloni e fuma con la sigaretta sospesa tra le labbra, senza poterla distrarre dalla bocca perché ha le mani occupatissime. Sa fare tutto. Come gli scarafaggi e come le donne italiane di una volta. Io lo guardo estasiato e non finisco mai di ammirarlo e di scoprirlo.

Cuce, fuma e parla:

"Schumann era il più grande tenore tedesco, ma era anche l'uomo più bello, selvaggio e avido di Germania, così si mise pure a fare l'attore e dopo film di successo stellare abbandonò la lirica, ma ora ha deciso di fare un ultimo concerto".

"E tu desideri conoscerlo?"

"È lui che desidera conoscermi. E noi abbiamo il dovere di essere ospitali."

Molti potrebbero pensare che ha sparato una bugia. Ma io non dubito un istante. Ha detto la sacrosanta verità. E non mi meraviglio neanche per un momento che le cose stiano davvero così. Mica è la prima volta che arriva qua gente incredibile, di altri mondi e altre provenienze e la prima cosa che chiede alla reception dell'hotel è:

"Mi fate conoscere Alberto Ratto?".

Mi consegna in quattro minuti uno smoking che sembra fatto su di me da un sarto di scuola napoletana o londinese.

Indosso lo smoking e m'impomato i capelli davanti allo specchio del bagno e lui mi attende sulla soglia, con un bicchiere di vino rosso in mano che si è procurato lui solo nella mia cucina senza chiedermi niente, mi guarda e dice neutro:

"Sei sempre un bell'uomo, Tonì. Non te lo dimenticare mai. E ci hai l'animo buono. Te lo dico io. Quello che hanno detto gli altri, nel passato, non conta un cazzo".

Ha la stessa forza di Spencer Tracy, Ratto.

Vale a dire, mi fa commuovere tutte le volte che lo desidera. Mi tiene per le palle e per il cuore. E lo sa, perché adesso, senza guardarmi, senza verificare la mia commozione, con la delicatezza di una geisha pallida, prende un po' di carta igienica, mi si avvicina e, dal basso delle sue poche dita tozze verso l'alto delle mie palpebre, mi asciuga le lacrime che ho agli occhi.

Poi, illuminato, raggiante, felice come uno sposo di campagna, mi sussurra:

"Andiamo, non possiamo fare tardi, che a teatro ci aspetta Bella".

Lo confesso. Mi emoziono un'altra volta. È quel nome che risuscita le scoliosi sopite di tutti gli uomini: Bella. La moglie di Alberto. Che non esce quasi mai. Per non sciupare la sua bellezza.


Che vi credete? Che stiamo nel mondo dei trogloditi? Ma vi sbagliate grossolanamente proprio. Anche Manaus ha la sua bella borghesia che ha sfoderato i tessuti e lo stile e ora se ne sta tutta distribuita sul maestoso scalone, elegantissima, a chiacchierare in attesa dell'evento musicale, quando arriviamo io e Ratto a bordo di una Bentley grigia appartenente ad Alberto e guidata in maniera rocambolesca da Carlos con un solo braccio e, di conseguenza, con una sola mano. Ratto scivola giù dal mezzo meccanico ed è subito una processione di uomini d'affari e donne stilizzate di consueta bellezza meticcia che vanno ad omaggiarlo e a riverirlo. Qua e là, sinistramente, si intravedono inchini ai limiti del messianico. Ratto è caloroso con tutti. Non ostenta superiorità. Si rapporta amicale. Sono gli altri che proprio non ce la fanno a porsi sullo stesso piano. E posso capirli. Ma quando vedi anziani che rischiano la frattura del femore per compiere le scale a quattro gradini alla volta per andare ad ossequiarlo allora la domanda sorge ancora una volta spontanea: cosa fa Ratto in mezzo alla giungla? Qual è il suo ruolo? Che tipo di affari conduce? Sembra un capo di stato magnanimo adesso, ma mezz'ora fa stava in ginocchio davanti ai miei pantaloni a prendermi l'orlo. Un mistero. Lo sapete voi di cosa si occupa questo? Io no. Mica può essere solamente una guida turistica della giungla come ce ne sono tante. E probabilmente non lo sanno neanche questi qua che pendono dalle sue labbra. Ce ne sono stati di enigmi, ma con Ratto si rischia l'insonnia perpetua perché non se ne viene a capo. Tutte le domande non hanno risposte. Solo vaghe supposizioni. Di solito errate. L'idea più vicina alla verità è che, semplicemente, li ha stregati a tutti quanti col suo modo di essere, come fece con me dentro a quel bar la prima volta che ci conoscemmo.

Ma poi, all'improvviso, la vita si sospende come nel minuto di raccoglimento allo stadio prima della partita. La dea è apparsa in cima allo scalone. Inguainata in uno scollato, perfetto abito nero. Bella. Bella. Bella.

Bella Ratto. Ex Bella Coimbra dos Santos.

Bella come la madonna di Pompei, solo di carnagione un po' più scura. Il vestito perfetto la proietta nel mondo di miss Mondo. Non è più la quarta donna più bella di Manaus. Ha guadagnato posizioni. È la numero uno, adesso.

Logora le galassie.

Si paralizzano, i concetti.

Li senti adesso, pochi cazzi, che tutti i battiti cardiaci si accelerano a dismisura. Tutti. Quelli di uomini e donne. Il mio e quello di Alberto.

I pappagalli variopinti, lascivi e nascosti sui rami, si accarezzano le parti intime.

Le donne presenti abdicano immediatamente all'invidia

per lasciare posto all'unico sentimento che consente loro di resistere ancora nella vita: l'ammirazione incondizionata.

Le bocche si dischiudono nello stupore. Si alita meraviglia.

Tutte le mani sudano perché, da qualche parte, remotamente, ci sarebbe la possibilità di doverle stringere la mano a Bella Ratto. La più affascinante di tutte le donne del mondo. E dunque tutti furtivi ad asciugarsi la mano appiccicosa sul pantalone dello smoking.

Ratto mi si avvicina all'orecchio e, in questo anfratto di irrealtà, si produce in un'affermazione che ha del memorabile.

Mi sibila emozionato:

"Hai visto che meraviglia il vestito nero? Glielo ho disegnato e cucito io. Ti piace?".

Mi pare di aver annuito lievemente. Ma ero troppo sbalordito per ricordarmi esattamente come sono andate le cose.

Bella, inguainata in un taglio d'occhi azzurri da pantera mansueta ma indomabile, consapevole della sua statuaria, inarrivabile beltà, scende le scale, esibendo una matrice di timidezza che moltiplica il suo erotismo dentro numeri che i matematici non sono ancora arrivati a formulare neanche con la fervida immaginazione.

Avanza, come se dovesse venirsene giù il mondo.

Sotto gli sguardi pullulanti.

Raggiunge me e Alberto che sostiamo affiancati alla base delle scale. Mi sorride perché mi conosce. Io vedo mia madre. Era bellissima, da giovane, mia madre. Poi, riacchiappo la mia coscienza in fondo alla Fossa delle Marianne e organizzo un baciamano perfetto alle sue dita che sembrano una profezia religiosa.

Ratto vede e sorride contento perché non ho deluso lo standard della coreografia. Bella sorride al baciamano e poi mi abbandona in uno stato di prostrazione e sfortuna perché è tempo di rivolgersi all'unico vero privilegiato: il marito. Il grande Ratto. Lo guarda. Lui la guarda. Tutti guardano loro due. Lei è un metro e settantasette, lui esattamente venti centimetri in meno. Si sorridono come se si stessero rivelando l'uno all'altro adesso per la prima volta. Invece sono sposati già da diversi anni. Tengono la scena che neanche Gassman o Bramieri prima della battuta finale della barzelletta che poi non faceva mai ridere. Poi Bella, lenta e cauta come il serpente a sonagli un attimo prima di ingoiarsi un topo intero, si piega in avanti, spostando all'indietro un sedere perfetto che non farà finire mai gli aneddoti che si sono susseguiti negli anni su questi quattro secondi epocali. Il suo culo si protende lentamente verso l'occidente, come un sole al tramonto e allora non si contano più i malori dei maschi pervenuti all'evento. Io, molto semplicemente, stavo per cadere a terra. Ma non sta provocando nessuno, Bella. La provocazione è estranea alla sua immensità. Sarebbe un giochetto troppo facile per lei. E lei è una brasiliana di classe. È solo che lo deve compiere per forza questo gesto di immenso erotismo, poiché deve abbassarsi all'altezza della bocca di Ratto per baciarlo. E infatti si baciano. Con la lingua dolce. Per quattro minuti. Come gli adolescenti nei garage dietro le macchine parcheggiate. Lei, accoccolata come una culla, si spupazza Ratto, gli sposta i capelli, gli aggancia le orecchie ruvide e callose, gli accarezza le dita mancanti e quelle presenti, mentre lo inghiottisce di baci inenarrabili. Trasfigura il rospo in principe. Lui è nelle sue mani. La gente guarda. Un ex colonnello in pensione prende la decisione migliore dinanzi a questo spettacolo degli spettacoli. Prorompe in un applauso. È il primo, ma per poco. Seguono i battimani feroci dei milleduecento presenti. Io non l'ho mai visto un applauso per un bacio, neanche al cinema. Ma qui ne vale veramente la pena. Ratto, senza distogliere la lingua da sua moglie, solleva due dita in segno di vittoria. È un boato. L'Amazzonia esce dal torpore e si vivacizza. Il bacio termina. Lui si ricompone. Lei è già composta. Ci vuole altro per smarrirla a questa valorosa della femminilità.

Ad alta voce, Alberto, appagato e giulivo, dice alla folla:

"Ora andiamo dentro, che stasera ci dovrebbe essere della buona musica".

E ci fa riprendere il contatto con la terraferma a tutti quanti ne siamo.

Non si scherza con la lirica a Manaus. Essa non è un passatempo.

È una faccenda seria che anima discussioni che svariate volte sono sfociate nei litigi, nelle rotture ventennali di amicizie, nelle risse goffe di gente colta poco usa a menare le mani, con le mogli ingioiellate che si frapponevano per dividere melomani invasati come rapinatori in disaccordo al momento di spartirsi il bottino dopo il colpo. Ma non stasera, per carità. La performance di Schumann ha messo d'accordo tutti. Anche gli scarafaggi.

Dunque ce ne stiamo tutti nel retro del teatro ad attendere l'uscita dalla porta dell'incommensurabile Karl Hermann Schumann.

Che, poco fa, al momento dell'acuto, prima ha fatto vibrare un lampadario, poi ha spaccato con l'onda sonora tre lampioncini di cristallo che arredavano un palchetto laterale. Facendo venire giù sia il teatro che i deboli padiglioni auricolari di tutti gli ultrasettantenni.

Ora, quindi, tutti con gli occhi puntati a quella porta minuscola del retro dalla quale dovrebbe apparire, da un momento all'altro, il maestro. Il cantante dei cantanti. Nonché star del cinema tedesco e interprete notevole di alcuni rilevanti film di Hollywood.

Tutto questo scenario emozionante non mi fa venire voglia di tornare a cantare. È un sollievo quando il realismo è dalla nostra parte. Io non sono Schumann. Per me non potrebbero mai esistere scenari di questa portata. Ad una certa età, bisogna dire le cose come stanno. Niente più buffonate.

Finalmente, Schumann appare. Ha i capelli bagnati, deve aver fatto la doccia, ma la cosa non lo ha rinvigorito, perché è stremato. E si capisce. Ha fatto uno sforzo disumano che un altro, al posto suo, avrebbe depositato direttamente le corde vocali in mano al primo violino. In due ore, è invecchiato di sei anni. Il popolo lo scorge e si ammutolisce. Schumann è di una bellezza impossibile, maledetta e pericolosa come quella di un altro attore famoso: Klaus Kinski.

Resta fermo sulla porta, serio, ansimante ancora dalla fatica, come un re della foresta prima di spirare, con uno sguardo potentissimo che penetra i muri, i capelli lunghi e anarchici, un cappello bianco a falde larghe e un bastone color avorio che sorregge i suoi cinquantacinque anni d'artista immersi anche loro in un completo di lino bianco. Sta pieno di carisma alla stessa guisa del tabaccaio che sta pieno di stecche di sigarette. Stessa condizione, Schumann non sa più dove metterlo il carisma. Quello, il carisma, ha occupato pure tutte le mensole delle sue quattro case sparse per il mondo. Tutti vorrebbero avvicinarsi, ma nessuno si avvicina. Hanno paura di disturbare il genio. Questa è la storia. A me mi si blocca il respiro. Che serata gigantesca, cazzarola!

Poi succede una cosa inaspettata e meravigliosa. La gente, come in un accordo non scritto, in un silenzio luttuoso, si dispone in due grosse file e tutti, uno dopo l'altro, iniziano a inginocchiarsi, col capo chino rivolto nella direzione di Schumann. Anche Ratto fa lo stesso e anche Bella si inginocchia. Fottendosene della sua bellezza che si sciupa e del suo vestito nero che potrebbe gualcirsi.

Anche la bellezza, prima o poi, cede il passo alle capacità.

Almeno così dovrebbe essere.

Per paura di sbagliare, m'inginocchio anche io, ovviamente con la rotula schiaccio uno scarafaggio di passaggio, ma mica l'ho capito però cosa cazzo sta succedendo. Mi aspettavo un applauso fragoroso all'apparire del sommo e invece sembra che ci siamo proiettati dentro un duomo tutti quanti. Però sono squagliato dall'emozione che mi pervade. Il momento puzza di indimenticabile. Mille persone inginocchiate e non vola una mosca. Apprenderò dopo che stiamo applicando una tradizione russa. Ci si inginocchiava, quando il grande attore o la grande attrice avevano turbato veramente gli animi degli spettatori. Schumann sobbalza ieratico nel vedere cosa sta accadendo. Si commuove. Tra i milioni di riconoscimenti che ha avuto in carriera questo veramente gli sta per spaccare il cuore. Posso capirlo più degli altri. Il suo sguardo significativo assai si riempie di lacrime gotiche. E sfila lento e silenzioso lungo il corridoio delimitato dagli umani in ginocchio. Si può sentire come unico rumore il ticchettio intermittente del suo bastone d'avorio mentre sussurra ora, tradendo atteggiamenti effeminati, come un papa discreto:

"Grazie, grazie, grazie a tutti".

Piange come un bambino a fine carriera.

Fa piangere, alle volte, il rispetto e l'affetto.

Il mio concerto di fine carriera invece ve lo risparmio. Anche a cuore aperto, anche davanti al confessore in punto di morte, bisogna sempre conservare un po' di dignità e un certo senso della vergogna, e certe cose, dunque, evitare di raccontarle.

E pensare che quando cantavo io, se si toglie l'evento Sinatra, non mi è mai capitato niente di più di quattro smandrappate arrapate che mi anelavano sessualmente dentro ai camerini. Ma così, giusto perché all'epoca scopare con me faceva tendenza, mica perché la mia performance canora le avesse incantate. E dire che pensavo di sapere cosa fosse il successo. Ma magari. Sono dovuto arrivare a questo momento biblico per capire cosa significa esattamente la parola: successo. È qualcosa che ha a che fare direttamente con dio, ma sul serio però, senza intermediari, non come blateravo io a destra e a manca quando avevo tanta voglia di spararmi le pose e credevo, perché ero ignorante e non avevo mai visto Schumann, di possedere la cosiddetta potenza vocale. Col cazzo. Schumann ce l'ha ed è, credetemi, davvero una virtù divina. Poiché è esclusiva.

Poi, l'apostolo tedesco, superate le ali umane prostrate ai suoi piedi catalizza la sua fermata all'altezza di Alberto Ratto. Questi si solleva in piedi. Io e Bella solleviamo dalla nostra bassezza gli occhi per scrutare cosa si diranno. Schumann abbraccia Ratto con trasporto. Ratto ricambia e sorride candido.

Schumann esordisce in italiano:

"Un direttore d'orchestra, mio amico, che vive a Roma, mi ha detto cose strepitose su di te".

Ratto minimizza:

"I direttori d'orchestra esagerano. Sono dei megalomani. Vorrebbero suonare tutti gli strumenti loro".

Schumann sorride e puntella:

"È vero".

Poi si fa propositivo, l'artista. Ha terminato la carriera, non la vita. E, abituato alle coccole e alle proposte, dice con un vago tono intimidatorio:

"Alberto, cosa mi hai organizzato per questa sera?".

Non finirà mai di stupirci abbastanza Alberto Ratto perché ora, senza scomporsi, pacificato, risponde:

"Io? Niente".

Schumann non riesce a dissimulare un disappunto che potrebbe anche sfociare in una scenata indimenticabile.

"Come niente? Hai pensato a una cena? Un party in mio onore?"

Uno dice la bellezza. Ma la bellezza delle bellezze è sempre una sola: la brevità.

Dunque, ecco Ratto alle prese con la brevità. Dice:

"No".

Io e Bella, inginocchiati e limitrofi, ci sbirciamo con la coda dell'occhio e prendiamo a ridere sotto i baffi alle spalle del grande Schumann. Il quale fa svolazzare una mano confermandoci definitivamente che è ricchione. Poi, stizzito assai, alza la voce:

"Ma come non hai organizzato nulla? Ma stiamo scherzando?".

Ratto si accende una sigaretta. Ha capito che la faccenda presenta improvvisamente una sua articolazione, una sua lunghezza, una sua complessità. E le ali di folla stanno riguadagnando la posizione eretta, spezzando l'incantesimo. Dal sacro al profano in un baleno. Trenta secondi fa si celebrava dio, ora ci si potrebbe accapigliare per delle tartine che non ci sono. Si potrebbe scivolare dentro l'angusto, insuperabile, storico problema di Manaus, vale a dire che qui non esiste il concetto di ristorante da dopo teatro. Dunque, le trattorie sono tutte chiuse e aleggia il sospetto che il maestro proprio non può accettarla l'idea di andarsi a coricare a stomaco vuoto. Comunque. Ratto butta fuori il fumo e non dice niente perché non sa cosa dire. Schumann non si fa capace, non ci crede, sarebbe la prima volta in trentacinque anni di sontuosa carriera che nessuno gli organizza una distrazione dopo un suo sublime spettacolo. Ma non organizzargli proprio nulla addirittura in occasione del suo concerto di fine carriera è una cosa che lo sta facendo impazzire sul serio. Sbraita, cercando di preservare una compostezza, ma sbraita, gli occhi lanciano palle di fuoco, il sudore cresce, il pallore della stanchezza cede il passo a striature rossastre di collera, frequenta l'angina pectoris. Insiste:

"Ma non ci posso credere! Ma deve esserci un equivoco. Dov' è il sindaco di Manaus?".

Ratto, morbido e sereno come un ghiro:

"Non è venuto il sindaco. Un problemino di emorroidi. Niente di grave. Ha delegato me a riceverla. Nessun equivoco".

Karl Hermann perde il controllo e scaraventa a terra il bastone d'avorio. Io scopro in me stesso l'istinto del servizievole e vado a raccoglierlo. Glielo pongo. Lo prende. Non mi guarda e non mi ringrazia. Invece fissa con aria di sfida Ratto. Vuole vedere dove vuole arrivare con la sua smodata mancanza di rispetto questo Ratto.

Ma io ora lo vedo a Ratto. E tremo.

Perché dall'atarassia sta sfociando in quella sua arietta concentrata, sta lievemente congiungendo le sopracciglia in un unico corpus. Questo mi spaventa. Perché tutto quel repertorio lombrosiano là, del Ratto, è un chiarissimo preambolo di una cosa sola: la rissa. Che dio ce ne scampi. Tutto va bene, ma proprio non si può picchiare il più grande tenore degli ultimi trent'anni. Devo intervenire.

E azzardo:

"Calmiamoci. Sono sicuro che qualcosa da fare la troviamo".

Il mio sforzo viene vanificato da Bella. Ci si mette pure lei a complicare le cose e dice:

"Io andrei a casa, Alberto. Sono un poco stanca".

Schumann già la odia. Come tutti i grandi omosessuali, non sopporta che le donne si intromettano nelle cose degli uomini. E sibila come un nazionalsocialista di riguardo:

"Chi è costei?". Lo ha detto in una maniera così sprezzante che di più proprio non si può.

Ratto si sta irrigidendo tantissimo. Io penso che tra un poco scappo come Mennea, perché io non voglio assistere alla tragedia umana che può scoppiare da un momento all'altro, rovinando ancora una volta una serata memorabile.

"Mia moglie" ringhia Ratto.

"Le dica di non parlare più in mia presenza" intima Schumann a Ratto, assumendo subito dopo una postura di profilo, quasi di spalle, cioè dichiaratamente ostile a Bella. E Schumann pone uno sguardo fiero e ottuso verso l'alto. Ma non se ne va. Ha deciso non solo che Bella deve stare zitta e a cuccia, ma che sempre e solo Ratto deve risolvergli il problema che gli preme da sempre di più al mondo: intrattenerlo. Perché è un uomo che ha fatto così tante esperienze che finisce sempre per annoiarsi.

Ma mi sono dilungato.

Perché quello che adesso davvero interessa è registrare la reazione di Ratto dopo che, per la prima volta nella storia del suo matrimonio, qualcuno ha avuto l'ardire incosciente, pazzo, assolutamente irresponsabile, di mancare di rispetto a sua moglie. È una cosa che avrebbe paura di fare pure il capo delle forze armate brasiliane al riparo dentro un cingolato. Ve lo giuro. Invece Schumann lo ha fatto. Come se fosse la cosa più ovvia e più giusta del mondo.

Ora io lo posso vedere Alberto Ratto da Angri.

Vedo il pastore, il contadino che vuole risolvere alla sua maniera l'eterno problema dell'agricoltura e della vita: il confine.

E la sua maniera consiste nel mettere in moto i motori dell'anatomia. Pancreas, fegato, laringe, intestino, muscoli primari e secondari, insomma tutto l'interno di Ratto si sta compattando in un'unica struttura di cemento armato. Nel suo corpo è tutto un via vai di ordini e di emergenze. Tutti a urlare: "Ragazzi, pronti per la guerra. C'è un nemico da abbattere, un tedesco, un artista, dunque un sospetto nazista, si chiama Schumann". Questo immagino che avvenga nel corpo di Ratto. I segni esteriori ci sono. Gli occhi gli si sono rimpiccioliti a falchetto. Le labbra si sono ripiegate all'interno e la bocca appare ora come un segmento. Insomma, se era pronto per abbattere quella volta un'intera attività commerciale, figuriamoci se non è pronto adesso a distruggere un omosessuale stanco, acciaccato e capriccioso.

Infatti, Alberto compie un passo in avanti.

Io chiudo gli occhi e cerco la preghiera, ma naturalmente non ne ricordo nessuna.

Ma poi il colpo di scena. E Bella ne è la protagonista. Perché non è solo una gran bella donna, ma è anche una persona che sa come si sta al mondo. Dunque, allunga le sue dita nitide sull'avambraccio teso del marito e poi sentenzia con la voce di velluto che inibirebbe eserciti di adolescenti vergini e eccitati:

"Alberto, Karl Hermann Schumann è un grande artista e può dire ciò che vuole. Io me ne starò zitta, ma tu, ti prego, organizzagli una serata indimenticabile".

Schumann fa ancora l'orgoglioso di sbieco ma è evidente che tradisce felicità fin da dentro il cappello bianco. Infaustamente orgoglioso, non saprà mai che ha scampato la morte per un dettaglio.

Il dettaglio di Bella che gli ha salvato una vita sempre luminescente.

Io tiro un sospiro di sollievo come se mi avessero strappato alla morte.

Ratto si sgonfia come un palloncino e rientra all'istante nella civiltà. Quando parla la moglie, per Ratto, è come se parlasse suo padre. Il capofamiglia. Quindi, si esegue e basta.

Infatti, riaggancia la mansuetudine e la convivialità e dice gentile a Schumann:

"Io devo sbrigare una faccenda di lavoro nella favela più malfamata della città. Mi piacerebbe farvela visitare, maestro Schumann".

L'attore che è in Schumann si ancora al personaggio dello stizzito e dice:

"Io in una favela?".

E Ratto:

"Sì maestro, lei in una favela, così le mostro una volta

e per tutte qual è la linea di demarcazione tra la vita e la morte".

A questo punto ecco quello che accade. Schumann riflette serio. Poi si volta verso Ratto. Lo scruta dall'alto della sua grandezza.

Inizia un sorriso e dice con un filo di voce stanca:

"Sì, questo mi piace".

E getta le braccia al collo di Ratto con una tragicità nera e rara.

Da nibelunghi.

Poi il maestro Schumann ritrova un indizio di realtà e chiede spaventato:

"Ma non sarà pericoloso?".

Ratto sorride e chiude:

"Io sono più pericoloso".

Sono un bugiardo. Avevo detto che non lo dicevo più e invece ve lo devo dire ancora una volta: io me lo voglio sposare Alberto Ratto.


Dire bar sarebbe una ridondanza. Un'imprecisione. Sono mattoni con la calce viva senza porte. Il luogo di ritrovo sociale della favela più povera e terribile di Manaus. A terra ci sono tappeti di scarafaggi, molto più grandi e numerosi di quelli coi quali convivo quotidianamente. Oziano, abbrutiti, poveri come i suoi abitanti umani. Ciondolano in mezzo a tentativi remoti di pavimentazione del luogo. Orinano lungo schegge di mattonelle di ottava scelta. Tutte diverse tra loro.

Un vecchio frigorifero orizzontale di gelati non raffredda più e non ospita i gelati. Invece dentro vi alloggia un maiale magro, rachitico, che non ha la forza di dare vita a nessun verso. Morente.

Per il resto, tutto è rimasuglio sudicio. Sulla base del tavolino è meglio non poggiare le mani perché ci potrebbero rimanere attaccate. Ma il tavolino è spaccato per un terzo. Un bambino nudo fa la cacca in un angolo. Gli scarafaggi gli lasciano il campo libero e se ne vanno. Il proprietario del bar, un uomo sulla sessantina, se ne sta stravaccato dietro al bancone, con una mano che sorregge una testa abnorme. Possiede un difetto fisico alle palpebre, poiché sono eccessive nella proporzione del suo volto. Quasi non riesce a vedere. Ma prova comunque a guardare una tv sospesa alla meglio in un angolo che manda in onda un quiz. Ma il vetro del televisore è tratteggiato da spaccature anarchiche con un foro di proiettile al centro. Come una piazza dalla quale si diramano diverse strade. Non si vede bene. Si intuisce, il quiz. Il proprietario indossa un fodero lucente sotto l'ascella che ospita una pistola nuova e illegale. È stanco e svogliato. Non ci degna di uno sguardo a noi.

Noi siamo io, Bella e Schumann. Seduti immobili al tavolino. Davanti a tre imitazioni di Pepsi Cola che non beviamo. Per paura.

I miasmi, vari e sovrapposti, ci immobilizzano anche l'elementare atto del respiro.

La povertà può essere ancora più tremenda di un ottimo reportage fotografico in bianco e nero.

Della povertà, non se ne conosce il limite verticale verso il basso.

Alberto non è con noi. Sta sbrigando poco lontano il suo, come sempre, sconosciuto affare. Schumann non rinuncia neanche qui alla sua austerità ostentata e congenita. Bella non ha paura. La sua bellezza, la sua nobiltà naturale, semplicemente, stona con tutto. Entrano due tipi sulla trentina. Hanno tra le mani un mitra e una borsa da donna che devono aver rubato poche ore prima. Schumann serra la mano sul bastone d'avorio. Per proteggerlo. Uno dei due non può non notare Bella. Lei evita di guardarlo. Io tremo. Ma l'uomo distoglie subito, come imbarazzato, pochi secondi dopo, lo sguardo da Bella. Come se, all'improvviso, l'avesse riconosciuta. Mentre l'altro rovista nella borsa. Tira fuori un biglietto con un numero di telefono, un biglietto dell'autobus, una matita spezzata per gli occhi. Mette tutto nella tasca del suo pantalone. Cerca il portafogli della signora. Non lo trova. Ha rubato a un altro povero. Mormora qualcosa tra i denti. Ma non si capisce cosa.

Fuori c'è un silenzio maestoso. Si sente solo un remoto

russare tra le righe. La favela dorme. Senza porte e senza finestre alle parvenze di capanne che ospitano gli stanchi del mondo. I dannati.

È tardissimo.

Schumann ha fame. Ma non lo rivelerebbe neanche col mitra puntato alla tempia. Ha paura del menu. E della qualità del cibo.

Appare Ratto. Serio. Urgente.

Dice:

"Avete assunto le bibite?".

Annuiamo tutti e tre. Ma non è vero. Le bibite sono lì piene, vergini. Ratto lascia dei cruzeiros sul bancone. Il proprietario non li prende. Rifiuta. Non vuole essere pagato. Inspiegabilmente.

Tutto ha un suo codice. Sconosciuto solo a me e a Schumann.

Poi Alberto dice a noi:

"Andiamo a fare un giro".

Ci alziamo. Con fatica. Appesantiti dallo squallore della morte che respira.

I due giovanotti, lo capisco chiaramente, prestano una grande attenzione nell'evitare lo sguardo di Ratto.

Regna un'atmosfera nuova e seriosa. Senza fronzoli. Nessuno ha voglia di scherzare. O forse è vietato scherzare, qui.

Usciamo nel buio.

Attraversiamo collinette di fango e scarafaggi.

Schumann ha le scarpe bianche inzaccherate di marrone ma non protesta.

Indossiamo i nostri abiti da sera.

Avanziamo lungo una sembianza di vicolo.

Sbirciamo pudichi negli interni senza porte e finestre.

Fa caldissimo.

In un anfratto, sulla parodia di una brandina, ci sono due prostitute completamente nude e malate.

Altrove, vediamo una madre che accudisce un bambino febbricitante bagnandogli la fronte con una pezza sporca e bagnata.

Ancora scarafaggi.

Dagli interni aperti, udiamo delle scoregge potenti.

Nessuno commenta. Nessuno ride. Nessuno fa niente.

Si cammina solamente.

Con una lentezza che non somiglia però a una passeggiata. Scorgiamo molti che dormono.

Accatastati nei pagliericci come internati, come profughi, come sopravvissuti.

Schumann sta pensando ad Auschwitz. A Mauthausen.

Il fetore è ai vertici.

È tardissimo, ripeto. Quasi l'ora dell'alba.

Passa un mulo. Lui solo. Zoppica. Ha una gamba più corta delle altre.

Giungiamo a un tentativo di quadrivio.

Solo un poco più largo dei vicoli precedenti.

Non ci siamo scambiati una parola.

Spunta l'alba. Si vede un poco meglio.

Appaiono quattro donne.

Tre sono giovani, una è vecchissima.

Attraversano silenziose e con lo sguardo nel nulla il quadrivio. Sorreggono una piccola scatola rettangolare messa su alla meglio con assi di truciolato diverse tra loro.

La parte superiore della scatola è aperta.

Dentro c'è un neonato. Nudo e morto.

La linea di demarcazione tra la vita e la morte.


Quando proprio la noia si fa fardello, allora scendo coi miei bermuda coloniali, le ciabatte sfondate e vado a trovare Alberto nel suo minuscolo ufficio popolato da un numero illimitato di ventilatori e i divani in pelle. Mi metto dall'altro lato della scrivania e lui, mentre sbriga affari rocamboleschi e sinistri al telefono, tra una cosa e l'altra, mi racconta la sua vita che Salgari e Verne a confronto non sanno neanche dove sta di casa la parola avventura. Ci sono andato, al suo ufficio, tre quattro volte la settimana per diciotto anni e non mi ha mai raccontato due volte lo stesso episodio. Una vita variegata e spettacolare corroborata da una memoria implacabile, quella di Alberto.

Anche ora sto qui, nella sua saletta d'attesa, popolata da barattoli di vetro pieni di acqua e cloroformio, che ospitano insetti morti un tempo furibondi della foresta amazzonica. Tarantole e vedove nere in quantità. Nonostante siano loro le assassine delle sue dita, lui non le ha mai allontanate da sé. Le guarda tutte le mattine. Ci fa i conti. "Si deve sempre portare un grande rispetto a chi ti ha fatto del male" questo mi ripete da anni Alberto, con un ampio sorriso che gli spalanca la bocca. Ed è un'altra lezione.

Di famiglia contadina, Alberto guadagna la città di Napoli a vent'anni ed è un tuono che si abbatte sulla siccità, come tutte le volte che il mondo contadino sposa la metropoli.

Il contadino è uno sconfitto solo quando se ne sta in mezzo alla campagna, ma quando scopre la città, semplicemente se ne impossessa. Applica al cittadino le leggi delle pecore e delle galline. Interpreta le psicologie complesse dei politici con lo stesso approccio che si ha col cane che fa da guardia al gregge. È una logica vincente. Che sgomina la concorrenza. Le bestie sono uomini e gli uomini sono bestie. Alberto lo sa da solo e non ne fa mistero e quando qualcuno non gli crede, lui porta a suo vantaggio l'esempio sommo e indiscusso: i corleonesi a Palermo. E allora là ci sono pochi cazzi da replicare. Hai voglia a dire che, sotto la minaccia delle armi da fuoco, tutti si piegano. Lui ti risponde per le rime.

Dice pacato e giocondo:

"Ma perché i cazzoni di città non ce le avevano le armi da fuoco? Certo che ce le avevano, ma i contadini gliele hanno tolte e gliele hanno ficcate su per lo sfintere stretto. Questo è quanto. Non sottovalutare, Tony, che anche il crimine richiede una finezza, un'intelligenza, un saper interpretare e guardare lontano, e per fortuna che è così, altrimenti avremmo molti più criminali di quanti ce ne sono ora ed invece prevale la selezione naturale, anche lì, molti delinquentelli soccombono ammazzati in pozze di sangue di località brutte e amorfe, in mezzo alle carte stracce e ai materassi buttati. Ed è una fortuna per la comunità. Se c'è un ambiente che non ammette deroghe alla meritocrazia, stai tranquillo che quello è l'ambiente del crimine".

Mi ha fatto venire in mente una cosa e gliela dico:

"A proposito di materassi, Albè, ma hai mai capito tu perché solo a Napoli, vicino ai cassonetti, spessissimo ci stanno buttati i materassi? Ma perché li cambiano così spesso?".

Ride perché ha la risposta.

"E che non me lo sono chiesto anche io? Ma trent'anni fa, quando ero giovanotto, mi andai subito a cercare la soluzione al quesito e ci feci subito su un business. Feci bei danari. Tonino, appena muore qualcuno, oltre al morto buttano pure il materasso. È una psicosi, pensano che la morte rimanga impigliata dentro la lana. Come un parassita. E lo sai quanta gente muore continuamente? Una folla. Tu fatti un giro per la città. Li vedi tutti i fiocchi rosa e azzurri sotto i portoni che ti comunicano una nuova nascita? A ogni nascita corrisponde una morte e allora capisci di che cifre stiamo parlando. Io mi misi d'accordo con un massone che mi avevano presentato che si occupava di materassi in Ciociaria, mi forniva la merce, poi avevo una serie di ganci dentro le pompe funebri e ogni volta che qualcuno moriva scattava la proposta ai familiari di un nuovo materasso. Se ne vendevano a tonnellate."

Mi insospettisco dalla curiosità.

"Scusa Albè, ma il massone di cui parli, per caso..."

M'interrompe perché non vuole o non può parlarne e liquida la questione sventolando un paio di dita a caso.

"Sì, sì, è quello lì che stai pensando tu, Tonì."

Mi propongo con umiltà:

"Posso chiedere oltre, Albè, a questo proposito?".

"Non puoi chiedere oltre, Tonì, a questo proposito."

Rido. Ma non demordo.

"Vabbuò, non voglio stare nel pettegolezzo, Albè, però qua stiamo a diecimila chilometri dall'Italia, nessuno ci sente e mi pare di capire che hai messo le manelle in certi fatti rilevanti della storia del belpaese, che dici? Mi vuoi offrire una chiave di lettura dall'alto della tua saggezza incommensurabile?"

"Non mi blandire per ottenere l'informazione, che non è da te, intelligentone quale sei."

"Sai bene che il sottoscritto non si permetterebbe mai. È che ti considero per davvero uomo di saggezza."

"E va bene ti accontento. Io i fatti li so. I fatti e le persone di come sono andati veramente gli omicidi, i finti suicidi, le bombe a destra e a sinistra, li so tutti, ma tu mi hai puntualizzato che non lo vuoi il pettegolezzo, dunque non te li dico i fatti e, ovviamente, neanche le persone."

"Mi so' pentito, Albè, a me il pettegolezzo mi piace assai. Procedi."

"Tonì, è molto semplice. Il mondo si divide in due parti, come una pesca che apri a metà. C'è una metà di nazioni che abbassa la testa e si mette a produrre: siderurgia, tessile, pizze di scarola, tutto quello che vuoi tu, insomma. In pratica parliamo di quella metà del mondo che prende mezza pesca, ne scova il seme, e ci ricava una coltivazione di mille ettari. L'altra metà cosa fa? Prende la mezza pesca e se la mangia. L'altra metà non fa un cazzo dalla mattina alla sera. L'Italia rientra maestosamente in questa seconda categoria. Non vuole lavorare. E allora che fa? Si butta a telefono, si vedono nei salottini, chiacchierano nei retrobottega, si sparano cocktail e tartine, si fanno i bagni davanti al faraglione. E cosa fanno durante tutte queste situazioni? Chiacchierano. Sono condannati a chiacchierare. Non sanno fare altro. Cominciano col più e col meno e si annoiano. Poi parlano della figa, ma anche questo argomento giunge dopo poco a conclusione e loro ancora col bagno a mare, faccia contro faccia, poi si scambiano le mogli e presto si annoiano, poi progettano di fare una società insieme, dunque di lavorare, ma ci rinunciano quasi subito perché faticare è un'attività stancante assai, poi se ne vanno al ristorante e parlano di cibo, ma pure quello si esaurisce, allora attaccano a parlare di amici e conoscenti, gente famosa e meno famosa, fanno il pettegolezzo, ma ancora non basta, per chi non fa un cazzo permane un sacco di tempo libero e allora cosa si inventano? Si mettono a complottare. Decidono di fare il culo una volta a uno una volta a un altro e, così facendo, finalmente, occupano tutta la giornata e possono coricarsi sereni. Hai capito adesso? Come nascono i tanti misteri italiani? Nascono perché noi non ci abbiamo un cazzo da fare. Abbiamo deciso di stare tutta la vita in vacanza, forse perché da noi ci sta troppo mare, chi lo sa, ma è così che stanno le cose."

Lo guardo in silenzio, per un tempo. Lui mi guarda con quella sua faccia spudorata che non se ne frega di nessuno veramente fino in fondo. Mi scappa da ridere e lui lo sa che sto per ridere.

Infatti, aggiunge:

"Non ti ho convinto, eh?".

"Ma manco per il cazzo" dico io sinceramente.

"Lo so. Che ci vuoi fare? Io sono solo un povero contadino di Angri, mignolo del piede del mondo, cosa vai cercando da me?"

"Non mi hai convinto neanche adesso."

Di colpo però, perché l'imprevedibilità è la sua specialità, dice una cosa che mi fa tremare i polsi. Si sporge sulla sedia di pelle, incrocia quel che resta delle dita e proietta con ponderosa serietà:

"Ma Tony, lo capisci che se io ti convinco, io muoio".

Silenzio attonito.

Mi sporgo anche io sulla sedia. Mi accendo una Rothmans. Butto il fumo fuori, rifletto, e chiedo:

"Dimmi la verità, Albè, perché sono diciotto anni che ci conosciamo, diciotto anni che mi racconti di tutto, ma il motivo vero per cui sei venuto in Brasile non me lo hai mai detto. E allora provo a dirtelo io a te. Tu te ne sei venuto qui perché sei scappato. Perché se rimanevi in Italia ti ammazzavano. Perché sai dei fatti tu, molto pericolosi, molto grossi".

Per la prima volta da quando lo conosco, non ha più il suo sorriso eterno sul volto. Invece si è commosso. Ed è una novità assoluta sia per lui che per me vederlo in questo stato.

Estrae un fazzoletto nero e luttuoso, si asciuga gli occhi bagnati e, con la voce interrotta da un singhiozzo di nostalgia, sussurra:

"Io ci stavo così bene in Italia. Io ci stavo così bene a casa mia. Un uomo deve stare a casa sua, Tonino".

Alla fine, finalmente, l'ho trovato anche a lui il suo dolore. Forse ora posso veramente andarmene dal Brasile e passare alla terza vita. Fino a che non avevo la conferma di quello che ho sempre creduto e cioè che ciascuno ha il suo dolore io da qui non mi muovevo. E con Alberto, su questo fronte, eravamo in una situazione di stallo. Ora non più. È come se avessi portato a compimento la mia piccola missione.

Sta piangendo apertamente ora. Io mi alzo e vado a poggiargli la mia mano sulla spalla. Lui apprezza. Porta la sua mano sulla mia. Siamo amici veri. Poi gli squilla il telefono. Dice pronto. Ascolta nove secondi e poi si spalanca in una risata che durerà la bellezza di quattro minuti, prima di apostrofare l'interlocutore dall'altro lato con le seguenti parole:

"Simpaticissimo ricchione, come stai? Mi hai fatto ridere assai. Scusa un attimo che saluto un amico".

S'infila la cornetta in mezzo alle cosce e dice come se nulla fosse accaduto:

"Tonì, che bello che è vedersi, passa domani, te ne prego".

"Va bene" dico io mentre ripenso alla stranezza forbita di quel "te ne prego". Ma è così che funziona Alberto Ratto. Si fa scivolare addosso la merda con lo stesso piacere e la stessa disinvoltura con la quale io e voi ci lasciamo bagnare dall'acqua della sorgente.

È un uomo indistruttibile, Alberto Ratto.

Ed è proprio mentre penso al suo nome così perfetto, così suggestivo che mi viene in mente un sospetto vertiginoso. Cosicché mi blocco sulla soglia mentre lui sta ridendo al telefono con il suo amico telefonico. Un pensiero illuminante mi attraversa il cranio. Mi volto di scatto, gli occhi illuminati di intelligenza, tengo. E dico:

"Albè, ti devo dire una cosa".

Alberto dice al suo interlocutore all'apparecchio di aspettare un secondino e si rivolge a me:

"Dimmi tutto Tonino amabile".

"Tu non ti chiami Alberto Ratto. È uno pseudonimo. Per startene nascosto ancora meglio."

L'ho beccato, perché apre la bocca di scatto, stupefatto da tanta perspicacia mia che forse non si sarebbe mai aspettato da un cantante di night.

E ora sa bene che deve dire qualcosa. Non può lasciarmi così.

Appone la mano sul microfono del telefono per non lasciare nulla d'intentato e con un sospiro che dura da due decenni, mi risponde:

"Alla fine lo hai capito, eh? D'altronde è un po' troppo perfetto come nome. Si sente che ci sta la fantasia dietro. Che ci sta l'arte. No Tonì, non mi chiamo Alberto Ratto".

A quel punto, mi esce istintivo:

"E come cazzo ti chiami, Albè?".

Riporta il telefono all'orecchio, rimuove il palmo della mano dalla cornetta e dice a quello:

"Ti richiamo, Gigino rispettosissimo".

E posa. Mi guarda. Riflette. Non ha ancora deciso se spiattellarmi tutta la verità oppure no.

Dopo tanti anni non sa ancora se si può fidare.

Infatti, non si fida.

E si fa paterno. Una cosa rara che mi ha sempre fatto impazzire di benessere.

"Tony, ma se io ti dico il mio nome tu potresti pure avere un infarto. Lo capisci questo? Perché il mio nome vero tu, quando stavi in Italia, lo hai sentito e letto sui giornali un sacco di volte. Anch' io, nel mio piccolo, sono stato famosetto. Però purtroppo non ce l'ho mai avuta l'arte che ci hai avuto tu. Il mio nome vero, per te, è quello di un uomo morto. Così credevano tutti, ma io lo so che tu lo pensasti già dal primo giorno che c'incontrammo, che Alberto Ratto è uno che non morirà mai. È vero che lo pensasti? Sì, lo pensasti. E avevi ragione. Perché infatti sono vivo. In Brasile, non in Italia, ma sono vivo. E poi ormai è tardi per le verità. Le verità o si dicono subito oppure scadono, come il fiordilatte. Io sono e sempre sarò per te Alberto Ratto, non ti basta?"

"No, non mi basta. Perché mi hai ingannato per diciotto anni e hai ingannato la nostra amicizia, Alberto."

Come tutti i figli, mi sto ribellando.

È la prima volta che ci confrontiamo a viso aperto, alla pari, nella sincerità.

Lui sembra addolorato.

"Ma io non ti ho ingannato, Tonì. Io, interpretando Alberto Ratto, ti ho offerto un grande spettacolo. Non puoi negarlo questo."

"Non posso negare che è stato un grande spettacolo. Ma pur sempre uno spettacolo; non la verità che si addice a due amici veri come siamo stati io e te, Alberto, o come cazzo ti chiami tu."

Adesso dove siete tutti voi? Sulla sedia? A letto? Sul lettino della spiaggia? Sul sedile della metropolitana? Dove state state tenetevi forte all'oggetto sul quale poggiate. Ve ne prego. Se no cadete con la mummarella a terra e vi fate il bitorzolone. Sentite qua.

Alberto balza in piedi, agile come una lepre. È incazzato, ma state tranquilli, non mi picchierà. Farà di peggio. Mi metterà davanti al peggiore spettro della mia esistenza. Mi metterà di fronte alla colpa e al dolore. Mi farà tremare le ginocchia senza poterle controllare. I brividi di freddo mi darà, dentro al Brasile caldo, una novità che mi ero pure dimenticato cosa sono i brividi dentro questa estate eterna.

Ecco le parole di Alberto, non prima di essersi acceso una bella sigaretta:

"La verità Tonì? Mi parli di verità? Perché tu mi hai detto tutta la verità su di te?".

Mi sto sentendo male. Ve lo giuro su dio. Tengo i presagi sulla punta della lingua. Balbetto:

"Io? Io... io sì".

"Non dire stronzate, Tonino."

"Che cosa vuoi dire?"

"Ti voglio dire di Beatrice, quella donna con cui stavi tanti anni fa."

Mi manca l'aria. Forse mo' vengo meno. Ci ho la bocca impastata come se mi fossi fatto un ettogrammo di cocaina.

"E allora? Ti ho raccontato di Beatrice. L'amavo. Un grande amore. Poi ci siamo lasciati. E allora?"

Alza la voce, di poco. Sembra dio che minaccia, anche se in realtà non mi sta minacciando. Sta solo dimostrandomi che è un amico vero.

"Vi siete lasciati, Tonì? Sei sicuro?"

"Sì, ci siamo lasciati, perché?" dico con le vertigini che mi fanno perdere il contatto col Brasile e il resto del mondo.

"Perché non vi siete lasciati. Ecco perché. Lei se ne voleva andare. Tu non volevi. E l'hai uccisa. Volontariamente. Deliberatamente. Premeditatamente. E sei stato tu. Anche se hai avuto il mazzo scassato che la polizia non se ne è accorta che è stato un omicidio e non ti è mai venuta a cercare. Ma l'hai uccisa tu. L'hai spinta giù per le scale. Tu. E lo sai. E non me lo hai mai detto. Questa è un'altra verità, Tony. Uno a uno."

Urlo come un ossesso, senza freni, senza pudore, perché il raziocinio mi sta lasciando come un fidanzato stanco:

"E tu come cazzo fai a saperlo?".

Urla più di me. Perché ha tutto più di me.

"Lo so perché non sono Alberto Ratto. Lo so perché sono uno che fino al 1985, in Italia, se pure cadeva una mela da un albero a Moena o a Vibo Valentia me lo venivano a dire. Io sono il custode dei segreti, Tonì. Di molti segreti. E tra questi, per puro caso, mi è capitato di sentire anche il tuo di segreto."

"Ma non lo sapeva nessuno, cazzo. Solo io."

"E io. E un testimone. Che non ha mai parlato. E che, stai tranquillo, non parlerà mai. Non ti preoccupare. Non hai nulla da temere. Non finirai in carcere per omicidio. Goditi la vecchiaia, Tony. Ma non venire da me a parlarmi di verità perché come vedi, tutti abbiamo delle cose che proprio non si possono dire."

Mi ha messo faccia a terra.

È un uomo imbattibile, perché è un uomo misterioso.

Non sono intontito. Sono sconvolto. Con queste parole totali, è come se mi avesse sfondato il cranio dentro al fango e dentro a milizie di scarafaggi e, nello stesso tempo, mi rimette al mondo, dal momento che mi libera di pesi che si erano fatti intrasportabili, come i piloni dei ponti delle autostrade.

C'è un mondo che si muove e che si è mosso al di sopra di me che io non pensavo neanche lontanamente che potesse esistere. Ingenuo e fessacchiotto come sono. Un mondo di segreti e di conoscenze. Che sa come muoversi e che mi ha salvato la vita. Sono trent'anni che custodisco questo segreto indicibile. Sì, sono un omicida e lo so.

Sì, è così, la donna della mia vita sta in un'altra vita.

Sono trent'anni che ogni mattina mi sveglio sempre con lo stesso, oppressivo pensiero:

"Oggi mi verranno a prendere e trascorrerò tutto il resto della mia vita in una prigione". Poi non succede mai. Un altro giorno vissuto. Giorno dopo giorno. Conquista dopo conquista.

Me lo poteva dire diciotto anni fa che non dovevo preoccuparmi.

Dove sei Beatrice? Cosa cazzo ho combinato Beatrice? Perché non si può più tornare indietro? Perché le cazzate di un istante di follia sono punite per il resto di tutti i tuoi giorni? C'è qualcosa di più sinistro del carcere ed è vivere con la prospettiva realistica di andare a finirci dentro ogni giorno della tua esistenza. Un fantasma che ti tappa il respiro, più volte al giorno. Perché i rimpianti e i rimorsi devono diventare delle ossessioni violente e irreversibili? Perché? Potevi avere una grande vita. Io te l'ho impedito. Meriterei di morire. Ma sono troppo vigliacco per morire veramente. Sono troppo cattivo. Ma soprattutto, sono troppo cretino. Diciamoci la verità, Beatrice, che bluff sono stato e sono tuttora. Mi sono sbattuto come una soubrette di terza fila per apparire quello che non sono. Tutto un atteggiamento. Ma nella sostanza ultima delle cose, cosa era di me? Solo un buffoncello con la parlantina facile, un gradasso, un pomposo ometto misero misero che spalancava la bocca senza talento e quattro note girate su loro stesse in tutte le combinazioni possibili perché di meglio non sapevo fare. Questo ero, questo sono, questo sarò, Beatrice. Ho ingannato tutti e ho ingannato te. Gli altri si sono liberati di me scuotendo un pochettino la coscia, come si fa con certi cani piccoli che andavano di moda, che ti torturavano i polpacci e il sistema nervoso. Anche tu, sacrosanto, ti volevi liberare di me a quella maniera e io, povero illuso imperdonabile, non l'ho permesso. Credevo in me stesso solo perché credevo in te, pensavo per davvero che tu mi avessi innalzato su un altro pianeta, quello degli uomini decenti, e invece io ti ho ripagato scaraventandoti giù per una rampa di scale. È stato l'unico momento in cui non eri l'apoteosi della bellezza, quando sei morta. La morte della bellezza non è stata la bellezza della morte. Perché eri fatta per la vita. E per farci innamorare tutti quanti.

Però, ora, la realtà in tutta la sua crudezza infaticabile e mostruosa. Dopo una vita, Ratto mi dice che non c'è più da preoccuparsi. Posso tornare ad abbracciare i guanciali come il bambino prima della buonanotte dei genitori. Mi sono liberato e questo è quello che conta per gli uomini come me. Gli uomini che non possono permettersi di andare troppo per il sottile.

Lo guardo in faccia, ad Alberto. In un silenzio necessario e opportunista, perché altrimenti ci dovrebbero essere troppe parole ancora. Ma col sapore acido del superfluo.

Lo sappiamo tutti e due che siamo arrivati in fondo. Lo sappiamo tutti e due, chissà perché, che questa è l'ultima volta che ci vediamo. Per questo certe verità andrebbero sottaciute per sempre. Perché interrompono le amicizie. Le lacerano. Sono certi bluff che tengono vive le relazioni. E le rendono vere.

Dunque, adesso piango.

Alberto piange.

Gli butto le braccia al collo.

Ciao Alberto Ratto. Sei proprio un uomo indistruttibile. E io non mi dimenticherò mai di te. Mai.

# 12.

*L'imponderabile confonde la mente.*
ANNA OXA

Di colpo, l'imponderabile.

Alle otto e quarantacinque del mattino. C'è un'umidità del duecento per cento. Le pareti buie della mia cucina dove siedo quasi senza vita sono impregnate di un'acqua rancida che confina con la melma. Il sole non filtra in questo anfratto del mio appartamento, come in quasi tutto il resto, ma ciò non impedisce al caldo bagnato di avvilupparmi come in una sauna finlandese. Sono spossato e avvilito da questa calura assurda come il resto del paese. Indosso in esclusiva delle mutande stinte, un tempo bianco accecante, ora, dopo settecento lavaggi, hanno virato su una micidiale tonalità di beige che deve essere una specie di tabù nel mondo della moda. Mai visto un beige così ributtante. Con le braccia pesanti come container sto cercando disperatamente di portare una fetta di pane e marmellata alla mia bocca pastosa e disidratata. Faccio colazione, insomma. Mentre addento, scorgo una cosa mai vista in Brasile. Vedo nell'angolo in basso uno scarafaggio che cammina come al rallentatore, flemmatico come una vecchia zia di Birmingham. È la prima volta che non li vedo correre come ossessi della vita. Non è ferito, non è malato, macché, subisce anche lui questo caldo ai vertici storici come me, come tutti. La radio, la tv brasiliana, l'hanno detto tutti con chiarezza: fratelli, sorelle, statevene a casa e appicciate i ventilatori e poi mettetevi a pregare di sopravvivere. Da fermi, però. Altrimenti sudate e morite. Insomma, si boccheggia, come se stessimo supini sotto alla marmitta del Porsche Carrera.

C'è fame d'aria, prima ancora che di freschezza.

Come se non bastasse la nausea del caldo inenarrabile, bisogna aggiungere anche che oggi è il 31 dicembre 1999. E la tristezza dell'ultimo dell'anno io non sono mai riuscito a rimuoverla. Ma ci ho le idee chiare in merito, me ne starò a casa. Andrò a dormire alle undici e quando domani mi sveglio sono in un nuovo millennio.

Mica mi emoziona questa cosa qui. Né mi fa paura, macché. Una faccenda come un'altra.

È in questo contesto apocalittico che bussano alla porta. Nessuna novità. A quest'ora approda sempre la donna delle pulizie, cerca di farmi sopravvivere un altro po' e per regalarmi questo lusso inutile prende ogni mattina quattro autobus da una favela dove non possono entrare neanche i marines a meno che non vogliono morire a pallonate di merda solida in fronte. Là dentro non ci entra neanche Gesù Cristo in un momento di distrazione. Ha paura. Degli uomini e del cattivo odore. E di guardare dritto in faccia i casini che ha combinato.

Solo Ratto ci entra là dentro, naturalmente.

Il tragitto dalla cucina alla porta è di cinque metri ma, con questi cinquantasei gradi che troneggiano a palle di fuoco, appare come una traversata del Pacifico a remi. Striscio i piedi colpendo di collo pieno un paio di scarafaggi. Senza aver fatto gol, tuttavia, apro la porta, ma lì, sul pianerottolo, non c'è la donna delle pulizie. No.

C'è l'imponderabile.

L'imponderabile ha sessant'anni, è alto un metro e novantadue, filiforme come certi disegni dei bambini di sei anni, una postura che lo fa pendere in avanti tipo i microfoni a giraffa, acquisita negli anni per evitare ostacoli di tutti i tipi, sfoggia la forma di un giocatore di basket. Ma appare immediatamente meno simpatico dei giocatori di basket. Ha una mano intasata in un doppiopetto blu con bottoni d'oro. In un atteggiamento passatista da gerarca, come me li descriveva con puntigliosa precisione mio padre. Una camicia bianca fatta su misura ospita una cravatta rossa che poi scoprirò essere di un negozio di un mio concittadino che a forza di impiccare i colli della gente ha messo su un impero non da poco. Frastagliate e impensabili sono le strade per l'accumulo di danaro. L'imponderabile ha bei capelli neri vezzosi e ondulati di lunghezza media perché vuole farci credere di appartenere al mondo dei giovanotti e un sorriso inamovibile che neanche Arigliano nella pubblicità del digestivo Antonetto dopo che aveva compiuto undici rutti e tutto si era rimesso in moto armonico a livello intestinale.

Avrei dovuto capirlo subito che le cose non quadravano fino in fondo, per una semplice ragione: così vestito, dopo tre piani a piedi, avviluppato nel fuoco infernale di umidità, l'uomo in questione non presenta neanche un vaghissimo accenno di sudore. Misteri dell'anatomia umana assoluti. Che fanno girare le palle.

Comunque.

Datemi dei volti, diceva un mio conoscente violento, che io sono pronto per le gomitate. Questo pensiero mi aleggia in quel che resta della mia testa consumata dalla calura.

"Chi sei?" chiedo a stento da un oltretomba sudato.

Risponde subito, come un registratore che non conosce guasti:

"Un tuo grandissimo ammiratore".

Possiede denti alti come zanne. Da vampiro in congedo.

Mi esce una bella frase:

"I miei ammiratori sono morti. Per questioni anagrafiche".

Stabilisce subito dei principi solidi, come se glieli avessi chiesti e dice senza permesso:

"Devi sapere subito una cosa di me. Non sopporto i pessimisti. Il pessimismo è una bugia. L'ottimismo è la verità. E infatti tu non dici il vero. I tuoi ammiratori non sono affatto morti. Sono in giro per il mondo. Inginocchiati davanti alla tua effige, pregano una cosa sola, che tu torni a cantare".

Io ridacchio e dico:

"Se la devono passare proprio bene i miei compaesani se

trovano il tempo e il modo di pregare una cosa così insulsa e superflua".

Lui, senza battere ciglio, riesce a parlare senza alterare la posizione del suo sorriso. Come un ventriloquo:

"Sì, se la passano proprio bene i nostri compaesani da quando gli diamo una mano noi. Perché? Non leggi i giornali che dicono che se la passano bene?".

"No" dico io. "Non leggo i giornali italiani da vent'anni, più o meno. Non so nulla dell'Italia. Sono fermo al 1980. Mi ricordo che prometteva bene Bettino Craxi."

"E infatti ha mantenuto tutte le promesse" d'impeto afferma lui. Toccato nell'intimo.

"E poi?" chiedo subdolo io perché conosco la vita e, sebbene disinformato, lo posso immaginare che poi le cose si sono sfilacciate dentro un mare di problemi.

Lui, l'imponderabile, ora deglutisce con lieve avvilimento. La voce violentata dall'emozione. Sta per piangere. Perché sta ripensando a Bettino. Trova le parole dentro una commozione asciutta, lì sul pianerottolo perché io non ho ancora deciso se farlo entrare oppure no. Questioni di diffidenza istintiva.

Ad ogni modo, sta ancora nella fase che mi deve sedurre e dunque mi elargisce tutte le risposte che voglio. Poi non sarà più così.

Ma procediamo per gradi. Mi dice:

"E poi le promesse hanno iniziato ad avere un prezzo fuori mercato. E noi tutto ci possiamo permettere tranne di andare fuori mercato. E allora ci è andato Bettino fuori mercato. Infatti è stato esiliato ad Hammamet, in Tunisia".

"Ho capito parzialmente" dico io con sincerità.

"Avrò modo di farti capire bene tutto" dice lui e mi preoccupo perché è palese che questo, con questa frasetta, mi lascia intendere che cova progetti su di me. E io invece ho come unico progetto quello di sopravvivere al calore asfissiante fino alle undici e poi andare a dormire e svegliarmi nel duemila che, per uno con le peripezie della mia vita, va detto che è un bel traguardo mica da poco. Non voglio altro. Mettere il naso per un attimo nel duemila e poi chi si è

visto si è visto. Mezzo tuffetto nel futuro, poi mi faccio la
borsa e vomito una bella buonanotte a tutti quanti e a tutta
la vita. Invece questo cristiano in doppiopetto deve avere altri programmi. Mi vuole coinvolgere. Ci ha l'animazione nel-
l'intelletto. Scambia le persone per ospiti paganti del villag-
gio turistico. E la sua sicurezza mi lascia intuire che vuole regalarmi una terza vita, lunga e articolata. Questo qui, chiaro
come la limonata, ha intenzione di spappolarmi la vecchiaia
dentro una cosa altra che ancora non ho capito qual è. Nessun dubbio in questo senso, perché altrimenti perde tempo
con me uno così l'ultimo dell'anno del millennio?
    Intanto due domande sorgono oggi in Brasile:
    1) Chi cazzo è questo?
    2) Come cazzo mi ha trovato?
    Ma mi aggredisce con una curiosità primaria:
    "Ma davvero non sai niente di quello che è successo in
Italia?".
    "Perché cosa è successo?"
    "È cambiato tutto" sogghigna con un orgoglio che non
promette la felicità.
    Io dico falso e sibillino:
    "Gli artisti hanno il dovere di staccarsi dalla cronaca e
puntare all'essenziale".
    Poi, per stemperare l'involontaria sentenziosità, aggiu-
sto il tiro alla vecchia maniera, così chioso:
    "Non mi cacate il cazzo tutti quanti".
    Lui, insensibile alle parolacce, fa:
    "Giustissimo. Ma l'essenziale parte dalla cronaca. Dal-
l'interpretazione della cronaca. Io ci ho un apparato genitale
di una certa consistenza".
    Si sta sparando le pose. È evidente. Ma da qualche parte
ci deve essere la sostanza. Poi si produce in un dettaglio tec-
nico che nessuno gli aveva chiesto.
    "È spazioso il tetto del tuo palazzo. L'elicottero non ha
avuto nessuna difficoltà ad atterrare."
    Non ha resistito alla tentazione. Dopo tre minuti è crolla-
to. Mi ha voluto far sapere presto presto quello che è, cioè un
arricchito del cazzo.

"Sei arrivato in elicottero?" chiedo io senza curiosità.

"Normale" dice lui senza presunzione.

"Come li hai fatti i soldi?" passo al sodo io.

"Crosscollateralizzando i rischi. Diversificando gli investimenti in una molteplicità di attività. I ricavi compensano le perdite."

"Dunque sei un imprenditore?"

"Non basta, nella penisola. Sono dovuto diventare anche deputato della Repubblica."

"E poi mi dici che tutto è cambiato in Italia!" dico io beffardo.

"Assolutamente sì. Per esempio, i comunisti in Italia non ci sono più."

"Quelli non c'erano neanche prima" affermo io solenne e spericolato, poi ribadisco:

"Insomma, non è cambiato proprio niente nella sostanza. Come sempre, è cambiato il bersaglio del pettegolezzo, ma nella profondità delle cose e delle persone, caro deputato e imprenditore, quello è un paese aggredito dalla paura di cambiare anche le mattonelle del cesso. Credi a me, che ho messo piede in milioni di bagni italiani per fare il bidet dopo essere stato ospitato nei letti dell'amore. Non cambia proprio niente, laggiù".

"Vedrai, vedrai" promette lui.

Ma io mi faccio sintetico e opponente:

"Non vedrò un bel niente, bel giovanotto elegantone. Ora devo tornare alle mie attività. Ti saluto".

E faccio per chiudere la porta, ma quello mi apostrofa lesto con la parola:

"E quale sarebbe la tua attività?".

"Devo crosscollateralizzare gli scarafaggi."

Ride. Perché sa che adesso si deve ridere. Poi si fa serio come un uomo cattivo e spara:

"Sono venuto da Roma in Brasile per prendere un caffè con te. Non me lo offri?".

Ci ha infilato la lingua tra lo stipite e la porta. Anziché il piedone.

Sospiro. Ma non ho niente da fare. Lo faccio entrare.

Lui si guarda intorno, senza giudicare minimamente la mestizia che ammanetta il mio appartamento. Si colloca sulla punta di una sedia e porta le mani sulle ginocchia, denso di iniziative e propositi bellicosi che hanno come guerriero me stesso. Crede nel futuro, quest'uomo, un atto che ci mette un istante a trasformarsi da patetico in pericoloso. Ma sono solido come una petroliera.

"Come hai fatto a trovarmi?" domando.

"Ho i miei informatori."

O Jenny Afrodite o Alberto Ratto. Nessuna alternativa. Solo loro due sanno dove cazzo mi trovo. Ma vado oltre. Non voglio impantanarmi nel gioco a quiz. È un gioco che di sicuro gli piace.

Lui spalanca il suo corpo in un sorriso vastissimo e commenta:

"Tony, ti sei un po' stempiato col passare degli anni".

A me comincia a girarmi il cazzo.

"Onorevole, se sei venuto per fare i bilanci, hai sbagliato palazzo."

"A me non piace farli i bilanci" e ride come un demonio.

"Anche a me" aggiungo.

"Benissimo, allora rettifico, che bella capigliatura folta che ancora hai, Tony" dice lui senza abbandonare una risata tumultuosa.

"Bravo" constato mentre comprendo che mi sto annoiando.

E allora accelero i tempi.

"Cosa vuoi da me?"

Smette di ridere come se avesse un telecomando incorporato. Un sospetto che col tempo assumerà le fattezze della certezza.

Si aggiusta il nodo della cravatta e si tira giù il doppiopetto che ha lasciato abbottonato anche dopo essersi seduto. Sempre privo di sudore, mistero indescrivibile, innesta un atteggiamento da venditore di pentole e bigiotteria. E attacca come una poesia del Pascoli imparata a scuola:

"Ti offro qualsiasi cifra tu desideri se vieni a cantare alla mia festa di questa sera di fine millennio. Saliamo sul mio aereo privato e ce ne andiamo in Corsica. Domani ti riporto qui. Bada bene: quando dico qualsiasi cifra intendo qualsiasi cifra".

"Un miliardo di lire" dico senza battere ciglio. Mi è uscito dal cuore.

"Io te lo do pure un miliardo di lire, ma poi cosa te ne fai? La lira scomparirà. Arriverà questa sciocchezza dell'euro. Te lo dicevo che le cose sono cambiate. Sul futuro dei prezzi ti parlo con cognizione di causa. Tra un anno, un miliardo di lire, in termini di potere d'acquisto, varrà la metà. Ascoltami e lasciati persuadere, meglio se facciamo due miliardi di lire."

Metto in moto i pensierini. Non posso negare che una corrente di elettricità inizia a vagare nel mio corpo dopo tanti anni. Forse è tempo di abbandonare questa vita fatta di niente. Anche se i sospetti mi aggrediscono da tutte le parti. Vengono su come gli scarafaggi. Non si è mai vista una trattativa dove quello che deve dare si mette ad alzare il prezzo. Però ha l'aria del mecenate laico, costui. E del farabutto con tutti i crismi. Tutti i soldi che l'uomo guadagna nella vita, li restituisce poi a colpi di pene e dolori lancinanti. Su questo, potete scolpire nella pietra viva. Ma comunque.

"Me li devi dare anticipati" dico rapido come un puma.

Ora mi stupisce, perché estrae un assegno già compilato, intestato a me, esattamente con questa cifra sopra. Lo sa che mi ha colpito e non lo fa passare sotto silenzio. Si spara la posa per la seconda volta:

"Ho tatto negli affari".

Lo sbatto a terra con una frasetta a modino perché mi ha fatto innervosire.

"Amico mio, credimi, tu non sai neanche dove sta di casa il tatto. È una roba che non c'entra proprio niente col danaro, il tatto. Chi mi garantisce che questo assegno non è fasullo?"

"Chiama Alberto Ratto. Ti fidi di Alberto Ratto, no?"

Ecco chi glielo ha rivelato il mio nascondiglio. Annuisco. Sì, mi fido di Alberto Ratto. Devo prendere una decisione. Prendo tempo.

"Quante persone ci sono alla festa? Io non canto da vent'anni."

"Mia moglie e i miei tre figli. Nessun altro."

"Ti sei sprecato?" ironizzo io.

"I grandi eventi si salutano con gli intimi."

"Può essere. Per questo mi sparerò il capodanno io da solo" rifletto a voce alta, però mi informo:

"E i musicisti?".

"I tuoi. Sono a casa loro con la valigia in mano pronti a partire se tu mi dici sì."

"Io ti dico no." L'ho sparato bello grosso il bluff. Ci crede. Spalanca la bocca, esterrefatto.

"Ma perché?"

"Perché non voglio rotture di cazzo. E tu sei una rottura di cazzo."

Mi guarda seriamente per quattro secondi. La sconfitta lo irrita con la stessa intensità con la quale, da bambino, s'incazzava se perdeva a palletta. Poi straccia l'assegno. Io tremo perché in realtà ho già deciso di dire sì. Lui mi rimette al mondo perché lo vedo estrarre nuovamente il libretto degli assegni e ne compila uno intonso. Ha cominciato il girone di ritorno. Vive la vita come in una lunghissima coppa Uefa. Ci scrive sopra due miliardi e trecento milioni. Possiede una grafia barocca, adolescenziale, compiaciuta, che arrotonda da tutte le parti, facendoti venire i giramenti di capo. Ho le gambe che fanno giacomo giacomo. Me lo allunga. Speranzoso lui. Speranzoso io.

Rifletto con la stessa concentrazione asettica dello scienziato davanti alla scoperta importante. In realtà sono incredulo. Il regno della follia dei ricchi si è abbattuto nel cesso di casa mia dopo vent'anni di silenzio, di noia e di neri scarafaggi centometristi.

Individuo la controindicazione e gliela comunico:

"Mi hanno detto che ora sugli aerei non si può più fumare. Sul tuo aereo privato posso fumare?".

"Di solito odio il fumo, ma per te faccio volentieri un'eccezione."

Mi accendo una Rothmans e gli elargisco il fumo sulla

pelle curata. Si produce in un sorriso uguale a quello di prima perché sa che lo sto provocando e sa ancora meglio che non è il momento di cadere nelle provocazioni se vuole portare a casa il risultato.

Però, bisogna essere sinceri, sono nervoso. E so perfettamente perché sono nervoso. Perché riconosco in questo individuo il potere dei soldi e del potere stesso. E non ci si abitua mai a questa roba. Si va in soggezione automaticamente, anche se sto tenendo bene il bluff e l'altezzosità, ma non so per quanto posso durare.

Quando i ricchi ti rivolgono la parola tendi subito a volergli bene.

Sono passati venti minuti da quando lo conosco a questo qui e mi sto progressivamente occidentalizzando un'altra volta. Sto tornando quello che ero vent'anni fa. Sto cavalcando i terreni di una curiosità sepolta, mi si ripropone l'adrenalina e una serie di pensieri fissi: voglio tornare a farmi di cocaina tutti i giorni, voglio riprendere a inseguire tutti gli esseri femminili che passano, voglio sentire nuovamente i profumi dell'Italia, rivoglio la vecchia vita, fuori tempo massimo, d'accordo, ma chi se ne fotte. Voglio morire nudo in mezzo a quattro troie affogato dentro una pozza di Ballantine's. Questo voglio, all'improvviso, fortissimamente voglio. Ma dissimulo bene. Tengo in piedi la mia recita e dico:

"Mi pare una sfacchinata, per un uomo della mia età".

Non risponde. Sorride fermo come una statua del museo delle cere. Ne ha conclusi di affari e sente che ha il coltello dalla parte del manico. E sa che in affari i silenzi spesso sono carte assai vincenti. Sa che tutte le parole del mondo, adesso, s'infrangono e scompaiono come onde dentro quella cifra scritta con l'inchiostro indelebile: due miliardi e trecento milioni. Cadono a terra le scuse quando le cifre si fanno da capogiro. Per questo il ricco è convincente.

Cala il silenzio. E il caldo è insopportabile, ma lui è atermico.

"E come ti chiami tu?" gli dico io scettico.

"Fabio" dice lui, omettendomi deliberatamente il cognome perché si sente già amico mio.

"Attento Fabio, hai uno scarafaggio che ti sta salendo sul mocassino da un milione e due" avverto io.

Non abbassa lo sguardo sul mocassino, non dismette il sorriso verso di me, si limita a scuotere blandamente la gamba, senza spaventarsi, e lo scarafaggio carambola giù dal suo filo di Scozia con una facilità ineluttabile che ritenevo impossibile per quegli insetti dalla perseveranza profumata di immortalità.

"Come lo conosci Alberto Ratto?" chiedo.

"Tanti anni fa frequentavamo lo stesso giro" dice lui immediato. E aggiunge:

"Tengo a precisare che era un giro di gente per bene, checché se ne dica".

Ci ha una coda di paglia lunga come quella del formichiere asiatico.

Ha dei denti così bianchi che un raggio di sole che, chissà come, è penetrato dalla finestra del tinello, gli si rifrange contro gli incisivi finendomi dritto negli occhi, abbagliandomi l'iride di fastidio e, facendo la gioia di Archimede Pitagorico, rischio di prendere fuoco.

Non so più cosa fare. Me ne sto lì in piedi come un babbasone e lui con questo sorriso paralizzato che sembra che gli sia finita la corda e che bisogna tirare il laccetto al pupazzo per rimetterlo in funzione. Pare un carillon. Ha finito la melodia e aspetta la mia risposta. Ma non gliela voglio dare così presto l'ennesima soddisfazione della sua vita, che già se ne è prese troppe questo capriccioso fetente di merda, mentre io poco e niente.

E allora rompo l'immobilità:

"Ti faccio quel caffè?".

Lui, subito, sempre ridanciano:

"Era un modo di dire il caffè. Perché non prendo mai caffè".

"Allora un bicchiere d'acqua del rubinetto?"

"Non ho sete grazie."

"Tutti hanno sete con questo caldo."

"Caldo? A me sembra un clima temperato."

"Vabbè. Forse allora puoi dare tu qualcosa a me. Non è

che ti avanza qualche grammetto di cocaina, me ne è venuta una certa voglia, subitaneamente."

"Spiacente, non uso droghe" dice lui senza scandalizzarsi neanche un po'.

"E cosa ti fa felice a te?" chiedo io a questo punto.

Lui ha già la risposta, figuriamoci.

E sparpaglia:

"Me stesso".

Era una risposta che, se avessi avuto la mente meno affollata dalla lentezza procurata dall'afa, forse avrei potuto immaginare da solo.

Di nuovo l'impasse. Mi disarma quest'uomo. Ha le idee così chiare che è proprio inutile starci a parlare. Sembra un comizio che non suda. Procede per obiettivi. Una cosa che mi mette a profondo disagio non avendo io mai avuto un obiettivo che fosse uno nella vita, eccetto quello di guadare, senza troppi danni irreversibili, il giorno dopo. Quindi, mi tocca cambiare nuovamente discorso.

"Fa' vedere un po' questo assegno" dico io.

Me lo allunga già mentre lo dico, ci ha i piedi nel futuro questo fuorilegge del Nord, e fuoriesce il polsino della camicia dal doppiopetto e individuo con gli occhi due gemelli d'oro massiccio di inestimabile bellezza. E ora esercita il gesto che mi fa capitolare.

Si accorge della direzione del mio sguardo.

Mi legge dentro e dice:

"Voglio regalarti questi gemelli perché so che ti piacciono".

E senza attendere una mia risposta se li è già sfilati dai polsini.

Li prendo con involontaria gratitudine. Con un sorriso balordo, me li rigiro tra le mani. Quando sollevo l'occhietto lo trovo che sta scrutando l'orologio che pare una navicella spaziale e dice flebile:

"Abbiamo i minuti contati se vogliamo trascorrere l'ultimo dell'anno in Italia".

Italia. L'incoscienza mi sta salendo su come la benzina che succhiavo col tubo da ragazzo dentro ai serbatoi delle motociclette degli altri. Lo fisso, quest'uomo serio, ora immobile come un monumento di una piazza di provincia. Vanitoso come certe belle mucche che sostavano sui cigli delle strade delle campagne austriache.

Poi dico tre parole che mi cambiano la vita ancora un'altra volta.

"Faccio la valigia."

Lui dice:

"Se vuoi. Ma mi sono permesso di farti trovare sull'aereo un guardaroba completo, secondo quelli che sono i tuoi gusti".

Mi galvanizzo come i bambini piccoli.

"Principe di Galles?"

"Quattro, due glen check, uno grigio con righine rosse, uno con righine azzurre" dice lesto lui.

Ne capisce di abiti, questo bastardo. Cerco di coglierlo in fallo:

"Tweed?".

"Mi sarei permesso un donegal."

"Ben fatto" dico io pulsante come in un vecchio orgasmo.

"Mi sarei permesso di prenderti anche un morning coat."

"Non hai sbagliato" aggiungo conciliante.

Però un dubbio atroce sul suo eventuale dilettantismo mi permea il cranio e allora domando:

"Ma come ti sei regolato con le misure, scusa?".

E lui non mi cade in fallo.

"Ratto ti ha fatto prendere le misure un pomeriggio che ti sei addormentato nel suo ufficio."

Ci ha le idee chiare e articolate questo miliardario del cazzo. Poche storie. Ed è meglio andargli dietro. Se poi non voglio che mi venga lui dietro a me e allora sono dolori insopportabili, si capisce.

Vado avanti con la lista della spesa e salto di palo in frasca:

"Non scopo da quattro anni. Tu puoi aiutarmi senza sforzi miei in tal senso?".

Lui la fa facilissima:

"Fossero questi i problemi...".

"Che intendi?"

"Che non hai neanche idea di chi ho intenzione di proporti a livello femminile per il tuo futuro."

"Bada che sono sempre stato abituato bene. E poi sono avvezzo al livello estetico di Manaus, che è elevatissimo. Un livello che urta contro il paradiso."

"Giusto" dice lui. "L'aldilà è un soppalco. Ma sai benissimo che anche il livello italiano non è da meno. E lì io sono come il faraone. E se non dovesse piacerti, allora devi sapere che negli anni della tua assenza dal belpaese c'è stata una vera e propria migrazione dall'Est e non hai neanche idea di che cos'è quel tipo di bellezza. Quelle sono tigri di ghiaccio."

"Non fare il sapientone" gli dico io. "Sono stato a Budapest svariate volte. L'ho invasa io la Polonia."

Lui ride.

"Ma quella è roba superata. Io ti parlo di Tallinn, Riga, Vilnius."

"Che nomi strani queste ragazze" faccio la gaffe, io.

Sulla geografia, si sa, è notorio, ho lacune vertiginose. Ancora una volta, colpa della stronza professoressa delle medie. Amava i caffè corretti con l'anice alle otto di mattina anziché spazientirsi sui sussidiari.

Sorride, Fabio, con l'atlante stampato nel cervello e mi corregge:

"Ma non sono nomi, sono le capitali di Estonia, Lettonia, Lituania. Vengono da lì e non sono un paradiso. Sono il paradiso."

"Lo vedremo, questo paradiso" dico io e aggiungo:

"Prendo il mio spazzolino".

Al che lui capisce che sarebbe ridicolo se mi dicesse che a bordo dell'aereo c'è anche uno spazzolino nuovo, per cui se ne sta buono buono zitto zitto. Adesso.


Più tardi, il libro latita nella stanza da letto matrimoniale dell'aereo privato di Fabietto. C'è giusto una collezione di

Guerin Sportivo sul comodino. La mestizia. Su un comò dell'Ottocento sono collocate delle riviste sui vini. Trovatemi un riccone che ammette di non capirne un cazzo di vini e io vi regalo tutto quello che ho. E, dietro alla spalliera del letto, lì dove gli italiani posizionano per inerzia il crocifisso, lui invece ci ha piazzato un gagliardetto di una famosa scuderia automobilistica di Formula Uno. Un'ironia così da dementi non l'ho riscontrata mai più nella mia esistenza non breve. Io me ne sto sdraiato sul letto, vestito di gabardine. Mi sono provato un abito giusto per capire se quella storia delle misure non era una cazzata. Non lo era. Dopo anni atroci, ho ritrovato il senso della freschezza grazie all'aria condizionata che spadroneggia nell'abitacolo. E dal letto vedo attraverso un oblò e scorgo il Brasile di sotto, si vede il delta del Rio delle Amazzoni, cento chilometri d'apertura. Sembra un mare e invece è un fiume. Forse il Brasile è troppo grande per me. Non ti può mai appartenere veramente. In teoria, dopodomani sto di nuovo qua, in quell'appartamentino logoro con le tendine cadenti che mi hanno fracassato le palle e due miliardi e tre di lire a disposizione che sono talmente tanti per il Brasile che non so neanche cosa farci, che è una vertigine solo ad organizzare il pensiero. In realtà, in cuor mio, lo so ma non lo voglio ammettere, che è terminata questa avventura carioca. Dopo vent'anni. Sto tornando in Italia e non solo per tutta quella tonnellata di danaro e diciotto vestiti di ottima fattura. Non sto tornando perché ho voglia di cantare. Non sto tornando per nostalgia. Torno, perché non ho niente di meglio da fare.

Perché si scaricano, dopo un certo tempo, tutte le consistenze.

Dunque, la nuova vita. Di nuovo. Una corrente di contentezza schietta e sincera mi percorre il corpo. Abbandono il letto e approdo in un altro vano dell'aereo. Glielo sto andando a dire dritto per dritto a Fabietto che io non ci ritorno più in Brasile. Invece lui mi anticiperà con una proposta lusinghiera. Approdo in questo altrove laccato e non c'è nessuno. C'è solo lui, Fabietto, impettito come se stesse di fronte alla commissione d'esame di laurea. Guarda fuori dal finestrino. Serio e pensieroso. Mi dà le spalle. Il silenzio ovattato, in lontananza il rumore dei motori. Lui guarda fuori. Percepisce la mia presenza perché senza voltarsi, con un accento da presunto nobiluomo toscano, punta dritto alla proposta:

"Perché non vieni a lavorare con me? Ti do quaranta milioni di lire al mese".

Deglutisco con una certa macchinosità. Chissà cosa pensa che io sappia fare da meritare tutta questa cascata di danaro.

Tanto che glielo chiedo:

"Fabio, ma cosa dovrei fare per meritare tutto questo danaro?".

Lui, perforato da una cadente linea di tristezza:

"Niente. Ogni tanto canteresti per me e qualcun altro in una delle mie case".

"Tutto qua? Per questa cifra ti puoi prendere Sinatra."

"È morto, Sinatra."

"Davvero? Con queste cifre lo puoi far risuscitare da medici bravi."

Ride. Ma è sempre triste. Come in un lutto perenne. Ricoperto da un'eterna insoddisfazione di se stesso. È normale, quando come obiettivo finale ti sei posto di diventare direttamente il padreterno. Le frustrazioni, in quei casi, si accumulano a miliardi ogni tre minuti. Come l'immondizia nelle metropoli.

E riattacca, ucciso dalla malinconia canaglia:

"Non voglio solo che canti qualche bella canzone napoletana. Voglio che fai anche il mio amico".

Ora, ci sono mille sfumature per mettere a fuoco il concetto di solitudine. Ma qua stiamo davvero dalle parti di un mistero sconosciuto agli esseri umani. Quante volte ci siamo lamentati del nostro essere soli al mondo? Niente in confronto agli altipiani montuosi di solitudine che attraversano il nostro Fabio.

Perché la sua non è esattamente una solitudine. È un abbandono. Che è tutta un'altra storia.

Mentre la solitudine si presenta, in ultima analisi, come

una cornice di sentimenti, l'abbandono, al contrario, possiede solo i contorni immodificabili, statuari, della tragedia.

La tragedia, basilica della morte in vita, non ci lascia vie di fuga. Di tutti gli affari di Fabio, questo della sua tragedia personale è senza dubbio il meno riuscito. E ridicolizza tutti gli altri stipulati a colpi di assegni e aste vinte al tavolino della finanza.

Direttamente dall'ano al cuore, mi esce una bellissima frase, semplice e disinteressata:

"Ma non si comprano gli amici, Fabio".

Lui è severo e non ammette repliche, ora:

"Sì, invece. Tutto si può comprare, Tony".

Non è vero. Ho ragione io. Ma lui questo non lo scoprirà mai. Lo scoprirà solo dopo morto. Cioè tardi.

Come tutti i tragici, è completamente inconsapevole della sua condizione. È questo, nessun dubbio, che lo rende per sempre bambino. Non sono forse i bambini inconsapevoli di tutto?

Poi lui fa:

"Pensa che neanche mia madre mi ama".

"Perché le madri sopportano tutto dei propri figli. Tranne una cosa: la megalomania" dico io sapendo il fatto mio.

"Questa che hai detto è una sacrosanta verità."

Lo ha detto col dolore che gli sta devastando il corpo come un eczema curato malissimo.

Scende un silenzio degno dell'aldilà, spaccato solo dai passi di un'hostess bella come una santa che, mezza nuda, appare direttamente da un girone del paradiso, ammesso che il paradiso abbia i gironi, e allunga, con dolcezza nipponica, un bicchiere d'acqua a Fabio, per poi scomparire dietro una porta, probabilmente per andarsi a tuffare sinuosa, con lenta postura orientaleggiante, in un altro letto di rose profumate come lei. Ha lasciato, infatti, una scia d'odore di vita che risusciterebbe Sinatra e Dean Martin insieme.

Respiro forte per drogarmi di questo profumo che mi ha riorganizzato il fidanzamento con la bella vita e poi, senza indugio, senza schemi premeditati del cazzo, glielo dico chiaro e tondo a Fabio:

"Accetto la proposta, Fabio".

"Benissimo" dice lui.

Ma lo ha detto senza nessuna contentezza. Forse perché lo sapeva tale e quale che avrei accettato.

Perché la commedia umana dei poveracci è sempre la stessa. Ripetitiva e prevedibile. E ingolfata di corruzione a prezzi modici.

O forse perché è troppo intelligente per non sapere che sta avviando la sua ennesima relazione strumentale.

Ha stabilito, Fabio, che il mondo è una grande puttana. E lui si vuole comprare il mondo. Se lo sta comprando. Ma poi il mondo, come tutte le cose, si fa insofferente. Insofferente anche ai conti correnti miliardari. Una permuta destinata a durare poco; non scambia mai la libertà per altro, il mondo, per cui si organizza i propri spazi, i propri sottoboschi, le proprie aree di parcheggio in nome della libertà totale e poi finisce per metterglielo al culo a Fabio. Ma anche questo lui non sa. Anche questo lo scoprirà dopo morto. Perché nessuno, neanche io, avrà mai il coraggio di andare a raccontarglielo. Per questo i miliardari finiscono sempre per baloccarsi in un mondo cristallizzato e illusorio, perché la gente non vuole raccontare loro le cose come stanno, semplicemente per timore di perdere i privilegi acquisiti.

I parassiti che succhiano, non comunicano col datore di lavoro.

Semplice come la Prima guerra mondiale.

Semplice come la Seconda guerra mondiale.

Semplice come i bei visi che sbocciano nelle adolescenze.

Ma cominciano a farsi numerose le decadi della mia vita e penso che ne ho visti tanti, troppi, di questi bei visi che decantano nell'adolescenza, estrinsecano odori di vitalità, e poi apprezzamenti, lancinandoci tutti gli organi vitali di una nostalgia e di una invidia che ci rendono a noi, gli appassiti, topi osceni e guerriglieri flosci e ripiegati.

Mi aggiro sornione per l'aereo, cerco in realtà di frugare

con lo sguardo, per un altro istante, quella hostess che sembra una santa. È introvabile. Devono averla messa sotto chiave, come un dipinto a muro, per non sciuparla neanche un pochino. Ancora una volta, mi è interdetta la bellezza.

L'Italia appare dall'aereo, come un taglio di cucito senza simmetrie. Ancora uno sforzo, Tony, dentro questa vita lunghissima.

# 13.

*E tu ragazza pure tu*
*che arrossivi se la mano andava giù*
*ritorna a pensare che sarai madre.*
RENATO ZERO

Alla fine sono tornato dove avevo lasciato.

A fare capodanno suonando e cantando, per allietare gli altri e mai una volta che qualcuno allieti una festa solo per me. Cosa vuoi ottenere in fin dei conti, anche psicologicamente parlando, quando sei costretto a cominciare la piccola vita nuova senza festeggiare mai come vorresti? Ma sempre al servizio di altri. Propositi a lunga gittata destinati a svanire nel freddo lurido di gennaio. Questo succede. In passato erano le piazze di Macerata, Ascoli Piceno, Catanzaro, ora il salone sconfinato e pluridecorato della villa in Corsica di Fabio e della sua famiglia.

Solo col tempo, i propositi si fanno vaghe speranze e non è un bel sentire. È una brutta canzone, altro che.

E io lì, parcheggiato davanti al microfono, con mostruosi buchi di memoria sui testi delle canzoni, provvidenzialmente salvato dalle cure amorevoli del mio datore che mi ha attrezzato tra mille accortezze, per non offendermi, un leggio coi testi. Grazie assai, altro che sentirmi offeso. E intonare anche un do diventa impresa titanica e anche i ragazzi, aggravati da cornici di capelli bianchi e chiazze calve, e con le dita divorate dall'artrosi che arrancano come alpinisti in difficoltà sulle corde della chitarra, sui piatti della batteria, sui tasti di una Roland scordata e obsoleta non poco. Una scalata della morte. Come biasimarli. Pochi cazzi. Siamo diventati tutti vecchi. Solo vecchi. E davanti ai miei occhi in diretta.

Ecco perché era meglio non cedere alle lusinghe milionarie e continuare a starsene in quella casa in Brasile. Gli scarafaggi sono tutti uguali, non distingui i giovani dagli anziani. E questo è un conforto non marginale, credetemi. Invece, sconto una nuova ricchezza col più terribile dei malesseri: la realtà. Ma comunque. Sono sopravvissuto alle risse, alle sparatorie, ai divorzi, ad un omicidio, all'insonnia, agli schiaffi e alle genuflessioni. Sopravvivrò anche a tutto il decadimento che mi si staglia davanti agli occhi come una parata militare. Nel frattempo, devo solo andare a scovare il buono nelle stanze secondarie di tutte le case.

E tirare avanti un altro po'.


Come tutti i morti di fame che all'improvviso sono stati dirottati davanti ad autostrade di miliardi in contanti, Fabio e la sua famiglia galleggiano in un'ampia baia di formalismi tirati a lucido e all'eccesso che li stanno facendo morire senza rendersene conto.

Prima o poi, questi qui saranno colti da infarti fatali perché hanno dimenticato di disporre adeguatamente una forchetta da pesce.

Ve lo dico io.

Tutti i danari del mondo sono stati concepiti unicamente per costruire gabbie asimmetriche.

I figli di Fabio sono arredati in tinta con le pareti. E mangiano caviale e tristezza, tortellini fatti a mano mondati dalla morte prematura della loro adolescenza. Perché adulti irresponsabili hanno spiegato loro che tutti quei soldi impongono una missione prima del tempo. E questo è davvero insopportabile per dei ragazzi. Il concetto di responsabilità prima indebolisce, poi assassina la gioventù. Non c'è proporzione.

È questo che hanno in comune, senza saperlo, i giovani molto ricchi e quelli molto poveri: il peso sbagliato, fuori tempo, della responsabilità in anticipo.

L'immagine più precisa che si addice a questi ragazzi è

quella di certe teste di capriolo imbalsamate che ho visto in alcuni, caldi rifugi alpini del Trentino-Alto Adige.

Anche io sciavo, un tempo. Anche io ho le mie colpe.

Uno dei figli, sedicenne, durante una delle nostre hit, si addormenta eretto a tavola, come un vecchio diabetico. Non è narcolessia. È vecchio dentro. Ma, della vecchiaia, ha occupato solo l'armadio dei difetti.

La moglie, bella come un sogno di Fellini, calibra i suoi gesti come un direttore d'orchestra ebreo e famosissimo. È un'istituzione della casa che deve mantenere un rigido controllo delle cose. Ma, in quella casa, le cose da controllare sono così tante che lei si sta allevando, inconscia, uno stuolo ininterrotto di esaurimenti nervosi che si stanno avvicinando con lo stesso impeto organizzativo dello sbarco in Normandia.

Nell'ottica del controllo delle cose, sveglia il figlio dormiente che si ridesta con un sorriso tragico e premeditato. Lei lo rimprovera con uno sguardo da samurai.

Noi del gruppo la guardiamo da lontano, come se fosse una teca bionda. Le curve magnifiche del suo corpo, immaginiamo, trovano un soffice svelamento solo in prossimità di un sontuoso letto a baldacchino. È una bellezza assoluta, quella donna, ma è una bellezza lontana. Questo fatto, gela il pensiero.

Rigurgiti puzzolenti del Ventennio aggrediscono invece la postura di Fabio a capotavola. Impettito e altero, si gode i frutti del suo assegno miliardario. La sua ignoranza abissale in fatto di musica gli impedisce di capire che ha buttato il danaro nel cesso.

Buon per noi. Ma non c'è da fidarsi. Mai. Perché l'ho sempre detto io: gli arricchiti, sono più pericolosi dei nazisti.

Fabio è fermo. Incapsulato in una confezione cellofanata di presunzione e sicurezza. La mano impelagata all'altezza dell'abbottonatura del doppiopetto. Ogni istante della sua vita è teso a rivendicare quello che tutti ormai sanno, che lui è uno spavaldissimo capitano d'industria.

Vuole che nessuno dimentichi, perché ci ha lavorato tutta la vita.

Ci ha messo ingegno, tempo, danaro e uno smisurato dispendio nelle relazioni sociali che se ci ripensa gli viene su una nausea inqualificabile, irreversibile.

Invece, vuole che nessuno sappia cosa si annida nella sua profondità. Nessuno. Non lo deve sapere neanche la moglie. E i figli.

Ma io invece presto lo saprò. Perché capiterò davanti a lui in una notte per lui impossibile, una di quelle notti in cui tutti i vicoli sembrano ciechi e sporchi, una di quelle notti dove tutto si fa avvisaglia di scenari mortiferi, e allora mi farò ostetrico di tutti i suoi fantasmi, quella notte. Una di quelle notti terribili che, cascasse il mondo, non ci vuoi tornare a casa. Perché sei avvilito dalla più temibile delle paure e cioè che la tua casa non è più la tua casa. Non c'è da scherzare, ve lo assicuro, se avete capito esattamente di cosa sto parlando.

Comunque, il padre è il suo fantasma indelebile. Un uomo aitante e pacifico. Burbero e privo di ambizioni, sguarnito di aneddoti divertenti, che riusciva comunque, senza sforzi, a calamitare in modo fisiologico l'affetto, l'amicizia, il calore, la stima di tutti gli altri. Con una semplicità disarmante. L'assenza di quello sforzo ingombra la biografia di Fabio. Ecco, questo per Fabio è stato, è e sempre sarà un intralcio insopportabile. Tutto quello che çompie, e vi assicuro che ce ne sono state di spericolatezze, lo fa per scacciare quel problema. Ma è una lotta inutile. Non c'è il nemico, perché non c'è più il problema. Il padre è morto in disparte, senza clamore.

Il problema è solo sottopelle, nella cute gelatinosa di Fabio. Lotta con le reminiscenze che ricorda solo lui. Sono concrete le reminiscenze, alle volte. Sono escrescenze ripiegate all'interno.

E poi la madre. L'altro spettro trasparente come un vetro di Murano. Che non gli dà pace, con quei suoi silenzi che sembrano editti.

Ma il problema è un altro e Fabio lo sa. Il problema è che il padre possedeva una dote che, col tempo, prima è passata di moda, poi è evaporata del tutto. Questa dote si chiama austerità.

Fabietto, e questo è il fatto che lo sta uccidendo giorno dopo giorno, non la possiede l'austerità. E quel che è peggio è, che se anche ne fosse provvisto, nessuno se ne accorgerebbe.

Sono frustrazioni, queste, ampie come balene. Che lo stanno letteralmente ammazzando. Non è bello nascere nell'epoca sbagliata. Vivere come in un night club e desiderare invece i frac e i sigari dentro eleganti boiserie, dopo cenette leggere e rinvigorenti. Sono pensieri che devi rimuovere in tutta fretta se non vuoi tamponare l'ineluttabile.

Comunque, qui, in questa famiglia, sono tutti assolutamente convinti che l'occultamento della spontanea convivialità sia l'unico stile di vita che si addice ai miliardari. Si rapportano alla regina Elisabetta, non sapendo che questa gira per casa in ciabatte e urla ad alta voce, tutte le mattine, che ha voglia di pisciare.

Perché le vere regine se ne fottono dei sudditi.

Mentre i soldati semplici dell'ambizione si logorano nel continuo riconoscimento sociale del sottoposto. Altrimenti, non dormono la notte. Questa mancata riconoscenza da parte dei poveri, che hanno sempre sistematicamente altro a cui pensare, diventa il motore delle industrie e della finanza. Muovono il mondo, i poveri, col loro menefreghismo, ma non lo sanno. I poveri, inconsapevolmente, corrodono alle caviglie i ricchi. E questo logorio da roditori anima l'intraprendenza dei danarosi. Nascono così i brevetti e le confezioni di merendine su scala nazionale. Solo l'economista ingenuo ritiene che la concorrenza economica sia tra ricchi e ricchi. Ma neanche per il cazzo, la grande rivalità è tra ricchi e poveri. E il paradosso è che i ricchi si sbattono come cani randagi alla ricerca del pezzo di carne, mentre i poveri non muovono un dito per alimentare questa competizione. Pigri e certi della loro sfortuna, al massimo finiscono per lamentarsi sottovoce con un nemico impreciso e variabile. Una volta lo stato, una volta dio, una volta il datore di lavoro, una volta la moglie sciatta, una volta il figlio tossico. Non li si smuove dalle loro convinzioni, i poveri. Perché, in fondo in fondo, nel regno del loro indicibile e del loro impensabile, pensano che se la passano bene così. E hanno ragione.

Un Bignami dell'economia sono diventato col corso degli anni. Davvero.


Quando, finalmente, dopo una battaglia estenuante con l'arte della musica che non ci apparteneva prima figuriamoci adesso, il concertino è terminato, io, Gino, Lello, Rino, Titta e il grande Jennny Afrodite abbiamo potuto concederci uno svaccamento meraviglioso sulla spiaggia privata di Fabio. Alle tre di notte del primo gennaio del nuovo millennio. Esausti, ci siamo lasciati cadere nella sabbia morbida e rassicurante come il borotalco dopo il bagno nella vasca.

Ci siamo slacciati le cravatte e Titta ha prodotto una lunghissima, emozionante, squillante puzzetta nel buio corso. E abbiamo cominciato a ridere tutti in un modo così convulso e singhiozzante che per un attimo, con gli occhi davanti alle nuvole, ve lo giuro è stato solo un attimo e non vorrei apparire banale, ma a me è proprio parso in modo inequivocabile di essere stato attraversato da quella parola impronunciabile e abusatissima che si chiama felicità.

Quando le risate sono svanite a fatica, perché erano davvero troppe e concatenate, allora è ripresa la solita chiacchiera infinita. Come se non ci vedessimo da un quarto d'ora e invece non ci vedevamo da vent'anni. Un'intimità di ghisa, la nostra, con una forza di resistenza al tempo e alla lontananza che ora ci ha fatto commuovere. Proprio commuovere. Che meraviglia unica e rara. Siamo passati dalle risate alla commozione in un breve spazio di tempo che, in fin dei conti, ci siamo detti, si pena tanto, ma la vita vale la pena di essere vissuta se questa è stata e sempre sarà la nostra amicizia.

Non ci vedevamo da vent'anni ma il primo argomento messo in piazza è stato quello dei lavori della metropolitana ai colli Aminei che hanno luogo proprio sotto casa di Lello

Cosa e lui non ce la fa più a convivere coi martelli pneumatici. Che meraviglia!

Che gradasso insopportabile che sono stato in gioventù. Trattavo con sufficienza questi esseri umani qui ora davanti a me che invece sono ed erano di una bellezza e di una grazia sconfinate. Avevo delle ambizioni all'epoca e pensavo che la realizzazione di esse passasse anche attraverso la soppressione sistematica delle loro personalità. Sono stato imperdonabile come quando uccisi Beatrice in mezzo alle scale. Lo stesso tipo di delitto, credetemi, nessuna differenza. La morte dei corpi non ha più valore della morte delle idee e della morte della schiettezza di questi ragazzi incantevoli.

È talmente autentico quello che sto dicendo che sento l'esigenza di esternarlo papale papale e infatti dico:

"Ragazzi, io mi devo scusare con voi".

Si ammutoliscono. Io provo a proseguire:

"E ora vi spiego anche perché vi devo chiedere scusa".

Ma Jenny m'interrompe per stupirmi ancora una volta con la sua capacità animale di afferrare sempre gli uomini in pochi istanti.

Infatti dice:

"No Tony, non ci devi spiegare. Lo sappiamo perché vuoi chiederci scusa. Tu pensavi che fossimo meno importanti e interessanti di quello che credi adesso".

Mi ha lasciato senza parole. Quando parla, si trasforma in un'enciclica di buon senso.

E dato che la sa ancora più lunga, aggiunge:

"Invece ora lo hai capito, che tu, io, tutti qui, siamo tutti degli autentici geni".

"Chi sono i geni?" chiede Gino.

E Jenny risponde senza difficoltà:

"I geni sono quelle persone che ci stai a fianco senza nessuno sforzo. Ecco chi sono i geni".

Ci lascia, come sempre, senza parole. E ci ha ragione da vendere. Loro sono dei geni di sicuro. Io mi ci lascio volentieri mettere dentro, ma non ne sono affatto sicuro. Ma è sempre così l'interpretazione dell'essere umano: si è sicuri del prossimo, mica di se stessi. Perché col prossimo puoi permetterti il lusso di schematizzare, di sceneggiare, di romanzare. E di proiettare fantasie perfette che non ti sono mai appartenute.

Sono emozionato fino alle lacrime, loro lo sanno anche se non lo vedono perché c'è un buio totale. La luna se ne è andata a fare in culo altrove, in questa notte che saluta sì una data storica, ma non si sa cos'altro. Che ti affaccia al nuovo millennio nel peggiore dei modi, col buio. Ma è notorio, le schiarite non coincidono mai con i simboli.

Rino parla:

"D'altro canto, la lunghezza infinita della puzzetta di Titta lascia credere che ci sia davvero del genio in lui".

E giù altre risate poderose e durature.

Poi io:

"Jenny, che hai combinato poi con quella storia dell'eroina?".

E lui, candido, come se dicesse di passargli il sale:

"Ho tolto di mezzo, Tony. Non ci si stanca solo della realtà, ma anche dell'irrealtà".

Io dico nel mezzo di una sincerità sconosciuta a me stesso:

"Come sono contento, Jenny. È la prima volta che sono davvero contento per qualcun altro".

Poi Titta fa una cosa bellissima e inaspettata. Si alza in piedi di scatto, come attraversato da una leggera fretta e, inspiegabilmente nervoso rispetto al suo carattere che conosciamo, dice energico:

"Ragazzi, che bello stasera! Qui, noi, a fottercene di tutto. Promettetemi una cosa: che noi saremo sempre amici, per il resto dei giorni che ci rimangono. Promettetemelo adesso".

Sto piangendo come un bambino piccolo.

Jenny sta piangendo come un bambino piccolo.

Anche Gino, Rino e lo stesso Titta. Stiamo piangendo tutti, all'unisono, come bambini piccoli. Cioè senza nessuna vergogna. Perché siamo tutti sulla stessa barca. Un bellissimo, elegante yacht di legno. Lo yacht dell'amicizia.

E infatti ci abbracciamo con una voracità che neanche a

sedici anni di fronte al primo amoretto. E ce lo diciamo in faccia quasi aggressivi gli uni con gli altri.

Ci diciamo:

"Promesso, promesso, promesso, promesso, promesso".

Un vortice di emozioni perseveranti e inarrestabili. Troppe. Quasi ai limiti della nostra stessa sopportazione. Infatti ci ricomponiamo. Torniamo ad abbandonarci sdraiati sulla sabbia bianca e buia.

Io mi accendo una leggera e spalanco una nube di fumo contro il cielo invisibile e poi dico:

"Ragazzi, ragguagliatemi, cosa mi sono perso in questi venti anni?".

Jenny attacca per primo:

"I telefoni cellulari, un cumulo di musica di merda, i televisori al plasma, la tv privata prima e la tv via cavo poi, gli analgesici per i miei denti che non mi placavano il dolore perché mi facevo troppa roba e quella inibisce l'effetto degli antidolorifici, un mare di riviste porno e di riviste patinate che non raccontavano un cazzo, solo top model del cazzo in copertina e nelle pagine interne, plotoni di vegetariani che rompevano i coglioni, la progressiva, imperdonabile morte dei negozi di dischi, prima ancora la morte dell'lp, le lampadine a basso consumo che fanno una luce di merda, il primo torero non spagnolo, un italiano, un ex garagista napoletano, di nome Attilio, che poi è entrato in coma. Mica per colpa del toro. È scivolato nel bagno e ha battuto la testa contro il bidet. Aveva cominciato, dietro anticipo miliardario, a scrivere la sua autobiografia, era arrivato a una notte in un garage in cui decise di partire. L'Ikea e i mobili tutti uguali nelle case da Toronto fino a Mogadiscio, il cambio di una classe politica corrotta con una nuova ugualmente corrotta ma più volgare, il tonno fresco col sesamo su tutte le barche degli arricchiti, il sesamo tra i denti e dunque il boom del filo interdentale, i cinesi a tonnellate nei quartieri vicini alle stazioni, le colf ucraine, dominicane, di Ceylon, della Bielorussia, rumene, albanesi, marocchine. Popoli che sono arrivati qui in massa cercando un po' di pane e invece li hanno messi a raccogliere i pomodori sotto a dei soli giallissimi nel frattempo diventati tropicali, e a pulire i culi sfilacciati dei moribondi, possono essere tremendi i culi dei moribondi per seicentomila lire al mese, poi lo capisci che qualcuno prende e ti spara dentro al vicoletto, gli dai torto, ma senza convinzione; ti sei perso Rino che ha fatto tredici al totocalcio ma poi, una settimana dopo, ha capito che non aveva giocato la schedina e voleva morire davvero, non per scherzo, mentre Gino ha partecipato a un quiz alla Rai e, pronunciando esclusivamente un numero e una parola: 2927 fagioli, ha vinto sedici milioni che ha speso per fare tre verande abusive che poi gli hanno fatto abbattere, caso più unico che raro di applicazione della legge, perché lo sai no? Il paese non tollera la fortuna, solo la furbizia. È una questione di educazione della nazione. Ti sei perso terremoti e inondazioni, ti sei perso i suicidi di imprenditori e uomini politici che pensavano che andare in carcere non stesse bene, un atto di maleducazione nei loro confronti davvero intollerabile, dove è finito il rispetto e l'ammirazione per l'eterno traffichino? Ti sei perso i computer sparpagliati ovunque che hanno davvero rotto il cazzo, insomma ti sei perso una serie di cose, ma non sono sicuro che poi te le sei perse veramente".

Poi attacca Gino:

"Tony, ti sei perso lo sviluppo delle vite di persone che conoscevi".

Io mi galvanizzo, pensare che non ci avevo proprio pensato e dico:

"Giusto, ragguagliami su tutti, Gino".

E quello:

"Tua moglie. È uscito fuori che in realtà aveva un amante già quando stava con te e due giorni dopo che te ne sei andato ha fatto una corsa a casa sua. Ma dopo un mese quello è morto, e lei ha ereditato solo una montagna di debiti. L'hanno assediata i creditori e allora lei si è ficcata su un treno e se ne è scappata senza neanche sapere dove stesse andando. Ma forse lo sapeva perché è scesa a Francoforte, infatti sembra che di nascosto a te studiasse il tedesco, va' a capire perché, e da quel momento non abbiamo più avuto notizie di lei. E tua figlia, una tempra d'acciaio quella ragazza, se ne è sbattuta le palle di quanto pazzi siete stati tu e tua moglie e se ne è andata a Parigi, e ora fa la disegnatrice di moda e si è fidanzata con una ragazza belga e una volta l'ho vista in televisione che dava un'intervista e ha detto glaciale, come in un verbale: 'Sì, i miei genitori sono morti in un brutto incidente'".

Poi è stato il turno di Lello:

"Quell'amica tua del conquin, Rita Formisano, un giorno ha aperto la finestra e si è buttata dal quarto piano in vestaglia. È atterrata sul tendone del fruttivendolo e non è morta, però è rimasta paralizzata su una sedia. Quando le hanno chiesto perché lo aveva fatto ha risposto semplicemente che i ricordi si erano fatti insopportabili. Però, dopo il tentato suicidio, è cambiato qualcosa: ha smesso di fumare.

Il figlio, Alberto, non ha neanche trent'anni ma è stato arrestato già tre volte: sfruttamento della prostituzione".

A questa notizia, non posso non lasciarmi sfuggire un sorriso.

Si aggiunge Rino Pappalardo:

"Mimmo Repetto. Il tuo maestro e anche il mio. Si fa fatica a credere, ma è ancora vivo. Ha compiuto cento anni due mesi fa. E pure la sorella è viva e ne ha centodue.

Roba dell'altro mondo, la longevità.

Vivono immobili nel tinello.

Lei non parla più, solo qualche volta, se si sente in forma, sputa a terra. Lui pure è come muto, ma tutte le mattine dice faticosamente una frase alla cameriera rumena. Impiega dieci minuti per pronunciare queste poche parole. Sempre le stesse. Dice: 'Per l'ultima volta nella vita, ti prego, mi cucineresti gli gnocchi di patate come li faceva mammà'. A questa frase, pare, ma io non so se ci credo, che la cameriera rumena pianga sempre. Perché lei non ci riesce a farli gli gnocchi. Le capitano sempre le patate che fanno un sacco di acqua e anziché la pasta cresciuta la poveretta si ritrova tra le mani una pozzanghera. E pure la sorella di Mimmo che non parla, non vede e non ci sente più, pare che, a queste parole, inspiegabilmente, inizia a piangere sommessamente".

Insomma, sono stato ragguagliato. E cerco di non pensare a tutto quello che mi è stato detto altrimenti mi si aprono voragini senza la terraferma alla fine.

Ora invece silenzio. Solo il rumore lento e costante delle onde.

Poi dico:

"Titta, tu che mi racconti?".

Non arriva nessuna risposta.

"Questo cazzone si addormenta sempre quando cominciamo a divertirci un po'. Sempre questo ha fatto, da quando lo conosco" dice Jenny risentito.

Ma in realtà, è nell'aria, certe cose le percepisci in automatico, la serata sta finendo. È stata bellissima, ma la stanchezza vuole il sopravvento e io sono bersagliato dal jet lag, cosicché ci solleviamo pigri dalla sabbia e facciamo per avviarci. Non prima di scrollarci quella sabbia fina da fin dentro le mutande, i piedi e le ascelle.

Lello scuote Titta:

"Guagliò, è ora, torniamo dal riccone sfondato che ti ha preparato una stanzetta calda calda tutta per te".

Ma Titta non si muove.

"Titta, hai rotto il cazzo, svegliati" insiste Lello.

È un attimo. Poi lo capiamo tutti insieme nello stesso momento, perché siamo e sempre saremo un gruppo. Lo capiamo solo adesso che ancora una volta non è stata una bella serata. Lo dimentichiamo sempre e poi lo ricordiamo di nuovo, ancora e ancora una volta, che questa cazzo di vita fa sempre, ininterrottamente, ottusamente, sempre lo stesso giochetto del cazzo. Ti dà un po' di gioia e subito dopo te la toglie. Anche stanotte così. Qui e in tutto il mondo.

Allora siamo tutti fermi e infreddoliti, si è alzata pure una brezza leggera che suona come un venticello pallido e cadaverico e allora, sono o non sono il leader, me la prendo io quella responsabilità atroce e penosa. Devo. Sì, me la prendo io, perché poi col tempo lo capisci che non si può fuggire sempre. Bisogna guardare in faccia tutte le cose, una per una, non per capirle, ma per subirle con un briciolo di dignità. Perché tanto sarà così, le cose ti raggiungono. Allora, mi avvicino a Titta steso a terra. Gli porto la mia mano sul cuore. Ma quello non batte più il cuore. Il cuore di quel genio di Titta. Si è fermato nel sonno, per non disturbare l'atmosfera della serata.

La morte se l'è venuto a prendere. Chissà quante volte era venuta e non l'aveva trovato. Stava in tournée.

Ma non fa niente, Titta. La morte non fa proprio niente quando poco prima, fortunatamente, tutti insieme ti avevamo promesso che saremmo rimasti, per tutto il resto della vita, i tuoi amici.

## 14

*L'importante è finire.*
MINA

Roma, è un lungo tramonto.

Sosto qui da due anni, perché Fabietto, il mio boss, è nell'urbe che, accanito come un delinquente comune in cerca del colpo risolutivo, opera e scorribanda in un'anarchia spregiudicata ai limiti del regime sudamericano che sta diventando l'Italietta.

Ma è un paesello, l'Italia, che perde colpi da così tanto tempo che anche il clima salubre gli sta voltando le spalle con la scusa del buco dell'ozono.

Tutto pensavo nella vita tranne che dover finire la mia vecchiaia in questo grande catino di città. Che accoglie tutti, democraticamente, con noncuranza e malevolenza. Senza fartene accorgere, però. Come certi colpi astuti nei caveau delle banche attraverso i tombini, Roma ti tende agguati continui e raffinati, ma i colpevoli sono sempre introvabili. Perché sono troppi i colpevoli.

Sono tutti, i colpevoli. E tutti scaltrissimi ladri di banche.

Nell'altra vita ci venivo poco a Roma, giusto qualche concerto di punta e associavo la città a un'immagine ben precisa che vidi una volta a piazza di Spagna, questa: l'attore Enrico Maria Salerno, altero e spaesato, che passeggiava indossando con nonchalance una tunica di lino da assirobabilonese. Chissà perché, quell'immagine atroce e patetica di Salerno per me era la sintesi di Roma. Vallo a capire. Forse perché, quando la vanità vuole farsi istituzione, finisce sempre a pernacchie e custodie fallimentari. Sì, deve essere questo.


Comunque, quando sono approdato in questo tramonto ininterrotto che è Roma ero all'oscuro di molto e fuori allenamento con la vita mondana che Fabio aveva in mente per me, il suo amico.

Così ha deciso di farmi conoscere un altro suo amico sotto contratto: Tonino Paziente. Ufficialmente, grandissimo estetista di serie A, in realtà, lo avrei capito abbastanza presto, un infaticabile procuratore di esseri umani femminili destinati a distrarre l'imperatore Fabio dai suoi impegni miliardari. Insomma, un ruffiano. Ricchione e simpaticissimo, con un frivolo ciuffo biondo che gli separa una capigliatura altrimenti nerissima, e una pericolosa, gratuita deriva a parlare di sé in terza persona.

Il primo incontro con Paziente vale la pena menzionarlo. Ha luogo da Rosati e lui arriva smagliante e svampito. Si siede, ordina un cocktail che non avevo mai sentito prima, monitorizza la platea circostante e solo quando è certo che nessuno lo conosca perché ci sono esclusivamente turisti americani con le gambe sfigurate da infiniti giri turistici, allora attacca a monologare senza farmi interloquire neanche una virgola.

E mi spiega le cose come stanno con un attacco da manuale:

"Hanno tutti ragione".

Ed è gia una rivelazione per me. Perché non lo sapevo.

Prosegue senza tregua, Tonino Paziente:

"È in base a questo principio elementare che prospera il benessere e il conto corrente.

Ricordatelo bene, Tony. Se parlano male di Antonella, ne parla male anche Tonino Paziente.

Ma col cazzo che Tonino Paziente comincia per primo a parlare male di Antonella.

Si dice Antonella, ma si potrebbe dire Ulderico, Fabio, Arianna e Fabrizio.

Sei una troia professionista? Tonino Paziente ti tratta come una scienziata.

Sei una scienziata? Tonino Paziente ti tratta come la numero uno delle scienziate.

Ti hanno dato il Nobel? Tonino Paziente s'indispone. Perché te ne meritavi due.

Ci hai l'unghia incarnita? Ti hanno sbagliato i colpi di sole? Tonino Paziente ti capisce. Mica lascia cadere, macché!

Lui ti sta appresso. Lui ti consola. Lui ti conforta. Con leggerezza e ironia. Lui non ci ha la parola. Ci ha l'aggettivo. Leggiadro e insolito. Che è molto, ma molto più importante. E ti richiama al cellulare quando non te lo aspetti".

"Belloccio, come si atteggia l'unghietta?"
(*11 gennaio 1991, Tonino Paziente a Giulio Santella, alias Il Belloccio.*)

"Hanno terminato quei sandali che cercavi? Tonino Paziente non minimizza. Si fa capriccioso e umorale, avverte il problema sul polpastrello, lo accarezza lateralmente, ed è capace di dirti pure che questo è uno scandalo. E se sta di fantasia vispa, arriva a dire che è un complotto. Tu te lo meritavi il sandaletto, cocca. Se ti hanno detto che non è disponibile è perché hanno paura che li sbaragli a tutti a causa di quella Grazia graziosa che ti porti dentro tutti i pori. Mi stai seguendo Tony?"

"Insomma" balbetto io, ma è come se l'avessi detto a un altro perché Tonino se ne sta concentratissimo a tenere il filo del suo ragionamento che spolvera con l'atteggiamento di chi ci riflette da una dozzina d'anni su tutto questo e, dunque, senza concedermi tregua, riattacca nella maniera che gli viene meglio: citare se stesso.

"Te lo giuro sui poverelli del Lussemburgo, bella mia, questo del sandaletto è un complotto."
(*Roma, 21 aprile 1993. Tonino Paziente alla baronessina Grazia Pedante.*)

E incalza, come un go-kart:

"Non rise, la Pedante, sprovvista, come la maggior parte dei nobili, del concetto di humour.

Invece Paziente ci ha l'autoironia, per dio! Senza di quella muori a mezzogiorno.

Tonino Paziente, invece, deve tirare avanti fino alle quattro di notte.

E quando dorme, Tonino Paziente non sogna. Progetta. Progetta aggettivi, velleità e piaggerie d'alto bordo.

Poi, all'apparire di un'alba febbrile e cotonata, conta i suoi soldi. Che non sono pochi.

Tonino Paziente, dentro questa valle di lacrime e mozzarelle, ci ha le palle quadrate a forma di parallelepipedo con un cono gelato da sopra. Che non si scioglie. Non si scioglie, per dio!

Tonino Paziente sono io. Ricostruttore di unghie di serie A e musicista per diletto di serie B. Sbatto le dita su una tastiera Bontempi, talora, ad orari improbabili, per ingannare quella scatola di delusioni che m'insegue da anni come un cane di campagna nella notte. Senza demordere, ecco.

Esponente di spicco del mondo che conta qualcosa, non disdegno i voli privati.

E non esito, con una disinvoltura che confina con l'osceno, a parlare spesso di me in terza persona.

E parliamoci subito chiaro, alfabetizzato, due cose vanno bandite per galleggiare all'inferno laico. Vergogna e morale. Se invece li possiedi, questi due scellerati difetti, allora è meglio che ti organizzi due stanze a Catanzaro o a Selva di Val Gardena. E tiri a campare dentro la truce quotidianità tutta somigliante a se stessa. Se si possiede vergogna e morale, si soccombe come le pere Spadone sotto al sole rovente. Buone per i succhi di frutta".

"I succhi di frutta si fanno con la frutta marcia, che non lo sai Tonì?"

(*Roma, 11 novembre 1988, Lello Lepore, alias Percoca, imprenditore agroalimentare di un certo rilievo, a Tonino Paziente, fuori una rinomata pizzeria.*)

"Tonino Paziente, insomma, vi avvolge. Come in un sacco a pelo costoso. Vi fa sentire rilevanti. Indispensabili. Centrali. Snob o populisti. Frivoli o intelligenti. Gravi o ironici. Tonino Paziente vi fa sentire come cazzo vi pare a voi. Questa è la caratteristica superficiale di Tonino Paziente vostro. Ma tutto è superficiale, si sa. Solo i figli non lo sono e io non li posso avere i figli.

Con questi presupposti, va da sé, Tonino Paziente riceve dalle cinquecento fino a punte di ottocento telefonate al giorno. E gli inviti si contano a tonnellate. Un'altra cosa, alfabetizzato, Tonino Paziente non vi risponderà mai che ha fretta. Perché Tonino Paziente vi ascolta paziente. Lo dice il cognome stesso.

E ascoltando ascoltando, so tante di quelle cose che non si possono dire che col cazzo che mi fanno un torto a me. So troppo. So tanto. So i segreti. Hai capito Tony? E loro lo sanno che non dirò niente. Anzi, sapevano. Perché ora forse ho cambiato idea. Forse dirò tutto quello che so, boh, chi lo sa. Filippo mi ha lasciato stamattina e questo non è bello. Per questo sto così convulso. Mio dio. Perché sono sconvolto, no? E convulso, pure".

"Perché hai cambiato idea, Tonino? Ti vuoi fare appendere al Ponte dei Frati Neri, come Calvi a Londra? L'arcata del ponte come un grande pube. Tu, pendente, come un piccolo pene."
(*Ieri sera, mio fratello Ermanno, al telefono, urlando in una fossa di panico e pregiudizio.*)

"Ci ha una certa cultura sulla storia contemporanea, mio fratello Ermanno Paziente. Ma gli manca la sensibilità per l'inatteso e il colpo di scena.

Interpreta la vita come un flusso torrentizio, questo gli consente ancora un margine di meraviglia in fondo al mondo. In questo senso, si è guadagnato tutta la mia invidia.

Ma, nonostante ciò, Tonino Paziente ha taciuto a questa semplice, legittima domanda. E lo sapete perché ha taciuto? Un momento.

Non mi aggredite, non mi date addosso, la volete smettere di stuprarmi l'intelletto? Tonino Paziente è una brava ragazza. Sensibile e sensitiva. E ci ha i suoi cazzi di tempi prima di formulare le rispostine. Sta sconvolta, Tonino. Sta convulsa".

Alza la voce, Paziente, quasi urlacchia. Prima catechizza la mondanità, poi se la canta e se la suona. Si sente circondato da una pozza di detrattori e invece ci sto solo io che non ci ho ancora capito un emerito pene, come direbbe lui stesso. Ma poi, come tutte le vittime dell'umore traballante, ricade senza sgambetto dentro una trappola di tenerezze e procede spedito:

"Ma, giusto per anticipare sulle linee generali, perché anche il più immorale e senza vergogna degli uomini ci ha, candido come il corredo della vergine di Ventotene, un dolore.

E tutti i dolori somigliano ai topi. Salgono su d'estate. Perché hanno fame. Hanno la fame della verità. Non la stronza verità degli altri, ma la stronza verità di te stesso. Solo che per arrivare a questa verità, dopo aver scavalcato con mille sacrifici e scandalosi ricatti solo la terza media, Tonino Paziente ha bisogno di raccontare innanzitutto la verità degli altri.

Tieniti alla seggiola, Tony bell'uomo. Perché Tonino Paziente ha intenzione di regalarti le puzze e le menzogne. La bellezza e la morte della bellezza. L'iracondia e la pochezza. L'Italia. L'italiano. Il cittadino e la vendetta.

Insomma, l'individuo odierno.

La mia verginità. La mia omosessualità. Il mio sentimento lancinante per Filippo. Il mio dolore, intasato di mille altri dolori. Questo sono io. E non solo. Le canzoni d'amore del cantautorato italiano e gli attacchi di panico. Sciarpe colorate e panama d'estate. Il vino bianco freddo e secco nella campagna toscana al tramonto. E poi baci e sorrisi. Caro, cara, carissimi. Baci e sorrisi. Come si è fatta grande Elisabetta! Baci e convenevoli. E quanto si è fatta bionda, diamine! Sorrisi e convenevoli. Ma veramente Lilli ha lasciato il marito? Ma tu che dici? Ma è una pazzia! Anzi, peggio, è una tragedia. Convenevoli e convenevoli. Di una lunghezza indefinita. È una resistenza, Tony. Chissà quanto dura! È un'apnea, la mondanità. Un luogo dove nessuno respira, per non scosciare l'addome in disarmo. Le relazioni sociali, che ti fanno asociale. Quest'estate la vacanza è rigorosamente detox. Ma diciamolo. Spaghettate e champagne. Ma nessuno è migliorato. Marisella dà una grande festa. Si galleggia solamente. È a tema, la festa, tutti vestiti da coloniali. Si tira avanti. Quel tuo articolo su New York, Donatellina, geniale. Dentro l'illusione del benessere. La collezione autunno-inverno di Giada e Mariano grondava volgarità. Ancora convenevoli. Arturo, sono stufa dei paparazzi sotto casa, puoi fare qualcosa? Blandizie. L'ultima volta che te li ho fatti rimuovere, poi ti sei lamentata che i paparazzi non ti cercavano più. Esangui, perfide vendette. Geppino fai benissimo a presentarti alle politiche. Hai la stoffa. Le finte lusinghe. Non è vero, Tony. Ma può servire. Tutto può servire. A cosa? Ancora non si è capito bene. Poi, finalmente solo, nel cesso o nel letto, finalmente l'appuntamento con me stesso. Ancora un po' di polvere bianca intorno al naso. E ancora. Perché è una gran fatica, Tony, reggere il passo di tutti questi baci convulsi, di tutti questi profumi, i convenevoli, le lusinghe, i complimenti, le spaghettate, le feste a tema, le candele nei giardini, i pettegolezzi e via dicendo. Vogliono passare tutte per pazze bizzarre e stravagantissime, ma sono solo delle cretine. E i loro uomini a cercare di fottersi il potere. Vogliono conquistare Roma. Figuriamoci. Saranno salvati all'ultimo momento utile, afferrati per la giacchetta, proprio dalle pazze bizzarre e stravagantissime che lasceranno cadere eroticamente a terra, davanti ai veri, taciturni, oscuri potenti arrapati, quel che resta della stoffa che i loro mariti non hanno mai avuto. Ci vogliono le tonnellate di cocaina, credimi Tony, per affrontare tutta questa superficialità. Ma non lamentiamoci, per carità. Sempre meglio che approfondirsi davanti alla televisione nella provincia morta e volgare dalla quale provengo.

Sì, Tony, sì, ci sarà tempo per il mio ombelico sporco e prevedibile, ripiegato sulla cintura marroncina. Intriso di nippoli di polvere, lanugine blu e verità turistiche. Abbiamo un futuro io e te, Tony, sempre che ci interessi ancora, il futuro".

Questa è una bella domanda. Ma comunque.

Così si è presentato a me Tonino Paziente. Un fiume in piena e io ad arrancargli dietro. Avevo notato la sua smodata predilezione per la parola "convulso", che esibiva come un trofeo di caccia. Per il resto, parlava dando per scontate molte conoscenze dei meccanismi urbani che a me, invece, erano sconosciuti e misteriosi. Una chimera, Roma, quando provenite dai miniappartamenti di periferia. Ci ha le sue leggi non scritte, ma così insulse, che fai fatica a credere che possano essere vere veramente. Ma forse, comunque, sono troppo vecchio per un mare di stronzate come queste, sparatemi addosso a duecentodieci all'ora, tramortendomi davanti a una birretta calda da undici euro. Un prezzo da meritare due ergastoli.

Ero troppo vecchio, insomma, per mettermi a fare l'ascesa sociale.

Poi, col tempo, ci ho ripensato alle parole di Tonino Paziente di quel primo giorno romano, e devo concludere che aveva sintetizzato in un compendio preciso, come una formula scientifica inattaccabile, tutto ciò che c'era da sapere sull'ombelico sporco di questo paese, sulla capitale di questa Italia maledetta. Tutto.


La sera stessa, senza neanche darmi il tempo di fare una doccia, Tonino scalpita per introdurmi nel mondo bello e mi trascina a casa di uno scrittore: Gegè Raja, ottantatré anni, trapiantato a Roma da quel tempo in cui i gabbiani stavano ancora solo a mare, che, in quanto napoletano e laureato, pontifica meglio degli altri. Il rincoglionimento senile non gli scalfisce la zampata intuitiva in calcio d'angolo. Questo m'infittisce di emozione, mi restituisce all'odore della primavera a cascata.

Si amava la cascata della primavera. Si amava la cascata del primo bagno a mare. Poi si è amata la cascata di cocaina nelle nostre narici. E solo quello. Il resto si è arenato nel cassonetto fetido dell'immondizia. Che apri con le punte del polpastrello per non insozzarti e trattieni il respiro per non trafugare i miasmi, che invece contengono, inalterate e sorgive, quelle sensazioni che si sono perdute in nome della perenne anestesia locale.

Ma ecco Gegè, uno snocciolatore di concetti e di emozioni.

Che, gira gira, è come se dicesse: benvenuti nel nuovo millennio, amici e nemici. Ora saranno cazzi vostri, dal momento che io sono limitrofo al congedo.

Eccolo, Gegè.

Fluviale:

"Roma, e dunque l'Italia, si è ridotta ad un neologismo: figo. Tutto è figo o non è figo. Un'anoressia della parola. Una stitichezza della sensazione.

Uno dice 'ma quella è parlata dell'adolescente'. Ma magari! Perché sarebbe passeggera come passeggera è l'adolescenza. Invece, non lo senti il politico, il professore, la dottoressa, lo studente, il commerciante, il disoccupato? Insomma tutti, lo usano tutti. Così spesso e volentieri che a me alle volte, mi dovete credere, mi viene l'emicrania a grappolo. È figo. Non è figo. Io non ce la faccio più. Ma perché non me lo avete detto prima che andava a finire così. Io e i miei nemici scrittori ci siamo spaccati il cranio per quarant'anni e poche lire sulla ricerca della parola precisa e cosa abbiamo lasciato in eredità? Una parola sola: figo.

Che, tra l'altro, ironia della sorte, non abbiamo mai pronunciato.

Questo è il vostro modo di rinnegarci? È questa la vostra protesta contro una generazione ingombrante, resistente e guerrigliera? Dire figo ad ogni piè sospinto? Ma allora vi dovete ricoverare ed implorare la camicia di forza. Chiedete al dottore una camicia di forza da apporre sulla bocca, però. Basaglia capirà.

Hanno scoperto un nuovo pianeta vicino Saturno? Figo!

Hanno aperto un nuovo negozio di lenti a contatto colorate? Figo!

Mio figlio tiene sei cellulari. Figo, dice quell'altro, mentre si domanda che cazzo ci fa con sei cellulari. Mentre la domanda giusta che dovrebbe porsi è perché ha risposto figo.

Dice, è un intercalare. Ma non c'è stato un tempo, forse, in cui il mondo si è sforzato di coniare continuamente nuovi intercalari e, dunque, farci ridere? Ma che cosa ci avete voi contro la sana possibilità di ridere? Ma non lo capite che ogni volta che qualcuno dice figo si perde l'opportunità di farsi una bella risata? Certo, la risata implica lo sforzo di una ricerca. Minima, ma pur sempre una ricerca, coadiuvata da un talento. Qui nessuno ne vuole più sapere niente del talento e del minimo sforzo. Che poi sono un'endiadi abbracciata. Sforzo e talento sono diventati parolacce.

Per questa ragione, ridono tutti per finta.

Faccio 'sta tirata di retroguardia mica perché voglio denunciare la pochezza culturale. Anche se c'è ed è indubbia. Faccio 'sta tirata perché vorrei continuare a farmi due risate. Che poi, la risata, diciamolo, è la forma suprema di cultura. Perché non chiede spiegazioni. Il resto è cascame per speculazioni di topi da biblioteca. Il resto è succedaneo. Ma ora che nessuno, chissà per quale misterioso motivo, scivola più sulle banane, allora è col linguaggio che mi dovete far ridere. Ma quelli niente. Sordi. E ripetitivi. Obnubilati dall'indolenza linguistica. La depressione linguistica. Ecco quello che regna. Uno dovrebbe andare in analisi e dire: dottore, ci ho la depressione. Linguistica però. E quello ti risponde: figo.

Vabbuò, allora bisogna cambiare analista".

Spassoso Gegè, ci ha fatto ridere di misura, perché tutti gli astanti avevano un'unica, ossessionante preoccupazione di fronte al suo ragionamento: non lasciarsi scappare dalla bocca la parola incriminata.

Io no. Perché io non dico figo e perché sono un sostenitore della ricerca della parola che stupisce. Piuttosto tacevo perché mi arrovellavo sul significato sconosciuto della parola "endiadi".

Una tizia di nome Marinella, con degli occhiali amaranto grandi quanto una portineria, ha voluto dire la sua.

"Non scivoliamo più sulle banane perché nessuno le butta più a terra, Gegè. Non tutto è negativo. Il senso civico ha fatto progressi."

"Che cos'è il senso civico, Marinè? È pensare in proprio. Quest'è. Nel rispetto degli altri, ma in proprio. In questo senso io non lo vedo così sviluppato, 'sto senso civico, Marinè. L'appiattimento del pensiero autonomo sulle soglie dello zerbino di casa del nostro proprietario massimo ci ha un poco azzoppati, Marinè. L'uomo in questione ha reso precario il paese, facendoci obliterare gli ultimi scampoli di dignità. E ogni passo verso la precarietà è un rafforzamento della schiavitù mentale e materiale se non hai dei contrappesi di generosità democratica. E ti pare che quello ci ha i contrappesi interiori di una generosità democratica? Il guaio inestimabile è che in politica ultimamente si buttano sempre i più grossi egocentrici dell'umanità. Che riescono a diffondere e imporre il loro stile malridotto e puzzolente, la loro frustrazione malcelata, la loro insicurezza intestinale, a colpi di apparizioni televisive e decreti legge d'urgenza che non hanno nulla d'urgente. Questo non me lo contraddite, cortesemente. Ti pare che, in profondità, se uno sa il fatto suo, si butta in politica? Ma per favore. È come dire: oggi sono felice e poi, un attimo dopo, mi butto dal sesto piano."

"Non ti contraddiciamo" ha innestato Paziente con una melliflua rapidità sensazionalistica.

Gegè non lo ha sentito perché si è già adagiato sul pensiero successivo, che sciorina con una pastosa voce da gagà. Un Totò pacato, senza frizzi e senza lazzi. Imbottito di calmanti e sul burrone della morte già da tanto. E va avanti, come un salmone che risale la corrente dell'età.

"Ma se la parola dice figo, la mente dice figa. Quella maschile intendo. A volte pure quella femminile, beninteso. Avete sentito che ultimamente uno degli interventi di chirurgia estetica più richiesti dalle donne un pochino âgé è la ricostruzione interna vaginale? Attenzione, non la ricostruzione della verginità, quella non importa più a nessuno, ma la ricostruzione elasticizzata dei tessuti che si ammollano. Una cosa complessa, costosa e dolorosa. Eppure nulla le ferma, a queste amazzoni dell'estetica decadente. Testarde e risolute come tombini. Come vedete, anche il femminile oscilla sul concetto della figa. Oscilla, ma non si allontana. Assomigliano a barattoli di pummaròla scaduta, ma possiedono genitali luccicanti degni di stimati pittori morbosi. A me mi fa impressione. Ma io sono sorpassato da me stesso, figuriamoci dall'umanità. E tutti lì a tormentarsi su queste quattro lettere che toglie loro il respiro: figa, figa, figa, figa, figa.

Non dormono la notte, l'appetito se ne va, si bombardano di schifezze da tutte le parti per avere la cosiddetta erezione (che brutta parola, erezione!) per introdurre, introdurre, introdurre.

Questo l'obiettivo, lo scopo, la ragione di vita. Cosa c'è attorno? Niente. Non sentite odore di morte? La morte non è la scomparsa del desiderio, quella alla mia età si fa irreversibile e fisiologica. Che cazzo ci vuoi fare? Macché! La morte sta nella semplificazione del desiderio. Così come l'altra morte sta nella semplificazione del linguaggio. D'altronde, il desiderio è stato sempre perennemente appeso ad un'articolazione spettacolare e variopinta del linguaggio. Vanno a braccetto, come le commarelle. Ma non è stato sempre così. Sessantasei anni fa, mia moglie si è voltata e mi ha guardato come non mi aveva mai guardato. Mi ha guardato come il sentiero che s'illumina d'incanto, mi ha guardato come il bambino divertito dagli schizzi d'acqua. Così mi ha guardato ed è stata la rivoluzione di me stesso. Non sto dicendo che mi sono innamorato. Sto dicendo che mi sono eccitato l'anima per una torsione del collo. Vero Carla? Te lo ricordi, Carla? Eravamo ragazzi, Carla. Tutta l'incredulità del mondo ci cadeva addosso senza pudore. E quelle vampate nella scoperta della tenerezza, Carla, ma non valevano più della vita stessa? Io penso di sì, Carla. Annuiscimi ancora una volta, Carla. Lo hai fatto tutta la vita, non me lo negare adesso. Adesso che trascorro le giornate a salutare il mondo perché ogni giornata si preannuncia come l'ultima. Annuiscimi ancora. Abbiamo sudato le nostre ascelle con lacrime di commossa partecipazione mentre ci baciavamo a Capri. Dentro i labirinti dell'estate perenne. E un attimo dopo progettavamo la grandezza della famiglia. Progettavamo la responsabilità, come antidoto a tutti i mali esterni che pure ci sono stati. La responsabilità, l'unico rimedio scientifico contro l'horror vacui. La partecipazione emotiva a tutte le sfumature uno dell'altro. Una morbosità indispensabile, Carla. Sentire le proprie spalle accarezzate dalla mano libera, Carla. Ma dove stavamo? Sospesi e galleggianti nell'istante. Se solo un dio avesse potuto cristallizzare il nostro sentire. Farci stalattiti umane per tutto il tempo. Non avremmo trascorso i successivi sessant'anni ad acchiappare disperatamente l'istante andato e che non è tornato mai più, perché corrotto dal nostro sapere, dal nostro aver provato, Carla. Abbiamo vagato in coppia, come i barboni all'angolo della strada, alla ricerca non del Tavernello, ma dell'istante e degli istanti amabili. Ma come è stato bello, Carla, il tempo in cui l'ingenuità era una risorsa e l'ignoranza un concentrato di saperi. E i fiori dell'estate che opprimevano i nostri cuori, anche questo ci dicevamo, addensati dentro una retorica possibile e dannunziana, perché esclusiva e condivisa dentro i nostri occhi tristi e felici, l'unica retorica possibile, Carla. Vivere insieme, Carla, come noi abbiamo scelto, ierofanici, ossidionali, ineffabili, ha voluto significare anche cogliere il senso del ridicolo di tutti e due, da soli e insieme, e ammirare, con forza e perseveranza straordinarie, quel senso del ridicolo che scappa via dalle gonne e dai pantaloni, come la vipera che vedemmo a Maratea sotto brutti fuochi d'artificio. Estenuati dalle nostre stesse, infinite parole, fluttuati nei rigurgiti rumorosi della noia e delle noie reciproche, eppure estaticamente assuefatti a quell'idea di unicità, di insostituibilità che non ci ha reso unici, dal momento che nessuno è unico, ma insostituibili sì.

Ecco, questo siamo stati, insostituibili.

L'amore è l'insostituibilità.

Adesso, invece, queste latrine disumane attendono impazienti lo spalancamento di cosce, così finalmente, come in un rituale liberatorio, si accoppiano visione elementare e pensiero elementare: figa e figa, figa contro figa. La figa mentale e quella reale, in diretta. Un pragmatismo da squattrinati del sentimento. Giuseppina, la mia prima fidanzata, disse sotto un platano profumato: 'Adesso noi'. Non disse nient'altro, e fu un'altra rivoluzione. Si pensa al sesso in mancanza d'altro. Ma ve lo giuro, quando Giuseppina sussurrò adesso noi, il sesso diventò un miracolo successivo. Questo dovrebbe essere il sesso, un miracolo, un prodigio. E come tutti i miracoli, ne godi per lo stupore, ma non hai il desiderio cosciente del loro avvento. Chi desidera i miracoli? Solo gli invasati, gli ossessionati, i depressi, gli smidollati. Bisogna riappropriarsi di un rapporto religioso, liturgico col sesso. Ho detto religioso, non bigotto, che è un'altra cosa. Considerarlo miracolo. Allora, solo allora si capirà cosa è il sesso. Il sesso è una catapulta. E le catapulte non si trovano più. Si sono estinte, come i telefoni a disco. Come le lucciole del poeta dilettante. Non c'è limite alla bruttezza. Allora si fa un'altra cosa, che per convenzione quelli là chiamano sesso, ma non lo è. Non so se sono stato chiaro. E badate che non sto ragionando da vecchio nostalgico. Sto ragionando da chi ragiona e basta. Oppure ogni volta che si esprime un concetto bisogna impoverirlo attraverso il filtro della biografia personale e delle debolezze personali? Questo è insano in chi lo fa e denota una indolenza in chi elabora così il giudizio sugli altri. Ma so che lo farete. Andrete via da qui, vi ritroverete sotto il mio portone. Parlerete a bassa voce perché avete paura che io, mentre chiudo le finestre, possa sentire. E commenterete: Gegè si è fatto vecchio. Non sa quello che dice e comunque quello che dice ce lo ha già detto la settimana scorsa. L'arteriosclerosi... aggiungerà sospirante qualchedun altro. E queste so' due chiacchiere prima di dirsi 'buonanotte, giovedì venite a cena da me, ho comprato il tonno fresco'. Lo fate e lo farete, ma non avrete risolto niente, perché la banalità e la malevolenza vi fanno prendere sonno fino a quando il sonno vorrà farvi una cortesia. Poi sapete che succederà? Un giorno il sonno, galantuomo come pochissimi, lascerà il passo al senso di colpa. E gli dirà: 'senso, va' tu stanotte, fagli capire tutta la pochezza del mondo che gli appartiene, io vado da Rosati a farmi un vermouth'. Allora crederete di essere diventati insonni, è tipico dell'ignorante, del povero di spirito e dell'anti-ironico, confondere il problema con il problema. Ma non è insonnia, è che vi stanno facendo pagare il conto per aver detto una sera d'estate, brilli ma non ubriachi, sotto un portone: 'Gegè si è fatto vecchio'. Gli uomini non sono in grado di commettere vendetta, a questo limite suppliscono egregiamente i destini degli uomini. Implacabili. Sì, è vero, Gegè si è fatto vecchio, tra poco morirà, ma possiede ancora la forza, stentata e disperata, di urlare in una notte d'estate sconveniente, contro un bicchiere vuoto di vino bianco, annuiscimi ancora, Carla, tu, annuiscimi ancora."

Non ha annuito nessuno. La brezza ha intirizzito i corpi. Si era fatto tardi. Un silenzio opaco ha accompagnato i cuori asciutti, e Gegè già con lo sguardo altrove. Era scivolato, senza soluzione di continuità, dalla socializzazione al monologo solipsistico. Di colpo, eravamo un ingombro alla sua morte. Come certi mobili che, dopo il trasloco, ti scocci di spostare. I suoi occhi acquosi e lacrimosi, come quelli di tutti i vecchi, puntavano la sordida litania dei gabbiani svolazzanti sull'altare della patria. Tutto fermo, che potevi sentire i rutti soppressi di Falanghina. Un mutismo museale e ragionevole è scivolato sotto gli scialli delle signore, lì, sulla terrazza che ha ospitato liti e nottate, novità e riti obsoleti. Una delle terrazze più belle dell'universo. Che guarda i tetti, questi eterni sovrintendenti della commedia umana.

Bisogna saperle dire le cose, si è pensato collettivamente. Bisogna saperle dire, vuoi per mettere paura, vuoi per regalare l'emozione. Questo ai miei occhi aveva regalato Gegè: la paura e l'emozione, senza distinzioni. Sovrapposte come carta carbone.

Ma il problema degli altri era sempre lo stesso, era la loro vanità ferita. Non erano loro a saper dire le cose, ma un altro, Gegè nello specifico, talvolta con termini sconosciuti e inarrivabili. Questo inibisce. Quando pensi che devi girare col dizionario sotto braccio ti fai nervoso. Da qualche parte, non sai bene dove, ma stanno attentando alla tua dignità. Questo si faceva insopportabile e Gegè lo sapeva troppo bene, per questo pronosticava in anteprima le chiacchiere becere e sbrigative su di lui. Si può commettere qualsiasi reato sull'uomo, vi perdonerà, ma non toccategli la sua vanità. Allora, diventa una belva vendicativa e incontrollabile. Accanito come uno sciacallo, risolleverà il capo solo quando resterà di voi un'ombra di ossa sul tappeto orientale del salotto.

Emma Rapisarda si è guardata le scarpe di sottecchi.

Quattromila euro. Sordida comparsa mondana, Emma, che raffredda qualsiasi emotività dentro un consumismo selvaggio, una schizofrenia materialista. Non ci crede agli uomini. Un'altra forma d'arredamento, gli uomini. Crede, invece, alle scarpe e ai principi ispiranti la massoneria.

Ma le sue parole, insomma. Quelle parole di Gegè. Un altro congedo molle dalla vita. E, al contempo, un attaccamento memorabile ad un'esistenza priva di qualsiasi prospettiva.

Mi sono commosso come quando vidi piangere mio padre alla guida dell'automobile, all'improvviso.

Aveva avvertito tutto il peso del traffico congestionato e dell'assenza di senso dell'esistenza. E non mi capitava da troppo tempo di commuovermi a quel modo.

Quali parole dopo? Com'è brusco tornare alla trivialità della quotidianità dopo aver assistito al teatro di Gegè, al cinema di Gegè. È per questo che non vado mai al cinema. Quando lo spettacolo finisce, fuori c'è la caducità della normalità. E questa escalation brutale, violenta, mi fa soffrire come un povero uomo tra i poveri uomini. Mi fa sentire fuori dalla vita alla quale vorrei appartenere per sempre. Quella del film.

Fuori, è tutto uno stupro.


Poi, di sotto, vicino al portone, l'imbarazzo del gruppo che non parla. Era successo qualcosa, nonostante tutto. Gegè aveva fatto succedere qualcosa nel marasma indistinto di notti estive senza senso. Ciascuno al calduccio umido di pensieri rotti e sdrucciolevoli. La verità sulla vanità? Forse. Per rapide, brevi incursioni.

Dentro gli ettolitri di Falanghina, si è barcollati per attimi, come una nave carica di albanesi.

Di colpo, eccolo Ettore Boia, un commercialista che non disdegna le Isole Cayman senza fare il bagno a mare.

"Ma a chi voleva fare annuire? Carla non è morta?"

"Quindici anni fa" chiosa sciattamente Emma Rapisarda, mentre invidia con lo sguardo le scarpe di Violante e già progetta di andarsele a comprare all'alba se solo riuscisse a capire a quale stilista appartengono. Ma non la può dare la soddisfazione a Violante di dirle quanto sono belle le sue scarpe. È Tonino Paziente che interpreta e la tira fuori dai guai e, all'orecchio pulito e liscio, sussurra: "Jimmy Choo". Lei gli ricambia con uno sguardo di gratitudine come la madre col chirurgo che le salva il figliolo.

Boia si produce in una risata soffocata e oscena. Poi sibila:

"Non ci sta con la testa, Gegè. E poi quelle dichiarazioni d'amore struggente per Carla, di fronte alla nuova moglie, a me non mi sono sembrate di buon gusto".

"Perché invece è di buon gusto ripulire il danaro del traffico di eroina?"
(*Esattamente due anni dopo. Il procuratore della Repubblica Antonio Massa all'imputato piangente Ettore Boia.*)

"Ma quella è polacca, capisce sei parole d'italiano."

Ha parlato Egidio Buonumore, un metro e cinquanta di cattiveria e di sterminati possedimenti in Basilicata. Tre lauree honoris causa. Peccato che si dimentica sempre di dire che non ha scavalcato lo scoglio scosceso della quinta elementare.

"Capisce, capisce..." aggiunge infida ed esperta Violante, consapevole di avere le calzature sotto osservazione.

"Gegè è un intellettuale e può dire quello che vuole lui" ho azzardato io, d'istinto.

Intruso di prim'ordine, ho cominciato a piantare bandierine dentro la stupidità depravata che a questi li insegue come il derubato con lo scippatore.

"Arrivi in ritardo di trent'anni, Tony. Gli intellettuali hanno perso l'immunità. E pure la parola."

Sì, in effetti, arrivo con trent'anni di ritardo. Mi capovolgono l'ordine delle cose alle quali ero abituato. Sono di un'altra generazione, quella di Gegè. E stabiliscono delle nuove verità che sono assolutamente inaccettabili.

Ma sono stato troppo a lungo in mezzo agli scarafaggi veloci, dei quali ora, la sera, prima di cadere addormentato, comincio a sentire una leggera nostalgia. Un sentimento ritrovato, la nostalgia, ma non credevo che dovesse indirizzarsi verso quelle belve domestiche che, in Brasile, mi scatenavano un'ansia da madri.

Comunque, ecco qua, una parola tira l'altra. La chiacchiera di seconda fascia aveva ripreso a sciamare dentro quella libertà anarchica e svolazzante, inutile e necessaria alla sopravvivenza, che per altro tempo ancora dovrò rivedere in questa Roma immutabile e copione di se stessa all'infinito. Un alleggerimento dei propri limiti insormontabili. È così che resiste brillantemente la storia millenaria di questa città, rimescola continuamente le carte per rinunciare a vedere una volta e per tutte l'asfissia del suo involucro bellissimo.

Elsa e Arturo si stavano già scambiando pareri colti su come affrontare la ricetta della tartare di tonno.

Ora, cerchiamo di essere chiari, io posso sentire qualsiasi chiacchiera stronza, sono allenato al peggio, ma di fronte all'elencazione delle ricette, io ve lo giuro, vacillo come un drogato. Eppoi, diciamocelo, non ce la facciamo più con la tartare di tonno. Ovunque si vada, essa c'è. Come Alba Parietti. Ha rotto i coglioni la tartare di tonno. Non sono più un bambino. Sono sopravvissuto all'era delle pennette alla vodka, alla fase delle farfalle al salmone, alla vertigine della pizza coi pomodori pachino, alla tossicodipendenza trasversale da spigola sotto sale.

"Fresca, la spigola, mi raccomando, come le cosce di mia moglie."
(*Lello Pozzuoli, titolare di undici negozi di giocattoli, a più riprese, a tutti i ristoratori del Centro Sud, isole comprese.*)

E poi il momento apicale, il punto di non ritorno. Violante mi punta con un sorriso brillante e mi sussurra come se tramasse la rivoluzione:

"Tony, venerdì a casa mia, preparo un puzzle di spigola in granelle di sesamo".

Il puzzle di spigola! Ma di cosa stiamo parlando? Mi torna un'altra volta nella mente mio padre. Un uomo atterrito dal crème caramel. Schiacciato dalla violenza brutale della crème brûlée. Cosa farebbe ora al mio posto? Forse, smarrito, confuso, nel panico, le darebbe uno schiaffo con le nocche della mano alla bella Violante. Quando i padri volevano veramente farsi rispettare, giravano la mano da quel lato là. A mano "smerza". Io, fanatico delle furibonde, scomposte dinamiche della rissa, preferirei massacrarla con un classico, ben assestato calcio ai polpacci, ma mi trattengo. Con una certa difficoltà. Sopraffatto dallo sconforto, sospiro e trovo una risposta:

"Spiacente, venerdì non posso".

Se ne va delusissima, come se le fosse morta la badante ucraina. O l'amante.

Sì, alfabetizzati, è tempo di bilanci.

Io davvero non so se sopravvivrò alla schiavitù della tartare e del puzzle di spigola. Sono stanco, ho ripreso a tirare molto insieme a Tonino Paziente e tendo a non avere più appetito.

E Gegè? Dimenticato da tutti, un attimo dopo.

Poneva quesiti, riflessioni, sentimenti, voleva pure ridere.

"A chi vuò rompere 'o cazzo, Gegè!?" ha detto congedandosi Aldo Vallelata, penalista napoletano oberato di lavoro. E così, su quest'ultima frase che ha sollevato una risata generale, ci siamo salutati. In un colpo solo, si è smobilitata qualsiasi incursione nella profondità. È questa la dote dei battutisti come Aldo Vallelata.


Ma la notte, a casa, sarà stato il caldo, sarà stato quel paio di pippotti prima di infilarmi i boxer, ma non sono riuscito a prendere sonno.

No, i sensi di colpa no. Non è quella la ragione. Ad una certa età, a forza di guerre e colluttazioni, dopo mille lividi, ci riesci a firmare l'armistizio anche con i tuoi sensi di colpa. Sono lontani, remoti e sfocati i tempi dei comodini vuoti nella mia testa.

Invece a distanza di così tanti anni che paiono secoli eccola che riaffiora, dimenticata in una tomba di marmo, la malinconia. Un sentimento lasciato dietro la porta all'età di diciannove anni. Deve essere un effetto collaterale della vecchiaia. Insonne, mi sono trascinato con la fatica del respiro dimezzato alla mia finestra, di fronte a un bel panorama discreto. E scopro nella notte che la vecchiaia e la giovinezza possiedono straordinari, inattesi punti di contatto. Come tutti i grandi dolori. Vecchiaia e gioventù si accaniscono sui dolori e sulle malinconie. Con la stessa intensità. Con vigore cieco. Mi sono acceso un'altra sigaretta, allora, mentre le lacrime mi salivano negli occhi dritto dritto da dentro. Anche dalla mia finestra si vedono i gabbiani, gli stessi, forse, che sta vedendo adesso Gegè, anche lui con le lacrime negli occhi. Gli sono così vicino adesso, come in un telegramma di condoglianze, ma così vicino. Sì, Gegè, tu, io, i nostri splendidi amici e compagni estivi, facevamo il tuffo a mare e ad ogni tuffo ci lasciavamo il mondo alle spalle. Ogni tuffo, una ierofania, un'incursione azzardata e sempre ben riuscita del sacro nel profano. Così, a mani aperte e testa bassa, i piedi uniti mi raccomando. Non ci disuniamo, Gegè, non ci disuniamo, urlavano quegli amici dentro l'eco di Posillipo, che poi il tuffo viene male. Bisogna schizzare il meno possibile. E non vale solo per i tuffi. Solo adesso capisco veramente, fino in fondo, e gli occhi pieni di lacrime non mi bastano più, ora devo singhiozzare. Piango a dirotto, Gegè, perché adesso capisco una cosa che mi strazia ma non mi abbandona all'infelicità, solo ora comprendo, Gegè, che è tutta la vita che attendo, con un desiderio scandaloso e illibato, di aver sempre e solo desiderato unicamente una cosa: diventare vecchio.

Ecco, adesso ci sono. Finalmente vecchi. Come spesso ci accade, sbagliavo obiettivo, credevo di dover inseguire a tutti i costi l'età giovane e invece il desiderio remava nella direzione opposta. Forse era questa la piattaforma di tutti i disagi. Un tuffo nella vecchiaia e ci lasciamo il mondo alle spalle, come quando eravamo ragazzi.

La malinconia. I tuffi. Le belle ragazze sugli scogli. I piedi uniti. Niente schizzi. Non ci disuniamo, Gegè. Fino all'ultimo istante, Gegè, non ci disuniamo. Ne va della nostra reputazione.

Più tardi, ho fatto uno più uno. Disteso supino con una pancia all'in su imbottita di alcol e amatriciane ho unito i concetti di Tonino Paziente con quelli di Gegè Raja. Li ho messi vicini. Presente e passato, e ho colto in un istante l'essenza della vita che mi aspettava a Roma da quel momento in poi.

Infatti è stato così, per un paio d'anni.

Ma l'ho capito subito, che i ragazzi per strada che si baciano ancora senza tregua, famelici e disperati come se la morte fosse lì pochi istanti dopo, a portata di mano, l'ho capito che non avrebbero più alterato il mio battito cardiaco. Tutte le repliche hanno una fine. E finiscono pure tutti i copioni. E io stavo esaurendo gli uni e gli altri.

Il teatro si chiude. Ma mi aspettava ancora un altro atto.

Allora, ho cantato in playback *Munasterio 'e Santa Chiara* davanti a Fabio, nudo e solo nella sua profondità, che si accoppiava scompostamente con quattro ucraine dai bellissimi volti da assassine o, di volta in volta, l'ho visto immergersi come un palombaro dentro le curve alterate chirurgicamente di italiane volgari e inadeguate come la nafta nel mare azzurro dei Faraglioni. Elargiva loro litografie e abiti firmati per arginare gli affluenti del pettegolezzo. Ma proprio quelle litografie e quegli abiti firmati erano diventati il corso principale del pettegolezzo. Ma ad un tratto a quelle ingorde, trafitte da un'esistenza costellata di troppa fame e povertà di spirito, oppure umiliate dall'insoddisfazione mentale, affogate nella loro scaltra ignoranza giovanile e inconsapevoli della loro brutale lateralità, non sono bastate più le regalie occasionali e sono cominciati dei gran casini. Affari loro. Volevano l'accesso sistematico; l'illusione di tutte le puttane che hanno eletto Cenerentola a loro idolo indiscusso. Le biografie si fanno sempre deludenti e complicate quando ci si mette in testa di inseguire le fiabe attraverso una regolare, metodica apertura di cosce. E tutte, indistintamente, a pensare ossessivamente che la loro bellezza era stata conquistata col sudore della fronte, un'ingenuità che non mette nessuna tenerezza, mentre invece si trattava di una ordinaria, fortunosa, combinazione di cromosomi. A quanti fiumi di cacca bisogna assistere in una vita intera. Un'inondazione ininterrotta. Ci sarebbero tutti i presupposti per effettuare una sequenza multipla di omicidi e andare a dormire candidi e rilassati, senza rimpianti. È difficile odiare i malvagi, questa attività viene più facile con gli illusi. E i frequentatori di scorciatoie.

Ma, quella delle ragazze, era la stessa ingordigia e la stessa lateralità di Fabio. Lui e le sue troie condividevano, in ultima analisi, lo stesso orizzonte di ambizioni. Gli stessi progetti: morire in mezzo ad un dolore semplice camuffato da principesco piacere. Il gaudio della morte. Ti sveglia al mattino e si corica con te, corrompendoti tutta quanta.

Certe banalità sono veramente inaccettabili. Anche quando c'è, di mezzo, semplicemente, l'ignoranza totale, abissale della vita.

Ho ripreso a morire lentamente di cocaina sulla terrazza riscaldata e parquettata di Tonino Paziente e il dépliant infinito e variegato dei suoi amici che amici non erano perché da lui volevano evidentemente solo una cosa: coca a gratis.

Che immensa pena, Tonino Paziente. L'ho frequentata la compassione, ma con Tonino davvero si potevano scalare certe vette sconosciute della misericordia. Rivendicava per sé, con un accanimento simile a quello del giapponese cui non dissero che la guerra era finita, un ruolo. E invece non ce lo aveva il ruolo. Aveva solo una funzione. Di collante del piacere fittizio ed estemporaneo. Ma sotto sotto lo sapeva, se no perché ogni tanto, all'improvviso, potevo scorgere, nella sua bocca tesa e avvilita, nei suoi occhi caduti, quelle striature emancipate di tristezza?

Inciampava, qualche volta, convulso, nella mancanza di senso di quello che faceva e questi attimi laceranti lo facevano soffrire come un cane zoppo e randagio. Anche lui un abbandonato, sul ciglio della strada sotto il caldo insopportabile di un agosto a Lampedusa.


E sempre Tonino che, con la meticolosità ambulatoriale del biologo della perversione umana, mi ha sciorinato tutti i segreti, tutte le relazioni spericolate di affari e di sesso, tutti gli accoppiamenti, insomma tutto il diversivo umano per tirare avanti. Pensava, attraverso la rivelazione a tutto spiano del pettegolezzo di tutti gli altri di poter intercettare qualche mezza verità su se stesso. Una ricerca infinita, faticosissima ed infruttuosa. Ci teneva a mettermi al corrente di quello che lui riteneva essere il cuore pulsante e ospedalizzato di questa Rometta misera misera, uno srotolamento senza fine di nomi, tresche e parentele che guerreggiavano contro la mia memoria sempre più slavata e approssimativa, ma era un po' tardi pure per quello, ci si vaccina anche contro il pettegolezzo spinto, che in fin dei conti propone eterne varianti sul perno unico.

La figa, sintetizzava icastico Gegè Raja.

Ed era tutto quel che c'era da dire.

Ho ricominciato a illudermi che la vita poteva non finire più.

Sebbene violentata dalla totale assenza di novità che smuovono.

Il lungo tramonto di questa città, però poi il tramonto non si consuma mai veramente e allora t'inganna tutto quanto, giù giù, a perdifiato, fino nell'essenza che credi di essere. Ma non sei.

Ho volteggiato dentro i nobili palazzi romani, tempestati di capolavori d'arte oppure cafonate di tutte le risme, coi camerieri mortificati e nauseati da una sequenza vertiginosa e senza fine di tartine e stuzzichini sereticci. Ansiosi solo di ritrovare a notte inoltrata la calma di una periferia squallida ma rassicurante e sincera.

Ho assistito alla tumefazione dei volti e dei seni delle donne nella speranza, sordida e disperata, di conservare la gioventù ancora un altro pochino. Una svendita della bellezza. Piacere ancora e ancora, a tutti i costi, il brutto imperativo categorico del nuovo millennio. Piacere, piacere e compiacere, liofilizzate dalla rinoplastica, tenute su con la colla come i giocattoli cinesi del mercatino, con le croste sulle guance e i punti di sutura in quegli incavi che una volta esploravi come un boy scout sprovveduto e ora invece temevi di trovarci il cadavere putrefatto della gioventù.

Carezzare un seno e visualizzare la barba del chirurgo. Una sventura mostruosa.

Ho ingannato il tempo dentro cocktail, spumoni e aperitivi, le domeniche pomeriggio al circolo o allo stadio insieme a vanitosissimi, vacui concessionari di automobili, mogli bone, noiose ed annoiate, concentratissime solo sullo spacco di coscia, pronte alla devozione o all'assassinio dei loro mariti, nessuna differenza, stessa disinvoltura, ho compatito comici a corto di battute, sottosegretari armati di zampe affilate come puma e affamati di deleghe, di consorzi, puttane travestite da puttane e disinvolti giudici antimafia travestiti da Gigi Rizzi, tutti a digiuno di ciò che avevano più a cuore: il rocambolesco.

Lo inseguivano, il rocambolesco, ma quello era estraneo alle loro biografie, per definizione. E per status. Pronti a vendere le figlie per una mezza prodezza con applauso circostante. In realtà, erano le figlie che, balorde e disinvolte, se volevano, si vendevano a loro per quattro soldi. E tutto per spostare sempre un po' più in là la vecchiaia che invece era già arrivata da un pezzo. Ma io non lo sapevo. La speranza insana di allontanare sempre un po' di più quel momento irreversibile in cui il giorno dopo non hai più progetti perché forse non c'è più il giorno dopo.

Ho settantasei anni, ormai.

E quando canto, mi applaudono per un rispetto al passato. Non che abbia mai creduto di essere Sinatra, ma come non avvilirsi sempre un po' di più di fronte a questa brutta sensazione, chiara e irreparabile. Gli applausi deboli, che ti assassinano. Te lo devono, ma stanno pensando ad altro. Fanno una gran fatica a riconoscere ciò che è centrale e decisivo. Perché nulla è più centrale e decisivo, sembra. Sguazzano nel caos, con una leggerezza estatica che mette letteralmente paura. Siderali precipizi di vacuità. Si è fatta incongrua pure la risata, la mezza battuta, la pacca sulla spalla, il sorriso furtivo, il mezzo occhiolino sopra la spalla del marito distratto. Niente. Il niente di niente. Tutto il repertorio gioioso della mia gioventù, svanito, dileguato, assassinato durante quei pochi, miserabili anni in cui combattevo a mani nude contro gli scarafaggi.

Una cosa invece appariva certa, non avevo più la stoffa e l'energia per essere centrale e decisivo per nessuno. Mi mancavano i connotati e i requisiti elementari. Per quella roba lì, serve il certificato di sana e robusta costituzione. I medici avrebbero ridacchiato. Da qualche parte, le cose vere, forse, accadevano ancora ma, naturalmente, si tenevano alla larga da me. Quelle vecchie canzoni che sgolavo ancora con l'imitazione della passione erano vecchie appunto. Come il Colosseo. Buone per i giapponesi, gli unici in grado di regalare soddisfazione. Gli unici ancora in grado di stupirsi di tutto. Vergini, i giapponesi, sembra sempre che sono apparsi sulla terra solamente dall'altro ieri.

Ma non si può gioire quando ti approfitti del neonato. Si afferra lo squallore.

Ho bazzicato, flaccido e in apprensione, orgette di seconda fascia, assaggiando stancamente i nuovi ritrovati per vecchi: un po' di pillolette per continuare a regalarti l'impressione di quel vigore che fu. Il vitalismo dopato. Ma ancora una volta, come tanti anni fa, lo stesso spettro vertiginoso, entri dentro un corpo e pensi che non stai risolvendo nessun problema.

Perché sei tu il problema.

Ti precede, il problema.

E spesso si chiama senso del ridicolo.

Ma appunto, è un'impressione, tutto un'impressione.

Roma è un'impressione. È una Sindone. Sbiadita. E dentro non c'è nessun dio.

"Sembravano fuochi, ma erano miccette che facevano fetecchia" diceva mia madre un tempo con un furore che ci produceva vertigini di paura fallimentare.

Una sintesi colossale della mia vita e della vita di tutti gli altri, questa frase di mia madre.

La diceva con una cattiveria permeata da dolori strazianti alla bocca dello stomaco, perché alla scuola delle suore le avevano raccontato tutta un'altra prospettiva. Ma avevano mentito. In buona fede, ma avevano mentito. Le avevano corrotto quella semplicità che teneva dentro, proiettandola in un universo ingovernabile di concetti ai quali, giustamente, non credeva più.

Ma poi, per capirlo veramente, per guardare veramente

in faccia cosa era diventata questa vita scialba sono dovuto andare a casa di Antonella Re, più di vent'anni dopo.

E ci è voluto, in un'accezione pura e arcaica, tutto il coraggio più spericolato che può contemplare questa parola: coraggio.

Un coraggio da eroi.

L'avevo lasciata, Antonella, che era una delle donne più belle del mondo, sulla moquette blu di un brutto albergo di Ascoli Piceno. Aveva gambe lunghe e nodose come palafitte, un décolleté da incatenare lo sguardo per dodici ore, galleggiava nel grande show del sex appeal come una boa ancorata coi blocchi di cemento, aveva occhi neri e oblunghi da berbera di buona famiglia e invece me la ritrovo fuori di testa, che disarciona le parole in una nuova, incomprensibile grammatica, sbaragliata dagli psicofarmaci, dilatata come un pallone aerostatico, sciupata da una pinguedine irregolare, umiliata dalle vene varicose e dalle smagliature che paiono coltellate, avvizzita da una vita massacrata dal dolore di una madre morta ancora giovane per overdose di tranquillanti in un edificio moderno a tre piani della provincia di Aosta, in una domenica pomeriggio d'inverno, alle sette di sera, con le tapparelle abbassate, la luce accesa e le pareti bianche con niente appeso. Si era consunta. Si era squamata, India, in mezzo all'intonaco ancora fresco. Ma non è stato certo tutto questo scenario tragico che mi ha sconvolto o chissà cosa. No di certo. Se ne sono viste anche di peggiori.

È che lei, Antonella, si sbatteva, avrebbe voluto fare, ora, l'amore con me a tutti i costi, pensando di ritrovare chissà cosa. In preda ad una brutta schizofrenia cercava di recuperare tutto il tempo perduto e tutti i torti che le avevano fatto senza tregua, in una vita intera, familiari violenti e discografici osceni, fidanzati imbolsiti e amiche perfide, colleghe senza talento e disincantati playboy col vizio dello sport professionistico, pedanti amministratori di condominio e falsi, fasulli fan scatenati, lì insieme a me, in un pomeriggio uggioso e malinconico, così credeva. Ma anche se avessi voluto accontentarla, sarebbe stato impossibile fare l'amore con lei, perché non si fermava un momento, diceva e contraddiceva con la velocità di un lampo, aveva disimparato i più rudimentali interstizi della seduzione, andava su e giù per una stanza ingombra di grucce, brutti vestiti fatti a mano da lei stessa, poster nostalgici che la ritraevano abbagliante e inarrivabile come un'attrice di telefilm pruriginosi degli anni settanta, avanzi di pizze ordinate urlando al telefono, cicche di sigarette accovacciate sotto il letto disfatto e macchiato di caffè nero bollente. Ma non è stato tutto questo scenario apocalittico e definitivo che mi ha avvilito e fatto capire. No. Non ancora. È che a un tratto, non si sa come, non si sa perché, ma si è fermata, stremata come una leonessa dopo la battuta di caccia. Si è accasciata su una poltrona logora, assumendo una posizione sguaiata, illogica e catatonica.

In fondo al tunnel ha intravisto una battuta e l'ha detta: "È tardi, Tony. È tardi per tutto, ormai".

Era esausta. La vita non le stava più bene addosso.

Così è la donna esausta, esattamente uguale all'uomo.

E aveva ragione da vendere a caro prezzo nelle boutique di via Condotti. Questo mi ha sconvolto. Questo mi ha fatto capire e mi ha fatto dire ancora una volta basta. Tutto era stato troppo.

O troppo poco. Ma questo non ce lo dirà nessuno.

Ci vuole la morte negli zigomi per capire veramente le cose. Hai capito, Pagodina? Ricordatelo! La morte negli zigomi! Questo era Repetto. Sessant'anni fa. Sì, Mimmo, ora, mi pare, forse, che ho capito.

Allora sono tornato a casa come in trance. Senza forze. Erano solo le otto di sera quando ho scovato, alla fine di via del Corso, un aggettivo inatteso nel mio scarno vocabolario: residuale.

Residuale. Buono per me e per Antonellina.

Avevo quattro appuntamenti quella nottata. Non ci sono andato. Ho spento il telefonino. Però non mi bastava. Allora l'ho scaraventato per terra più volte, con grande calma, fino a quando quello non si è rotto in molti pezzi irriconoscibili.

E mi sono infilato a letto vestito.

Fuori stava tramontando.

Io mi sono addormentato.

E, dopo anni di mancanza, ho fatto un sogno.

Questo.

Ho dieci anni e mia madre mi tiene per mano.

Sposto lo sguardo alla mia destra e anche mio padre mi tiene per mano.

Camminiamo lungo via Orazio in un sabato mattina assolato ed invernale che non tornerà mai più.

Indosso, con un orgoglio adulto, un piccolo loden verde.

Fa freddo ma io ho le mani calde.

E sono felice. Perché sono al sicuro.

Come non lo sono stato mai più.

Loro sono allegri. Non hanno litigato.

Mio padre dice a mia madre che le sta bene questo cappotto nuovo e mia madre si meraviglia perché qualsiasi complimento dalla bocca di mio padre è talmente insolito da apparire inopportuno.

Mia madre, che la pensava così.

Solo i figli piccoli, infine, sanno difendere le madri.

Con una goffaggine che li rende potentissimi. E invincibili.

Poi io, all'improvviso, senza motivo, domando quando accadrà che loro moriranno.

E loro, senza scomporsi, con grande sicurezza, mi dicono che non moriranno mai.

Io ci credo.

E sorrido mentre guardo, di sotto, un mare ancora pulito.

Invece mi stavano mentendo.

E, da quell'istante, sono cominciati tutti i miei guai.

E tutte le mie gioie.

Il sole è tramontato.

Il sogno è terminato.

Ma io, da quel momento, non mi sono più svegliato.

Ancora un attimo, Beatrice.

Che ci sono.

# Ringraziamenti

Quando eravamo tutti convinti di diventare grandi giocatori di pallone, quelli più grandi e più bravi ci dicevano, con tono inesorabile, sempre la stessa cosa: i fondamentali, dovete imparare i fondamentali.

Dunque, ecco i fondamentali, che desidero ringraziare.

Mio fratello Marco, che è stato tutto per me. Fratello, figlio e padre.

Mia sorella Daniela, che ha un suo mondo. Al quale ha accesso solo lei.

Toni Servillo. Il suo viso, sormontato da una parrucca rossiccia e da Ray-Ban azzurrati, ha guidato la creazione di Tony Pagoda.

Nicola Giuliano. Il mio amico. Che con pazienza e entusiasmo mi sostiene ormai da una vita.

Luigi Paciocco, che, a scuola, nella stanca afasia dell'ultima ora, mi allungava delle mirabolanti composizioni comiche che mi hanno spinto, anni dopo, ad emularlo.

Roberto De Francesco che, con commozione a stento trattenuta, mi ha fatto scoprire certi grandi libri.

Antonio Capuano, il mio primo maestro. Lungo via Caracciolo.

Umberto Contarello, che molti anni fa mi ha precipitato nel mondo degli aggettivi sconosciuti e delle metafore impossibili. Tutto quello che non vi è piaciuto di questo libro, è colpa sua.

Sasà e Tina, i miei genitori. E i loro amici. Tutti in possesso di un meraviglioso sistema di regole al quale questo libro ha attinto senza ritegno.

Salvatore D'Antonio e Nunzia Mattozzi, ultimo aggancio a quel meraviglioso sistema di regole ormai in via d'estinzione e che, proprio come allora, di colpo, all'improvviso, veloci e disinvolti come i ghepardi, sanno farmi ridere.

Il calore della famiglia Maranelli, e di Pippo e Carlo in particolare, lungo i tempi che furono atroci, che mi hanno tenuto in vita.

E ringrazio tutti quegli adulti che, da bambino, mi hanno formato senza accorgersene.

I ragazzi di via San Domenico 24, che mi hanno insegnato a perdere tempo senza avere alcuna meta, fino a notte fonda. Ci siamo regalati, gli uni con gli altri, l'illusione della spensieratezza.

Rosaria Carpinelli e Roberto Minutillo Turtur che, dentro antiche boiserie, sebbene coetanei, non esitano a darsi amabilmente del "lei", immergendo me, spettatore, in una meravigliosa atmosfera di un altro secolo. E che, dandomi del tu, mi hanno assistito come un fanciullo.

Inge, Carlo, Alberto e tutti quelli della Feltrinelli presenti a una cena in una Milano fermata e meravigliata dalla neve. In poche ore, mi hanno fatto sentire parte di una grande famiglia.

E poi desidero ringraziare i miei figli Anna e Carlo e mia moglie Daniela, che sono i motori e la guida della mia vita, lasciandomi così il lusso di crogiolarmi nel facile, impagabile ruolo del portapacchi che si gode il venticello sul tetto.